Biblioteca

Christina Dodd

Christina Dodd

LA CARICIA DE LA OSCURIDAD

Traducción de
Teresa Beatriz Arijón

CISNE

Título original: *Touch of Darkness*

Primera edición: mayo, 2010

© 2007, Christina Dodd
© 2010, Random House Mondadori, S. A.
    Travessera de Gràcia, 47-49. 08021 Barcelona
© 2010, Teresa Beatriz Arijón, por la traducción

Printed in Spain – Impreso en España

ISBN: 978-84-9908-292-9 (vol. 60/8)
Depósito legal: B-16094-2010

Compuesto en Revertext, S. L.

Impreso en Novoprint, S. A.
Energía, 53. Sant Andreu de la Barca (Barcelona)

M 8 8 2 9 2 9

*Dedico este libro a Roger Bell,
piloto retirado de las Fuerzas Aéreas,
con mi agradecimiento por sus consejos y críticas;
y a su comandante en jefe, Joyce Bell,
lectora generosa, capaz tanto de hacer cumplidos
como sabias correcciones*

Agradecimientos

El proyecto *La llamada de la oscuridad* ha sido motivo de alegría desde un comienzo, y muchas personas merecen el debido reconocimiento por sus aciertos y errores.

A decir verdad, la mayor parte de los errores ha sido mía, de modo que deseo expresar mi gratitud a mi agente, Mel Berger, por su respaldo y su entusiasmo. Gracias también a Bobbie Morganroth por sus lecturas esclarecedoras; a Teresa Medeiros y a Geralyn Dawson por sus comentarios brillantes; y al equipo de producción, al departamento de arte y al departamento editorial de NAL por su inspirado catálogo, diseño y espíritu innovador. Y a todos mis amigos, que me han oído hablar constantemente de este proyecto y no han bostezado ni tragado saliva ni se han reído. Gracias a todos.

Árbol genealógico
de la serie

«LA LLAMADA DE LA OSCURIDAD»

LOS VARINSKI

1000 d. C. En Ucrania,
Konstantine Varinski hace un pacto con el diablo

Mil años después

Zorana **M** Konstantine   Oleg ─┬─ Varias parejas

Emigra a   Cambia   Varias parejas ─┬─ Boris Otros hijos
Estados   el apellido
Unidos   por Wilder   Gavrie Vadim   Otros hijos

Jasha Rurik   Adrik Firebird

La noche que comenzó todo

—Quiero que me cubras las espaldas. —Konstantine le pasó la botella a su hermano y señaló el campamento situado más abajo, en el valle—. Voy a raptar a la muchacha gitana.

—Se supone que no debemos meternos con los gitanos. —Oleg bebió un buen trago de vodka—. ¿Acaso lo has olvidado? Está escrito. Podemos adueñarnos de cualquier mujer, pero no de esas *zalupa* cíngaras.

Konstantine mostró sus afilados dientes blancos en una mueca que pretendía ser una sonrisa.

—Y yo me pregunto por qué será eso. —La familia Varinski no conocía reglas. Ninguna clase de reglas. Siempre hacían lo que les venía en gana (violar, saquear, torturar, asesinar) y nadie podía detenerlos.

Pero existía una antigua ley.

No podían tomar mujer gitana.

—Las gitanas son sucias. —Oleg escupió en dirección al campamento y su saliva caliente soltó un leve vapor al chocar contra la tierra congelada. Aquel otoño hacía muchísimo frío y una helada anticipada había arruinado las cosechas y metido el fantasma del hambre en el ánimo de todos—. Te contagiará alguna enfermedad.

—¿Y qué me importan a mí las enfermedades? La única cosa que puede matarme, hermano mío, eres tú.

—Yo jamás te mataría —se apresuró a decir Oleg.

Oleg tenía la misma edad que Konstantine, y casi la misma complexión física: un metro noventa de estatura, musculoso, de puños grandes. Por si esto fuera poco, Oleg era un contrincante formidable en la pelea. Pero le tenía miedo al dolor. Si tenía que pelear, lo hacía, pero en realidad no le gustaba.

A Konstantine, en cambio, le gustaba con locura. Le encantaba ganar, por supuesto, pero más que nada disfrutaba de todo lo que implicaba una pelea. Le gustaba idear estrategias en el momento mismo del combate, bien plantado sobre sus dos pies, imaginar quién atacaría primero y cómo, calcular cuál de sus enemigos sería más fácil de aniquilar y cuál requeriría un esfuerzo extra. El dolor constituía un estimulante para él y el rojo era su color predilecto.

Esa noche, Konstantine necesitaba más acción. Pensaba que habría probablemente unas cuarenta personas en el campamento gitano: treinta hombres y mujeres que tendrían de quince a setenta años, y diez niños.

—¿Acaso no hemos peleado hasta quedar exhaustos esta noche? ¿Acaso no hemos bañado nuestras manos en sangre enemiga?

—No eran nuestros enemigos. —Oleg clavó la vista en las fogatas del campamento, que no era sino una mancha en lo profundo del valle—. Eran un simple trabajo.

—Aquellos que nos contratan para matar, quienesquiera que sean, son nuestros enemigos. —Konstantine cogió la botella, bebió hasta que el vodka le hizo arder la garganta y se la devolvió a su hermano. No subestimaba a los gitanos: sabían defender a los suyos, tenían en alta estima a la muchacha y, por encima de todas las cosas, peleaban sucio. Konstantine valoraba esas cosas. También pensaba que, con una estrategia sencilla, podría robarles a la chica bajo sus narices—. Estoy negociando con un terrorista en Indonesia. Pronto iremos a la guerra. Hasta entonces... —Sus ojos se deslizaron cerro abajo, hacia el campamento. El ardor de la cacería palpitaba en sus venas—, me conseguiré un bonito coño gitano.

Oleg le partió la botella en la cabeza.

Konstantine vio las estrellas.

Con un golpe certero detrás de las rodillas, Oleg lo hizo caer al suelo y le sujetó el pescuezo con el codo, curvado como un gancho.

—Si haces eso, tendrás que abandonar el clan.

—¿Y quién tendrá el valor de expulsarme? —Konstantine miró a su hermano con ojos desafiantes—. No precisamente tú, Oleg.

—No. Yo no. Pero tal vez... Tal vez la ley gitana no provenga del primer Konstantine... sino de su hacedor.

—¿Te refieres a su madre? —Los labios de Konstantine se curvaron con malicia—. Mató a su madre para sellar el pacto con su sangre.

—No. Al diablo. —Oleg le tironeó del cabello—. ¿Nunca lo has pensado? ¿Jamás has pensado que el diablo podría haber impuesto esa condición al firmar el pacto?

—Por supuesto que sí. Y tú, hermano mío, ¿nunca te has preguntado por qué? ¿Por qué el diablo le diría al viejo Konstantine que tenía prohibido poseer una mujer gitana?

—Yo... No lo sé.

Konstantine se liberó de su hermano, y dijo en tono confidencial:

—¿Viste a la muchacha gitana cuando estábamos en el pueblo? —Esperó unos segundos—. Dímelo de una vez, ¿la viste o no la viste?

—Sí. —Lo que menos deseaba Oleg era alimentar la obsesión de Konstantine por la gitana, pero la comprendía muy bien—. Es hermosa. Pero demasiado menuda para ti.

—Pechos altos, cintura pequeña, caderas estrechas, cabello negro y reluciente como ala de cuervo...

—Pronto le crecerá el bigote.

—¿Qué me importa a mí? No voy a conservarla. Pero ¿has contemplado esos ojos profundos, negros, que todo lo ven? ¿Sabes por qué tiene esos ojos? Porque puede ver el futuro.

Oleg bajó la guardia.

—Son gitanas. Mienten para sacar dinero a los crédulos.

—No, oí hablar a su gente... Ellos pensaban que yo era un perro. Esa muchacha no adivina la suerte. Tiene visiones. Quiero que me dé un hijo.

—Un hijo. Tú no puedes tener un hijo con ella. ¡Es una gitana!

Konstantine aferró a Oleg por la muñeca.

—Piénsalo, Oleg. Abre tu mente ínfima y estrecha. Imagina un hijo que conjugue mis dones y sus visiones. Sería poderoso, tan poderoso que hasta el Malvado le tendría miedo. Por eso no debemos mezclarnos con los gitanos. Porque mi hijo podría ocupar el lugar del diablo como líder del infierno.

Oleg se dejó caer hacia atrás, azorado.

—A veces, Konstantine, pareces estar loco.

Y entonces, con una velocidad tal que Oleg ni siquiera tuvo oportunidad de sujetarlo, Konstantine cambió de forma.

Donde hasta unos segundos antes Konstantine descansaba sobre el pasto seco y quebradizo había ahora un montón de ropas, y sobre ellas se erguía un enorme y musculoso lobo marrón: un lobo que era Konstantine.

Oleg intentó recuperar el control de la situación, pero el lobo le atrapó una mano entre los dientes y mordió hasta que crujieron los huesos.

—¡Sucio *govnosos*! —bramó Oleg.

Konstantine lo soltó. A veces era necesario poner a Oleg en su lugar.

Trotando cuesta abajo, Konstantine entró en el campamento. Casi de inmediato percibió el olor de la muchacha: un cuerpo joven, fresco y limpio. Hizo un rodeo para pasar lejos de los hombres. No quería problemas hasta que tuviera a su presa a la vista. Y por otra parte nadie le prestó atención, porque los lobos siempre iban en manada y los perros solitarios apenas eran una molestia.

Siguió su olfato y la encontró; estaba sentada con las otras chicas, hablando y riéndose de las monerías de una gitana joven que modelaba un sombrero de piel. Y todo el tiempo manipulaba el huso para convertir los vellones de lana en madejas.

Konstantine se detuvo fuera del círculo de luz de la fogata con actitud expectante.

Sus intenciones eran frías y calculadoras, era cierto. Quería un hijo nacido de las entrañas de aquella adivina. Pero engendrarlo sería un placer, pues la gitana era muy bella.

Inesperadamente, un escalofrío le recorrió la espina dorsal. Peligro.

Miró a su alrededor. Los hombres continuaban bebiendo, todavía sin advertir su presencia.

Oleg no se atrevería a interferir nuevamente en sus designios. Lo más probable era que aún estuviera curándose la mano y echando maldiciones entre dientes.

Entonces ¿dónde estaba la amenaza?

Allí. En el otro extremo del círculo de fuego. La vieja.

¡Uf! Era espantosa, una arpía jorobada con las cejas tan oscuras y pobladas que podía verlas desde su escondite. Tenía una de esas narices blandas y bulbosas, de vieja, cuya punta parecía rozar sus labios apergaminados. Lo peor de todo era que, bajo las arrugas y el cabello ralo, aún podían vislumbrarse restos de belleza. Como si un hechizo malvado le hubiera caído encima, y ese hechizo fuera la vejez.

Konstantine estaba completamente seguro de que su pelaje marrón y su inmovilidad lo hacían invisible a los ojos humanos. Pero la vieja gitana lo miraba fijamente tras sus grandes gafas de armazón negran, que aumentaban de tamaño sus ojos cansados. Levantó la mano lentamente y señaló hacia él con un dedo ganchudo.

Un silencio abrupto cayó sobre las muchachas... y todas se dieron vuelta al unísono para mirar lo que señalaba la vieja.

—Varinski —dijo la vieja. Y la palabra sonó como una maldición.

—No seas tonta, vieja. Los Varinski no se meten con nosotros.

—Varinski —volvió a decir la anciana.

¿Cómo lo sabía? ¿Cómo había podido reconocerlo?

Entonces la bella gitana, la de las visiones, se levantó con el huso en la mano.

—Iré a ver, vieja.

Fue más fácil de lo que esperaba.

La muchacha empezó a andar hacia él.

Konstantine absorbió al lobo y volvió a transformarse en hombre.

—¡No! —gritó la vieja con energía asombrosa.

La chica se dio la vuelta y empezó a retroceder, de espaldas, en dirección a Konstantine.

—No te preocupes —le dijo a la vieja—. De todos modos tengo que ir a buscar un poco más de lana.

Mientras la vieja luchaba por ponerse en pie, la morena gitana fue a parar directamente a los brazos de Konstantine.

No gritó; él no le dio ninguna oportunidad de hacerlo. Tapándole la boca con la mano, le pasó el brazo por la cintura y la levantó. Acto seguido empezó a andar hacia el borde del campamento.

Él estaba desnudo.

Ella llevaba puesta una falda.

Sería fácil.

Entonces la muy puta le clavó el huso en el costado.

Konstantine la dejó caer al suelo y rugió.

Ella gritó con toda la fuerza de sus pulmones e intentó escapar arrastrándose.

Konstantine vio, con el rabillo del ojo, que los hombres, estupefactos, oían los gritos y corrían hacia él. Cogió a la chica del brazo y la cargó sobre sus espaldas. Cuando ella volvió a apuntarlo con el huso, se lo arrancó de las manos y lo arrojó contra sus perseguidores.

—*Poyesh' govna pechyonovo!* —Konstantine soltó una carcajada, cogió al líder de los gitanos por los sobacos y lo hizo aterrizar en medio de la masa humana que lo acosaba. Luego se echó a la menuda gitana al hombro y corrió hacia la oscuridad.

Esos malditos cíngaros no podrían atraparlo. No tenían su velocidad, ni sus pulmones, ni su instinto.

Tras unos pocos e infructuosos intentos de hacerle perder el equilibrio a golpes, la chica se quedó quieta. Pero Konstantine no cometió el error de pensar que se había resignado. Simplemente estaba esperando. Esperaba que él se detuviera para atacarlo con todo su aliento y todo su espíritu. Esa cosa pequeña y frágil que lo había apuñalado con un utensilio femenino le causaba risa. Domesticarla sería un placer.

Media hora más tarde, Konstantine hizo un alto en un motel a las afueras de Poltava. Había llegado a un acuerdo con el recepcionista del motel: el recepcionista siempre tenía una habitación disponible para Konstantine, y, a cambio, Konstantine lo dejaba seguir con vida.

La muchacha estaba laxa ahora, temblando de frío y sin aliento de tanto rebotar contra el hombro de Konstantine. Él se abrió camino hacia la puerta y el calor de la habitación. Deslizó a la gitana sobre su cuerpo y la sostuvo en pie hasta que recuperó el equilibrio. Después dejó que ella lo examinara.

Pero la chica no se tomó la molestia de observarlo de pies a cabeza. Clavó los ojos directamente en sus genitales y los inspeccionó con indiferencia.

La mayoría de las mujeres se desmayaban o emitían sonidos arrulladores.

Pero la impasible gitana continuó examinando el resto de su cuerpo y detuvo la mirada en la zona que sangraba debido a su embate con el huso.

—Entonces pueden herirte —dijo. Y sonrió.

No tenía miedo. Estaba furiosa y lista para atacar. Apenas medía un metro cincuenta y cinco, pero su estatura equivalía a dos metros de desafío. Konstantine se dio cuenta de que no podría doblegarla a bofetadas; esa estrategia jamás surtiría efecto.

Entonces hizo algo inusitado en él.

La besó.

No sabía por qué. Nunca antes había besado a una mujer.

El coito no requería esa clase de intimidad. Pero había algo en esa muchacha que hacía que deseara tocar sus labios con los suyos. Y Konstantine no era un hombre que reprimiera sus deseos.

Fue un beso desastroso.

Estampó su boca contra la de la chica.

Ella apretó con fuerza los labios para repelerlo y, al mismo tiempo, le pellizcó los brazos con las yemas de los dedos.

No obstante... cuando el aliento de la gitana rozó su cara, una rara sensación lo embargó. No podía reconocerla, era como un fuego encendido en un horno que hasta entonces jamás había conocido las llamas. Konstantine deslizó los brazos por la espalda de la muchacha, buscando el origen de aquella sensación.

La chica dejó de pellizcarlo y se quedó inmóvil. Entonces, ay... entonces sus labios se volvieron blandos y húmedos y se entreabrieron. Era como una ciruela madura esperando que él la mordiera... Cosa que por supuesto hizo, asestándole el más dulce de los mordiscos sobre su turgente labio inferior.

Ella dio un salto, y cuando él lamió la huella de la mordedura, volvió a saltar.

Sus lenguas se tocaron. Y, con la velocidad de un incendio forestal, se encendió el calor de la pasión. El beso se transformó en un intercambio de sabores, de caricias, de almas. Un intercambio que consumía a Konstantine, dejándolo ciego ante el peligro y arrastrándolo a la locura.

Jamás volvería a tomar a otra mujer. Solo la deseaba a ella, a la chica gitana. Ninguna otra mujer podría reemplazarla.

Cuando por fin se separaron, sin aliento y atónitos, miró los ojos oscuros de la gitana y vio en ellos su destino. Por eso tenía que poseerla.

Por eso el diablo lo había prohibido.

Cuando ella habló, su voz sonó ronca y encendida de pasión.

—Mi nombre es Zorana.

—Zorana —repitió Konstantine. Conocía la magia de los

nombres y también sabía que, al revelarle el suyo, ella le había regalado un pedazo de su alma. Y como una bestia salvaje que entrega su confianza por primera vez, respondió—: Mi nombre es Konstantine.

—Konstantine. —La chica asintió y, tomándolo de la mano, lo condujo hacia la cama.

Konstantine sentía, ni más ni menos, que el universo había cambiado. Se había convertido en un lugar donde las antiguas reglas ya no imperaban y la fresca y brillante esperanza, largamente deseada, nacía a la vida.

Tenía razón.

Pero ningún simple mortal se mofaba de la autoridad del diablo sin sufrir las consecuencias...

1

—Tengo el avión —gritó Rurik, cogiendo los controles.

La infranqueable ladera de una montaña se erguía frente a sus ojos.

El misil estaba casi encima de ellos.

Condujo el avión hacia arriba y hacia un costado.

No iban a lograrlo.

No iban a...

—Perdón, señor, aterrizaremos dentro de unos minutos. Debe colocar el respaldo de su asiento en posición vertical.

Rurik Wilder despertó de un salto; su corazón latía desbocado, un sudor helado le bañaba el cuerpo.

La azafata estaba de pie junto a su asiento, sonriéndole con esa medio sonrisa falsa que decía a las claras que le importaba un bledo haberlo despertado y que había pasado fatigosamente de pie la mayor parte de las siete horas de vuelo de Newark a Edimburgo... ¿y él ni siquiera había oído a esos niños que armaban alboroto corriendo de un extremo al otro del pasillo mientras sus padres roncaban a pierna suelta y todos los demás se quejaban?

Rurik la miró aturdido, tratando de orientarse.

—Perdón, señor, pero vamos a aterrizar dentro de unos minutos. Tiene que...

—¡Por supuesto! —Intentó adoptar una expresión normal, sonrió como disculpa y enderezó el respaldo de su asiento.

La azafata se marchó por donde había llegado. Pero todo en su manera de andar indicaba que no estaba en absoluto satisfecha.

La anciana sentada a su izquierda lo miró con sus ojos castaños, de un castaño tan oscuro que casi parecían negros.

Rurik sintió otra mirada a su derecha. Pero, cuando volvió la cabeza, la chica estadounidense miró hacia otro lado.

Tuvo un ataque de pánico y se pasó las manos por la cara. No, quizá tuviera una expresión un tanto desencajada. Pero los latidos de su corazón se estaban normalizando y, lo que era más importante aún, sus rasgos eran humanos.

Esbozó una sonrisa.

—¿He estado roncando?

—Más bien ha estado retorciéndose en la butaca. Debe de haber tenido una espantosa pesadilla. —La chica tendría unos diecinueve años... y unos ojos grandes y dulces, un bronceado natural y un par de pechos que le procurarían admiradores en todo el mundo.

Era una verdadera lástima que los únicos pechos que le apetecían pertenecieran al cuerpo de una mujer de grandes ojos azules y cabello negro corto y rizado, que llevaba una cámara digital Nikon SLR siempre colgada del cuello y tenía una manera de desaparecer cuando uno menos se lo esperaba que era un verdadero castigo para el ego.

Maldita Tasya Hunnicutt. Maldita la fascinación que había ejercido sobre él desde el instante mismo en que se habían conocido. Maldita fuera por ser tan olvidadiza y maldito él por desearla más que nunca ahora que ya la había tenido.

Tasya era su destino... y ella ni siquiera lo sabía.

—Siempre tengo esa pesadilla cuando vuelo. Por lo general no acostumbro dormir, pero salí de Seattle hace veintitrés horas, y entre las numerosas escalas y un avión que llegó con retraso a Chicago...

Se encogió de hombros restándole importancia al sueño, fingiendo que la pesadilla no era más que un mal sueño debido al agotamiento y al cambio de husos horarios.

La chica aceptó de buena gana esa versión de lo ocurrido y asintió con simpatía.

—¿Es la primera vez que viajas a Escocia?

Rurik interpretaba como un experto cada sonido de los motores del avión.

—¿Qué? No. No, en realidad hace ya diez meses que estoy viviendo aquí.

Ella se animó enseguida.

—¡Es una pasada! Siempre he querido vivir en un país extranjero. Siento que eso ensancharía mis horizontes, ¿sabes?

—Sí, yo tengo horizontes muy anchos. —Y un trasero más muerto que vivo de tanto estar sentado.

—¿Y a qué te dedicas en Escocia?

—Dirijo una excavación arqueológica en las islas Orkney, que están situadas en las costas de Escocia septentrional.

La chica abrió los ojos como dos platos.

—¿No es una gran coincidencia? ¡Siempre he querido ser arqueóloga!

«Tú y todos los que leyeron que habían encontrado oro en la tumba del rey Tut.»

—Sí que es una coincidencia.

—¿Y qué os proponéis sacar a la luz?

—No lo sabremos con certeza hasta no haber concluido la excavación. —Sin embargo Rurik estaba seguro de saberlo, siempre lo había sabido—. Pero yo creo que es la tumba de un líder militar celta. —Habían iniciado el descenso, y Rurik se estiró para oír los movimientos de los alerones.

Diablos, era patético. Habían pasado cinco años desde que había ocupado el asiento del piloto, cinco años desde que había jurado no volver a volar, y no obstante no podía relajarse y confiar en los pilotos de las líneas comerciales. Si pudiera ver por la ventana, podría juzgar mejor lo que estaba haciendo aquel hombre. Pero estaba en la segunda fila de asientos y en el sector de en medio.

Había tomado el primer vuelo disponible cuando lo llamaron desde la excavación y aquel era su castigo: un asiento demasiado estrecho para sus hombros y con tan poco espacio para las piernas que tenía las rodillas prácticamente clavadas al mentón. Pero al menos regresaría a tiempo para abrir la tumba.

—¡Ya sé quién eres! —La chica se enderezó en su butaca, con ojos chispeantes—. Te vi en la CNN.

—¿Será que me ha visto todo el mundo? —Rurik también había visto el noticiero en el aeropuerto, y se habían cumplido sus peores temores.

—El señor Hardwick habló de ti.

—El bueno de Hardwick.

Era el comisario de la excavación y, ahora se daba cuenta, un hombrecillo jactancioso y sediento de publicidad.

—Tú eres el arqueólogo al que todo el mundo creía loco y que empezó a excavar en una isla muy pequeña donde acaban de encontrar un gran escondrijo lleno de de oro.

—A decir verdad —afirmó Rurik con la innata cautela de un arqueólogo experimentado—, yo contaba con el financiamiento de la National Antiquities Society, de modo que siempre tuve un equipo a mis órdenes. Y hemos encontrado algo que parece ser oro, quizá, dentro de lo que puede ser una tumba, tal vez. Pero hasta que no lleguemos allí y terminemos de abrirla, no sabremos qué es lo que ocurre en realidad.

Tenía una imperiosa necesidad de estar allí, de ver si Hardwick había encontrado la caja que había estado buscando, la caja que contenía un tesoro mucho más grande que el oro.

—Uau. Lo único que puedo decir es... uau. —La chica abrió mucho los ojos, pletóricos de admiración, y le tendió la mano con respeto—. Me llamo Sarah.

Rurik la estrechó.

—¿Por qué tienes pesadillas? —Sonriendo, la chica recorrió con las yemas de los dedos los blancos nudillos de Rurik.

—Porque... ¿tengo miedo de volar? —Era un pretexto ridículo, por supuesto, pero mucho mejor que decir la verdad.

—Pobrecillo —dijo ella, y volvió a sonreírle.

En cuanto vio esa segunda sonrisa se dio cuenta: una muchacha de diecinueve años estaba intentando seducirlo. Dio un respingo y retiró la mano. Miró de reojo para ver si la abuela de atentos ojos oscuros se había dado cuenta.

Por supuesto que sí. Sus ojos parecían arrojar dardos en su contra, y sus cejas tupidas y grises se habían unido sobre la nariz afilada.

Sarah se inclinó hacia él.

—Podría serte de gran ayuda en tus excavaciones.

Rurik desvió la mirada. Mentalmente urgió al piloto para que hiciera aterrizar ese maldito avión de una vez.

—Me encantaría tenerte en mi equipo, pero solo contratamos arqueólogos con experiencia. Por lo demás, ¿no vas a encontrarte con nadie?

La chica se encogió de hombros.

—Con el grupo de la iglesia.

De modo que tenía diecinueve años, formaba parte de un grupo de la iglesia e intentaba seducirlo.

Fabuloso. Simplemente estupendo. Había crecido sabiendo que iría al infierno. Solo que no se había dado cuenta de que su vehículo correría a ciento veinte kilómetros por hora por la autopista hacia el Infierno.

—El grupo de la iglesia siempre es excitante.

—¿Excitante? —La chica levantó un poco la voz, incrédula—. ¿Alguna vez has formado parte de un grupo de iglesia?

Pues... no. No, no lo había echo. Las iglesias no acostumbraban acoger en su seno a familias como la suya.

El avión se sacudió cuando las ruedas tocaron la pista... Por suerte, ya faltaban pocos minutos para salir de allí.

—¿Piensas viajar a París? Te encantaría. Grandes catedrales. Pequeñas iglesias, todas muy bonitas.

No podía decirse que hablara, precisamente, con conocimiento de causa.

Se puso en pie antes de que las azafatas abrieran la puerta.

—Algunos coros de valía. Y no olvides ir a Roma. ¡Allí está el Vaticano!

Otro de los lugares que Rurik había evitado cuidadosamente visitar.

Mientras Sarah luchaba por sacar su maleta del portaequipajes, Rurik cogió su equipaje de mano y pasó de largo junto a ella.

Su madre lo habría matado por ser tan grosero. Y su hermano se habría muerto de la risa.

Pero por todos los santos: Una chiquilla casi menor de edad estaba intentando ligar con él, y eso lo convertía oficialmente en un viejo verde a la madura edad de treinta y tres años.

Se apresuró a ir a la zona de recogida de equipajes.

Una chica de diecinueve años había intentado seducirlo y Tasya Hunicutt se le había escapado de las manos. Rurik había viajado a su casa, a visitar a su gente para la celebración del 4 de julio, un festejo que había empezado bien y terminado en el Swedish Hospital en Seattle. Y al mismo tiempo, la tumba que tanto trabajo le había costado excavar se había abierto como por arte de magia y revelado el brillo del oro.

Qué mes de mierda.

Tardaría un día entero, conduciendo por caminos cada vez más angostos, para llegar al ferry en John O'Groat's y desde allí a las Outer Orkneys. Y tendría suerte si, al llegar, no se había levantado un ventarrón que impidiera zarpar al ferry.

No es que no hubiera tenido una suerte asombrosa desde que había iniciado la excavación. Había sufrido tormentas, por supuesto: era imposible pasar el invierno en el norte de Escocia sin aquellos vientos fríos que producían sabañones y esa lluvia que congelaba el trasero, pero solo habían tenido que parar un par de días y de todos modos descansaban los domingos. De haber sido un hombre supersticioso, habría dicho que la excavación servía a un propósito más elevado.

Rurik no era supersticioso cuando inició la excavación en aquel sitio.

Ahora sí que lo era.

Retiró su maleta de la cinta transportadora y se dirigió al mostrador de alquiler de vehículos, donde recibió las llaves de un Mini Cooper. Luego salió al aire libre y se puso las gafas de sol.

—Es un hermoso día.

Al darse la vuelta, vio a la anciana del avión a su lado. Era una mujer baja y encorvada, cuya cabeza apenas le llegaba al hombro.

—Sí que lo es. —Cosa que, en Escocia e incluso en mitad del verano, era por demás sorprendente.

—Pero viene un cambio. —La voz de la anciana era ronca y de acento marcado... y no precisamente escocés. Sonaba casi como la de su padre: rusa o ucraniana.

—¿En serio? —Rurik escrutó el cielo—. ¿Han pronosticado tormenta los meteorólogos? Bueno, no es para sorprenderse, ¿verdad? Después de todo, estamos en Escocia.

—Un cambio en la tierra.

—¿Eh? —Rurik la miró.

—Puedo sentirlo en los huesos. —Sus ojos oscuros, oscurísimos, más negros que la noche, lo radiografiaron de pies a cabeza. Esa vieja podía ver más allá de sus ropas y de su piel, podía verle los huesos, y no había nada que le agradara—. El mal ascenderá desde el fondo del infierno, y el dedo de Dios bajará del cielo. —Su voz se redujo a un susurro—. Y, cuando los dos choquen, todo será diferente.

—Claro. —Rurik avanzó hacia un lado por el bordillo de la acera—. Bien, tengo un largo camino por delante. ¡Adiós entonces!

—Buena suerte —respondió la anciana.

«Vieja loca.»

Se dejó caer en el asiento del conductor y encendió el motor.

¿Por qué diablos siempre atraía a los locos?

Pero cuando miró por el espejo retrovisor, la anciana lo estaba observando. Un rayo de sol rozó su cabello plateado. Le recordaba irresistiblemente a su madre, y también le recordaba la visión que le había cambiado la vida.

Un escalofrío le recorrió la espina dorsal.

2

Pleno sol. Veinticinco grados de temperatura. Ni una gota de viento. Ni un indicio de lluvia, ni nada que la anunciara en el pronóstico del tiempo.

Rurik viajaba de pie en la proa del ferry —era el único pasajero— esperando avistar la isla de Roi.

El día anterior había conducido como un loco a través de las Tierras Bajas de Escocia, esas anchas extensiones sin nada interrumpidas tan solo por canchas de golf, ciudades industriales y destilerías de whisky. La fatiga lo había obligado a detenerse en Inverness y derrumbarse en uno de los tantos *bed-and-breakfast* que proliferaban en la zona; pero al día siguiente se había levantado temprano para cruzar las Tierras Altas escocesas, el país de Braveheart, atravesado por pequeños caminos de uno o dos carriles, escarpados y sinuosos, donde la máxima velocidad equivalía a avanzar gateando y de vez en cuando había que frenar para dar paso a los rebaños de ovejas.

Pero incluso esa demora había sido menor. A media tarde, Rurik ya se hallaba en la costa norte de Escocia. Parecía que las fuerzas de la naturaleza habían conspirado para que llegase a la excavación lo más pronto posible.

«El mal ascenderá desde el fondo del infierno, y el dedo de Dios bajará del cielo, y cuando los dos choquen, todo será diferente.»

Su madre había dicho algo parecido. Pero, a diferencia de aquella horripilante anciana, Zorana no era ominosa ni vieja ni mucho menos propensa a las frases enigmáticas, a menos que uno considerara que «Quiero que pongas ya mismo la vajilla en el lavaplatos, pedazo de zopenco... No te he parido para tener otro hombre que atender» fuese un enigma.

—Por mucho que empujes, no llegarás más rápido a la isla —aconsejó el primer piloto del ferry a sus espaldas.

—Duncan. Hola, ¿cómo estás? —Rurik sonrió al estrechar la mano del curtido escocés—. No puedo contener la ansiedad. Tendría que haber estado allí todo este tiempo.

—Sí. Te pasas día y noche en la excavación y, en cuanto te das la vuelta, tu equipo encuentra lo que tú has estado buscando con tanto ahínco. —Duncan se acodó junto a él sobre la borda, clavando los ojos en el agua turbulenta—. ¿Sabes cuántos turistas hemos transportado en los últimos cuatro días?

—¿Cuántos?

—Los suficientes para hacer zozobrar la embarcación. —Los labios de Duncan se curvaron desdeñosos bajo la barba gris y bien cortada.

—Si el equipo hubiera mantenido la boca cerrada...

—Es imposible contener el rumor del oro, amigo mío. Eso sí que no ha cambiado en los últimos diez mil años. El oro atrae a ilusos y avaros por igual, y hace cometer torpezas a quien lo codicia.

—No tenían por qué haber convocado una maldita conferencia de prensa. —Esa era la espina que Rurik tenía atragantada en la garganta: haber tenido que ver a Kirk Hardwick frente a las cámaras, explayándose a sus anchas sobre aquel fabuloso tesoro de metal precioso y conocimiento.

—A Hardwick siempre le ha gustado obtener unas migajas de atención, y las ha obtenido mientras tú no estabas.

—No me cabe la menor duda. —El rastro de una sombra apareció en el horizonte. La isla de Roi.

—Cuando les digo a los turistas estadounidenses que la isla tiene poco más de once mil kilómetros de extensión y que no hay automóviles, me miran como si hubiera perdido la chaveta. —Duncan entrecerró sus perspicaces ojos al ver aparecer la isla: plana en un extremo, ascendía progresivamente hasta formar un alto acantilado en el otro—. ¡Y los reporteros gráficos! Protestando todo el tiempo y atiborrados de cámaras, peleándose por dar una propina a Freckle y a Eddie para que les carguen los equipos.

Rurik miró a los dos tripulantes.

—¿También ellos han sacado su tajada?

—Les gusta el dinero. Pero no les gusta que los traten como a los tontos del pueblo.

—¿Cuántos periodistas hay?

—Cuatro. Dos de Edimburgo, uno de Londres y un alemán de alguna cadena internacional de noticias. Los suficientes para escribir una crónica decente, pero eso todavía está por verse. —Duncan miró a Rurik, que seguía apoyado contra la borda, y se cruzó las manos sobre el pecho—. Ahora bien, cuando esa chica de cara dulce y cabello negro se ponga a escribir... entonces sí que veremos algo bueno.

Rurik se hizo el tonto.

—¿Quién?

Pero Duncan no mordió el anzuelo.

—Tú ya sabes quién.

—¿Tasya?

—No, no conozco a ninguna Tasya. Me refiero a Hunni.

—Tasya... Hunnicut. —Todos la llamaban Hunni y ella respondía sin reparos al apodo cariñoso. Sonreía a todo el mundo, fascinando a hombres, mujeres y niños por igual.

Rurik no podía acostumbrarse a utilizar el apodo de una manera tan casual. Lo irritaba —ella lo irritaba— como un grano de arena dentro de un ojo.

—Ah, ¿ese es su verdadero nombre? —dijo Duncan—. No lo sabía. —Era una mentira más grande que una casa. Duncan veía claramente lo que la pretendida indiferencia de Rurik ocultaba.

—Entonces está aquí. —Volvería a verla; la vería por primera vez desde que Rurik había consumado su cuidadosamente planeada seducción y habían pasado la noche juntos en Edimburgo.

—La he traído esta mañana. Dijo que habría querido llegar antes, pero estaba terminando las fotos para su crónica de Egipto. Esa muchacha es toda una viajera.

«Eso es cierto. Cualquier hombre tendría que clavarle los pies al suelo para mantenerla quieta en un mismo lugar.»

—Entonces hace poco que está aquí. Mejor.

—Esa chica no le hace daño a nadie.

¿Que no hacía daño? Rurik recordaba con demasiada claridad el daño que le había hecho. El perfume de su piel, el sonido áspero y ronco de su risa, la sensación de aquel cuerpo ardiente contra el suyo, su sabor...

—Es demasiado entrometida para su propio bien.

—De una manera encantadora... Pero qué va, estoy loco por ella. —Duncan se llevó la mano al pecho y suspiró como un mancebo enamorado.

Rurik se aferró a la borda con todas sus fuerzas. Tuvo que hacerlo, pues de lo contrario habría estrangulado a Duncan.

Pero Duncan no se dio por aludido.

—Salvo ese periodista afeminado de Londres, no hay un solo hombre en toda la isla cuya brújula no apunte hacia el norte con solo verla.

—Tiene la cara demasiado huesuda.

—¿Tiene cara?

La incredulidad de Duncan tomó por sorpresa a Rurik y no tuvo más remedio que soltar la carcajada. Duncan tenía toda la razón del mundo. ¿Por qué diablos habría de importarles a los hombres la cara de Tasya?

Por desgracia para él, Rurik no podía sacársela de la cabeza.

Su cabello corto era tan negro que, bajo la luz adecuada —como ocurría en la taberna después de un largo día de trabajo y varias horas de estar bebiendo—, sus ondas reflejaban todos los colores y ostentaban el brillo de un ala de cuervo.

Sus ojos color cobalto estaban enmarcados por pestañas absurdamente gruesas, tupidas y largas. Cuando parpadeaba, aquellas pestañas erizaban el aire. Y cuando miraba a Rurik, sus ojos azul eléctrico le erizaban los nervios.

A decir verdad, su cara no era huesuda. Esculpida sería la palabra más adecuada para definirla, con un mentón ancho que utilizaba para dar énfasis a sus palabras. Lo levantaba cuando se obstinaba, lo giraba hacia un lado cuando no tenía la menor intención de escuchar lo que le decían, y lo dirigía hacia su interlocutor cuando pretendía dejar algo en claro.

En lo concerniente a su cuerpo... bueno, por supuesto que Rurik comprendía que los hombres lanzaran gemidos y murmuraran cosas soeces al verla pasar. Parecía una diosa del cine de los años cincuenta, de pechos generosos, cintura de avispa, anchas caderas deslumbrantes y piernas bien torneadas. Largas, musculosas, y bonitas, maravillosas piernas. Todo eso contenido en aproximadamente un metro setenta de acción y dinamismo.

Pero si aquel prodigio se cubría con un hábito monjil, que no dejaba ver nada salvo la cara, apenas asomada, ningún hombre le prestaría la menor atención... excepto Rurik.

Sin embargo, como era de esperar —y de lamentar—, Duncan se apresuró a contrarrestar el pensamiento exclusivista de Rurik con la siguiente afirmación:

—Aunque tiene esos labios tentadores... que hacen que uno piense en cometer pecados muy muy pero que muy lentamente... y a menudo.

Aquella era una manera perfecta de describir a Tasya y sus labios y el sexo...

—Es una distracción.

—Sí, vaya si lo es —concordó Duncan, fervoroso—. Pero no utiliza sus encantos para el mal, Rurik. Esa chica no haría nada a tus espaldas.

Rurik había sido injusto al juzgar su carácter. Probablemente. Y por sus propias razones. Pero cuando Tasya Hunnicutt observaba los progresos de la excavación, no era la pasión que sentía por él la que daba un brillo grisáceo e intenso a sus ojos azules. Rurik habría jurado que Tasya tenía algo más en la cabeza, más allá de la preocupación de tomar buenas fotos y escribir la crónica del suceso.

—Sabe demasiado acerca del yacimiento.

—Quieres decir que sabe tanto como tú —dijo Duncan con astucia.

«Dios no lo permita.» Rurik miró la isla, que estaba cada vez más cerca.

—Esa chica es reportera gráfica y su jefe ha pagado la excavación, de modo que es muy probable que su trabajo sea saber demasiado. —Duncan cerró la mano sobre el hombro de Rurik—. Si quieres mi opinión, lo mejor que puedes hacer es ensartarle el arpón a esa Hunni y dejar de cavilar.

Rurik volvió la cabeza con la velocidad de un látigo y lo fulminó con la mirada.

—El resto de nosotros no tenemos nada que hacer. Tú eres el único que tiene posibilidades. Ahora, si me perdonas, el capitán MacLean debe de estar necesitando mi ayuda para la entrada del ferry.

Duncan se alejó en dirección al puente, disimulando una sonrisa.

Rurik miraba la isla, pero en realidad veía a Tasya... y veía su destino.

La isla de Roi tenía la forma de un antebrazo huesudo, con el codo elevado fuera del agua. La tumba estaba en la zona más alta, no lejos de los acantilados y a unos trescientos metros sobre el nivel del mar.

A medida que el ferry se acercaba a la isla, pudo ver el paisaje con mayor detalle... El rubor de las hierbas estivales, los escasos árboles, inclinados y azotados por el viento, las playas de arenas blancas bajo los riscos. Aquel lugar era un paraíso para las aves marinas. Un grupo bastante nutrido cruzó el aire. Las aves parecían cansadas de las prolongadas migraciones y los veranos demasiado cortos. Un águila dorada y solitaria las sobrevolaba al acecho... siempre al acecho.

Rurik siguió con la vista el arco que describían las aves. Estaba desesperado por levantar vuelo, por planear sobre una corriente de aire hasta llegar al sol y luego pegar las alas al cuerpo y zambullirse en el océano, empujado por un viento tan fuerte que le llenara los pulmones, presa de una exaltación aguda, penetrante, fresca.

No le costaría demasiado trabajo convencerse de que era necesario. Si tan solo se lo permitiera, podría cambiar de aspecto y transformarse en un pájaro cazador gigante. Poseía poderes que ningún simple mortal podía soñar siquiera con poseer, poderes que le habían sido otorgados por un pacto celebrado mucho tiempo atrás entre el primer Konstantine y el diablo.

El padre de Rurik decía que el cambio de forma los acercaba todavía más al mal, pero Rurik siempre había pensado en usarlo para el bien.

Eso mismo había dicho para sus adentros cinco años atrás... y un hombre bueno había muerto.

Por mucho que añorara las delicias del vuelo, jamás había vuelto a transformarse desde entonces.

No obstante, el poder no era algo que pudiera perderse. Era un hambre que aumentaba cada día, un anhelo en las entrañas que a duras penas podía refrenar... y eso lo volvía todo más peligroso.

Ahora, más que nunca, su vista de halcón parecía ser la mejor herramienta para vigilar el proyecto de su vida; sus grandes garras y sus veloces zambullidas, combinadas con el factor sorpresa, resultaban la mejor defensa.

Y, lo que era aún más importante, estaba seguro de que los Varinski lo habían encontrado... Después de todo, habían encontrado a Jasha, y solo era cuestión de tiempo que también le siguieran el rastro a él. Rastrear era lo que mejor sabían hacer los Varinski... o al menos eso decía su padre.

Pero lo que en verdad lo atormentaba era lo que había dicho su madre... Un escalofrío le recorrió la espina dorsal al recordarlo.

Había regresado a la casa familiar en las Cascade Mountains, en Washington, para la celebrar como todos los años el 4 de julio con el clan Wilder. Era el primer descanso que se tomaba desde que había comenzado a trabajar en la excavación.

Esa noche, una vez apagados los fuegos artificiales, cuando los invitados ya se habían marchado y de la fogata solo quedaban las ascuas, una poderosa visión se había adueñado de su madre.

Y sí, su madre era gitana. Y Rurik también sospechaba que podía dominar el clima. Y toda la familia era un tanto diferente de la mayoría de las familias estadounidenses. Sus padres eran inmigrantes oriundos de Ucrania y habían cambiado su apellido de Varinski a Wilder porque los Varinski eran asesinos profesionales y estaban muy molestos por la unión de sus padres, y el clan gitano de su madre también había puesto el grito en el cielo.

Pero, excepto por aquella vez —cuando Rurik tenía ocho años y había robado aquel transformador Megatron en el Wal-Mart de Marysville y su madre lo había obligado a dar vuelta los bolsillos antes de salir del supermercado—, jamás había visto señal alguna de los poderes psíquicos de Zorana... hasta aquella fatídica noche del 4 de julio. Su frágil cuerpo había exudado poder; su voz, habitualmente femenina, se había vuelto profunda y portentosa. Había mirado a Rurik, y él habría jurado que había visto las manchas de su alma.

Su madre había maldecido a la familia con aquella profecía...

«Cada uno de mis cuatro hijos debe encontrar un fragmento del icono de la familia Varinski.

»Solo su amor puede conseguir que las piezas sagradas vuelvan a casa.

»Un niño logrará lo imposible. Y los seres queridos de la familia serán eliminados a causa de la traición... y caerán al fuego.

»Los ciegos pueden ver, y los hijos de Oleg Varinski nos han encontrado. Jamás estaréis seguros, porque ellos harán cualquier cosa por destruiros y conseguir que el pacto se mantenga intacto.

»Si los Wilder no rompen el pacto con el diablo antes de tu muerte, irás al infierno y vivirás para siempre separado de tu amada Zorana...

»Y tú, amor mío, tú no pertenecerás durante mucho tiempo más a este mundo. Te mueres.»

Así le había hablado Zorana al padre de Rurik. Y apenas terminó de hablar, Konstantine cayó al suelo, atrapado en las garras de un rara enfermedad que le devoraba el corazón.

Konstantine había sido, desde siempre, uno de los hombres más vigorosos y dominantes que Rurik había conocido. Cuando Rurik vio a su padre tendido sobre una camilla en el Swedish Hospital de Seattle, con la aguja del suero clavada en el brazo, una sonda en el pecho y un tubo en la nariz... en ese momento cambió su idea del mundo.

Tenía poco tiempo para encontrar el icono que salvaría la vida y el alma de su padre. Si fracasaba, la aciaga destrucción caería sobre todo lo que le importaba. Su familia. Su mundo.

Quizá el mundo entero.

El ferry viró de golpe hacia la izquierda, bordeando la punta de la isla... y allí estaba, el pueblo de Dunmarkie, enclavado en el puerto y haciendo alarde de sus tres docenas de casas, su taberna y su mercado.

Las calles estaban vacías.

Rurik se incorporó.

Como lo había hecho cada día durante los últimos veinte años, el capitán condujo sin dificultad el ferry al muelle. Los tripulantes corrieron de un lado a otro ajustando las amarras, bajando la pasarela... y luego se detuvieron, mirando el pueblo con un dejo de extrañeza.

—¿Adónde se han ido todos? —preguntó Duncan.

Rurik lo miró a los ojos.

—Ha ocurrido algo en la excavación.

Rurik subió el último tramo, miró hacia abajo y lanzó una maldición.

Su yacimiento arqueológico, solitario y barrido por los vientos, con aquella tumba que era un suave túmulo acariciado por la brisa marina y sacudido por los rugidos de las brutales tormentas del mar del Norte, estaba atestado de gente. Pobladores, pescadores, fotógrafos y periodistas: todos estaban allí, pisoteando el pasto verde claro y las fragilísimas flores, desmantelando las secciones que con tanto cuidado y tanta prolijidad había delimitado, arremolinándose, hablando a gritos, abriéndose paso a codazos.

¿Dónde estaban sus empleados? ¿Quién controlaba la situación?

¿Dónde estaba su comisario de excavación? ¿Dónde estaba Hardwick?

Rurik echó a andar con aire sombrío.

La multitud ya lo había detectado y los oyó repetir su nombre una y otra vez.

Ashley Sundean logró alcanzarlo primero, antes de que llegara adonde estaba la multitud. Era una estudiante de arqueología de Virginia que había viajado para la excavación de verano, una muchacha cuyo acento dulce y suave disimulaba un corazón de acero y una notable resistencia a los efectos del alcohol.

Rurik se detuvo en seco y la increpó.

—¿Qué está pasando aquí?

—Es... es espantoso... —La chica tropezó delante de él.

—Por supuesto que es espantoso, maldita sea. —Vio los flashes de las cámaras apuntando en su dirección, y oyó cómo disparaban y filmaban—. Comienza por el principio. Dímelo todo.

La chica respondió a su voz de mando enderezando los hombros y mirándolo a los ojos.

—Aproximadamente una semana después de su partida, estábamos limpiando desechos en la sección F21 de la rampa.

Rurik miró hacia el yacimiento, barranco abajo. Un año

atrás, y a seis metros del sepulcro, habían encontrado una rampa de piedra que conducía hacia la tumba. Desde entonces habían concentrado toda su atención en aquel sector y excavado la tierra para abrirse paso hacia la que, según Rurik creía, era la entrada de la tumba. Habían seguido el ancho sendero descendente de piedras planas hacia las oscuras y frías entrañas de la tierra. Casi cinco metros por debajo del nivel del suelo, el sendero terminaba en una esquina formada por la convergencia de las dos paredes verticales que sellaban la sepultura.

—Se levantó una tormenta —prosiguió Ashley—. Pusimos una lona, pero el agua continuaba cayéndonos por el cuello y el viento desgarró la esquina de la lona.

—De modo que, por ese día, dejaron de trabajar.

—Sí. —Ashley respiró hondo y se limpió la nariz enrojecida con la manga.

Había estado llorando. ¿Por qué había estado llorando?

—Fue una noche espantosa. La lluvia caía sin parar, el viento aullaba... La gente decía, en la taberna, que habían soltado a los espíritus que anuncian la muerte y que el mundo estaba llegando a su fin. —Al decir aquello tembló de pies a cabeza, como si la amenaza fuera real.

Rurik no sintió escepticismo alguno. ¿Cómo habría podido? Tal vez los espíritus agoreros fueran reales. Después de todo, él era el menos indicado de los hombres para no creer en las antiguas leyendas.

—Cuando regresamos, al día siguiente, ya había salido el sol. La luz era brillante y poderosa. Podíamos ver a kilómetros de distancia. —Ashley clavó los ojos en la tumba, como si estuviera recordando—. La lona había desaparecido. Algunas piedras de la pared de roca yacían amontonadas en el suelo... Y a medida que comenzamos a subir, el sol entró en la tumba por primera vez desde el día en que había sido sellada... y sus rayos iluminaron el oro.

—Es lo que oí decir. En todos los canales de noticias de todos los aeropuertos.

Ashley se frotó una mancha que tenía en la frente.

—Yo le dije que debía llamarlo a usted y luego tapar el asunto...

—¿Eso le dijiste a Hardwick?

—Sí. Y él no le dijo nada a nadie, pero el rumor corrió entre la gente del pueblo y desde allí, lo juro, salió volando de la isla sin que nadie dijera una sola palabra. —Ashley metió el dedo del pie entre el pasto crecido y tocó alguna... cosa.

—¿Pero?

—Pero... cuando aparecieron los periodistas, Hardwick no pudo resistir la presión. Se rindió. Cedió. Dio visitas guiadas, habló sobre los progresos de la excavación... siempre dándole todo el mérito a usted. Eso es completamente cierto. —Ashley tocó la manga de Rurik, como queriendo confirmar la verdad de lo que había dicho. Parecía estar tan perturbada que él asintió para tranquilizarla—. Le fascinaba estar en el candelero. A todos nos fascinaba. Era estupendo asomar la cabeza de la tierra y ver que los periodistas nos trataban como si todo lo que decíamos fuera importante. Pero no hicimos nada malo.

Rurik echó un vistazo a la multitud y advirtió que los periodistas avanzaban en dirección a ellos.

—Hablar con la prensa quizá haya sido fascinante para vosotros, pero no ayudó en nada al yacimiento.

Sin interrumpir su marcha, Rurik ignoró a los periodistas, a los turistas y a los visitantes que coreaban su nombre. Ashley se le colgó de la manga, esperando que se abriera paso entre la multitud.

—Hardwick dijo que no teníamos opción.

—Hardwick es un idiota.

La voz de Ashley subió dos octavos.

—¡No hable así de Hardwick!

—Se supone que debe controlar lo que ocurre en el yacimiento. Entonces ¿por qué diablos no lo hace? —Avanzó a empujones hasta el borde de la rampa. Observó la pared de la tumba... y obtuvo la respuesta a su pregunta sin necesidad de que Ashley hablara.

Habían roto una de las paredes. Las piedras estaban amontonadas en el suelo. Le llamó la atención una ventana... y la empuñadura de una antigua espada de acero que asomaba por esa ventana.

La punta de la espada estaba clavada en la nuca de Hardwick.

Y Tasya Hunnicutt, la mujer cuyo despreocupado coraje lo llenaba de furia e inseguridad, luchaba denodadamente por liberar el cuerpo.

3

A Tasya Hunnicutt se le llenaron los ojos de lágrimas mientras intentaba separar el cadáver de Kirk Hardwick de la espada. No podía decirse que estuviera llorando, precisamente. Pero había llegado justo a tiempo para ver a Hardwick entrar en la tumba a fin de recuperar la primera pieza de oro y, sin querer, disparar una trampa para incautos de más de mil años de antigüedad... Aquella escena volvería a repetirse una y otra vez, hasta el cansancio, en sus peores pesadillas. Y aunque, debido a su trabajo, ya había visto suficientes atrocidades para poblar varias pesadillas, jamás habría esperado nada semejante en una excavación arqueológica dirigida por el frío y resuelto Rurik Wilder.

Pero Rurik no estaba en el yacimiento, y su ausencia era indirectamente responsable del error que le costó la vida a Hardwick. Rurik jamás habría permitido que Hardwick entrara en la tumba mientras hablaba para las cámaras. Los periodistas jamás habrían podido instar a Rurik a apresurar la excavación.

Tasya había entrado, había visto a Hardwick arrodillarse delante de la ventana que daba a la tumba y lo había oído decir: «Estos sepulcros se construyeron hace cuatro o cinco mil años. El señor Wilder tiene la teoría de que, mil años atrás, un caudillo medieval llamado Clovus el Decapitador tomó la tumba y se apoderó de ella, y la llenó de tesoros anticipando su muerte».

Brandon Collins, del *London Globe*, había gritado: «¿Y cómo llegó el señor Wilder a semejante conclusión?».

«Realizó una exhaustiva investigación sobre Clovus y sobre el camino de destrucción que sembró en los tiempos modernos en Francia, Inglaterra y Escocia.»

Mientras hablaba, Hardwick iba retirando algunas piedras de la pared. El equipo de arqueólogos de Rurik había permanecido unos pasos atrás, con el ceño fruncido y la mirada atenta, de brazos cruzados.

«El señor Wilder documentó la lenta desintegración de Clovus, quien después de haber sido el caudillo más poderoso y más temido de su época se transformó en un hombre débil agostado por la enfermedad. Y rastreó la retirada emprendida por Clovus a este lugar remoto...»

Llegado a ese punto, Tasya había saltado a la rampa de piedra. Era la enviada de National Antiquities, la única que tenía alguna posibilidad de hacer entrar en razón a Hardwick antes de que le hiciera un daño irreparable al yacimiento... y Rurik le hiciera un daño comparable a él.

Por eso había visto lo ocurrido con toda claridad. Estaba a pocos metros de distancia cuando Hardwick interrumpió su discurso y exclamó regocijado: «¡Es el cofre de un tesoro, y está cubierto de oro!».

En ese mismo instante, una ola invisible de furia gélida proveniente de la tumba envolvió a Tasya. No había vuelto a experimentar aquel impacto de pura maldad desde el día en que, con solo cuatro años de edad, había visto todo su mundo consumido por las llamas. Aquel frío cortante le quitó el aliento y la cegó, obligándola a retroceder sobre sus pasos.

Cuando por fin recuperó la vista y el habla, Hardwick ya había entrado en la tumba.

Y la espada, salida de ninguna parte, le había atravesado el ojo.

El liso resplandor del oro debió de haber sido la última cosa que vio el pobre infeliz.

Hardwick murió instantáneamente y quedó colgado de la

espada como una flagrante advertencia para los incautos que se atrevieran a asaltar la santidad del tesoro de Clovus.

La multitud contuvo el aliento, murmuró, tembló... y se alejó, casi al unísono, del borde de la rampa. Tasya escuchaba, a lo lejos, los clics y el zumbido de las cámaras y los ordenadores mientras los reporteros gráficos y los turistas luchaban por capturar la escena y transmitir un episodio que, en un instante, había pasado de nimiedad a espectáculo.

Nadie se acercó a ayudarla. Tenían miedo.

Tasya también tenía miedo. Para ella, esa tumba abierta exudaba una maldad palpable, espesa y verde como el veneno. Había respirado esa maldad y de inmediato había querido expulsarla, pero era una malevolencia antigua, potente e interminable.

No obstante, alguien tenía que sacar a Hardwick de la espada, apoyarlo sobre la tierra y ofrecerle el descanso debido a los muertos. Aunque Tasya se enorgullecía de la fuerza de sus brazos, Hardwick era un hombre alto y fornido y, cada vez que tironeaba del cuerpo, el ruido que hacía la espada al desgarrar la carne y el hueso le daba ganas de vomitar.

Entonces la escuchó. Era la misma voz que había escuchado por última vez un mes atrás, pronunciando su nombre con pasión.

—Espera, Tasya, voy a ayudarte.

Levantó la vista. Vio a Rurik bajando por la rampa sin preocuparse por su propia seguridad.

Tuvo dos reacciones simultáneas.

«Mi amante.»

Y...

«El imbécil. El maldito imbécil.»

Soltó a Hardwick y se abalanzó sobre Rurik. Le hundió un hombro en el estómago y lo hizo caer boca arriba, despatarrado. Y antes de que pudiera recobrar el aliento, montó a horcajadas sobre él y le espetó en plena cara:

—¿Es que has perdido la cabeza? Hay más trampas para incautos.

—¿Quién de los dos ha perdido la cabeza, entonces? —Sus ojos, del color del whisky sin depurar, llameaban de irritación y enojo... contra ella.

A juzgar por su comportamiento, Tasya siempre lo había sacado de quicio.

—Yo tengo cuidado; no avanzo pisando con fuerza la rampa y con la cabeza en alto, pidiendo que me la rebanen.

—Ya he caminado por esta rampa antes.

—Sí, pero cuando se movió la primera piedra de esa pared, se alteró el equilibrio de todo lo que había en esta tumba. —Aferró la camisa de Rurik con los puños y susurró en voz muy baja, pues no quería que ninguno de los periodistas escuchara—: El viejo demonio que yace enterrado aquí ha decidido hacernos pagar muy caro su tesoro. Nadie está a salvo.

—Entonces ¿qué estás haciendo tú aquí? —Su abdomen era duro como una tabla. Y estaba caliente.

Y Tasya estaba fría y muerta de miedo. Y sentía que Rurik era el único puerto seguro.

Y eso estaba mal. Muy mal.

—¿Qué querías que hiciera? ¿Que dejara a Hardwick para que sirviera de alimento de los pájaros carroñeros?

Rurik contuvo la respiración. Bajó las pestañas y sus ojos se... nublaron, como si luchara por ocultar algún secreto guardado en su interior.

Tasya soltó rápidamente su camisa.

Nadie sabía mejor que ella que su cabello castaño y lacio era suave cuando enredaba los dedos en él, que aquel cuerpo tenso bajo sus ropas de trabajo podía transportar a una mujer al éxtasis, que el tatuaje que adornaba su pecho, su abdomen y su brazo debía de haber sido una locura de juventud, y que seguir con besos el rastro de aquel tatuaje volvía locas a las mujeres. El recuerdo del placer que habían compartido la hacía derretirse. El fragor de la posesión, que había impulsado a Rurik a adueñarse de ella, la había hecho escapar corriendo.

Más que eso; a veces, cuando estaba cerca de Rurik, sentía

el aguijonazo de algo... aterrador. Algo que le recordaba aquella noche de fuego y destrucción, de miedo, de oscuridad interminable.

Tasya enderezó los hombros y se apartó de él.

Los ojos de Rurik volvieron a la normalidad y la contemplaron irritados.

—¿Siempre tienes esta imperiosa necesidad de ponerte en peligro? ¿No puedes permitir que, por una vez al menos, sea otro el que haga la crónica de la masacre en Somalia o la plaga en Indonesia? —Actuaba como si hubieran tenido aquella misma pelea un centenar de veces, cuando a decir verdad jamás había mencionado antes el trabajo de Tasya.

En realidad, casi no habían hablado antes. Su antipatía mutua no había requerido palabras.

Ni tampoco las había requerido su mutua pasión.

«No. Nada de recuerdos. ¡No ahora!»

Tasya levantó la vista y escrutó las caras que los observaban. Estaba todo el pueblo. Y los periodistas. Y el equipo de arqueólogos.

—No es momento para mantener esa conversación.

—¿Cuándo sugieres que hablemos? ¿Después de haber hecho el amor durante toda la noche? No, espera. No eres de las que se queda a compartir un ocioso desayuno. Te vas sin decir adiós. —Rurik seguía tirado en el suelo, burlándose y, en apariencia, relajado.

Pero a ella no podía engañarla. Todos y cada uno de los músculos de su cuerpo estaban tensos.

¿Porque quería atraparla? ¿Porque insistía en recordarle que la última vez que lo había mirado estaba desnuda en sus brazos?

—Ahora no —dijo ella entre dientes.

—Créeme que me doy cuenta, pues de lo contrario estaría apuntándote a los ojos con una linterna para interrogarte. —Se sentó, como si tuviera todo el tiempo del mundo, y apoyó los brazos sobre sus rodillas cruzadas—. Dime qué ha ocurrido aquí.

Tasya se alegró mucho de poder cambiar de tema.

—Hardwick no la vio venir. Retiró una piedra y la espada salió disparada... Hacía ya mil años que esperaba ese momento.

Rurik miró a Hardwick, pero su cara no mostraba la más mínima señal de compasión.

—El imbécil hijo de puta.

—No merecía morir por su estupidez. Nadie merece eso.

Rurik miró a Tasya.

—No. Nadie merece eso. Por desgracia, ocurre más a menudo de lo que nos gustaría.

—Cuéntame una cosa. ¿Cada palabra que pronuncies a partir de ahora estará cargada de sentido? —Se oyó un murmullo. Tasya miró las hileras de rostros ávidos e inquisitivos y se dio cuenta de que había levantado la voz.

—¿Qué te parece si sacamos a Hardwick de aquí? —preguntó Rurik.

Actuaba como si el irrefrenable exabrupto de Tasya hubiera satisfecho alguna necesidad perversa en su interior, o le hubiera probado algo. Y eso la hacía enfurecer todavía más.

—Trata de no hacerte cortar la cabeza. Algún día podrías necesitarla. —Comenzó a retroceder, indicando el camino hacia el cuerpo de Hardwick.

Rurik la siguió, manteniendo el perfil bajo y el cuerpo compacto, ofreciendo un blanco lo más pequeño posible a su invisible —y muerto hacía miles de años— atacante. Cogió a Hardwick por las axilas y lo levantó fácilmente, con suavidad.

Los ojos de Tasya volvieron a llenarse de lágrimas, y el llanto hizo que le picara la nariz. No era solamente por efecto de la pena y la sorpresa. Ver a Rurik tratar a Hardwick como si fuera un bebé que necesitaba descansar le produjo una oleada de ternura por completo ajena a su naturaleza.

Porque ¿cómo podría una mujer como ella llevar una maleta llena de ternura en sus viajes? La ternura era la mejor manera de abrirle la puerta a la congoja, y la congoja interfería con el trabajo.

Tasya no era ninguna tonta... sabía muy bien que su trabajo era importante. Sus fotos arrojaban una luz firme y resuelta sobre la guerra y la pobreza, y sus crónicas reflejaban la injusticia de una manera tan inconfundible que era persona non grata para algunos gobiernos del mundo... y una auténtica heroína para otros.

Más importante aún, cuando lograra que publicaran su libro acompañado por una buena campaña de publicidad, habría mejorado el mundo y saboreado un pequeño y jugoso bocado de venganza personal. Lo único que necesitaba su libro para encabezar las listas de los más vendidos era la evidencia enterrada en esa tumba.

Siguió a Rurik por la rampa arriba, vigilando, escuchando, sintiendo otras posibles trampas.

La multitud estaba sumida en el más profundo silencio. Rurik depositó el cadáver en una carretilla que los miembros del equipo utilizaban para retirar desechos y miró a la gente que lo rodeaba.

Sin dar más vueltas, cogió al toro por los cuernos.

—Martha y Charlie, haced que dos de mis asistentes os ayuden a amortajar el cuerpo del señor Hardwick para luego trasladarlo al pueblo.

Martha era la dueña de la taberna-almacén y prácticamente estaba a cargo de los doscientos pescadores, granjeros y ancianos de Roi. Charlie era un individuo que daba consejos de corte religioso, no un ministro sino un hombre culto y con la cabeza bien puesta sobre los hombros. Los aludidos asintieron. Y después de haber elegido a Jessica Miller y a Johnny Boden —dos miembros del equipo de Rurik— para que los acompañaran, pusieron rumbo al pueblo.

Apenas hubieron alcanzado la cima de la colina y desaparecido de la vista, los periodistas comenzaron a vociferar preguntas.

Rurik los hizo callar con un gesto.

—Queremos brindarle el debido respeto al señor Hardwick y al mismo tiempo proteger el yacimiento que tan duramente trabajó para excavar. Hardwick creía profundamente en proteger nuestro legado y comprender el pasado. De modo que os pido a todos que os mantengáis alejados mientras retiro el cofre del tesoro y los demás elementos valiosos que pudiera haber en la tumba. Luego pondremos vigilancia para los tesoros y para el yacimiento.

Tasya observó que los periodistas respondían obedientes a su voz de mando, escribiendo y grabando cada palabra que decía.

Desde que lo había visto por primera vez, sabía que era un hombre nacido para mandar. Lideraba sin tomarse la molestia de mirar hacia atrás para ver si alguien lo seguía... y siempre lo seguían. Su gente lo veneraba. Tasya pensaba que era porque había sido piloto de las Fuerzas Aéreas —lo sabía porque no había podido resistir la tentación de investigar su pasado—. Detestaba que Rurik la cautivara sin hacer el menor esfuerzo, incluso tratándola como si ella fuera una molestia insignificante, una criatura chillona enviada por la National Antiquities Society para vigilar su trabajo como un agente de policía.

Después... hicieron el amor, y él demostró que le había prestado muchísima más atención de la que Tasya había imaginado.

Por todos los santos. Cuando Rurik Wilder mostraba interés por una mujer, por ella, se sentía en la gloria. Cuando Tasya descubrió que toda la indiferencia sistemática que había desplegado no era sino una fachada para provocarla, para atraerla a sus brazos... bueno, pues... salió corriendo. Corriendo como un conejo asustado.

Pero ahí estaban nuevamente, de pie frente a la tumba que le traería el éxito y la venganza. Y mientras lo observaba coger una toalla para limpiar las manchas de sangre que Hardwick había dejado sobre la piedra y disponer varios turnos de guardias que vigilaran la tumba, solo pensaba en lo mucho que deseaba que él estuviera a salvo.

Era una idiota. Una tremenda idiota.

Rurik la miró. Por un instante, su corazón gorjeó al ver que la miraba.

Entonces Rurik dijo:

—Señorita Hunnicutt, necesito que supervise al equipo arriba mientras yo abro la tumba...

Toda su determinación volvió de golpe, como un relámpago. Si Rurik llegaba a descubrir lo que ella esperaba que descubriera —la prueba de la perfidia de los Varinski, que databa de más de mil años atrás—, ella estaría a su lado. Sonrió. Y su sonrisa era un ataque frontal, directo, una mezcla de encanto y resolución por partes iguales.

—Creo que me necesitará para que tome las fotos mientras usted excava el yacimiento —anunció—. De modo que me quedaré con usted.

4

Rurik se arrodilló delante de la ventana que daba a la tumba y retiró las piedras una por una, dispersando el polvo de un millar de años. Estaba por completo concentrado en su tarea... pero todo el tiempo era consciente de la presencia de Tasya. Oía el clic de su cámara mientras ella registraba todos y cada uno de sus movimientos. Oía su voz, que de vez en cuando advertía y señalaba sus progresos. Sentía el calor de su cuerpo cuando se arrodillaba junto a él.

No quería que estuviera allí.

Cada fragmento de investigación que había realizado sobre Clovus el Decapitador indicaba a las claras que el caudillo no había sido más que un asesino en serie del medioevo: un caníbal, un salvaje, un matón que había sembrado un sendero de destrucción a través de Europa y gozaba con el sufrimiento ajeno. La sociedad moderna lo habría tildado de psicópata.

¿Trampas para incautos? Sí, pues aunque Clovus se estuviera quemando en el infierno y no tuviera manera de continuar con sus saqueos, con toda certeza se había asegurado de que nadie obtuviera jamás un momento de placer gracias a su botín.

Estar allí trabajando equivalía, más o menos, a esperar la llegada de un segundo golpe artero... Y si Rurik no tenía cuidado, Tasya sería la próxima en caer muerta sobre las baldosas de la iglesia.

Al mismo tiempo, le alegraba saber que habían vuelto a trabajar juntos. La mantendría con vida y la haría pagar por haberlo convertido en un tonto. La haría pagar con sus labios y con su cuerpo y con su mente, una y otra vez, hasta que ya no tuviera fuerzas para marcharse.

Mientras retiraba las piedras una por una —abriendo una puerta cada vez más grande hacia la casa de los muertos—, concentró toda su atención en la tarea y trató de no pensar en la repisa de piedra donde descansaba el cofre del tesoro.

Habría querido cogerlo de inmediato, pero no podía hacer caso omiso de la lección que la codicia de Hardwick les había dado. Y además, la ubicación del cofre era sospechosa: ¿por qué poner un tesoro donde cualquier vulgar ladrón de tumbas podría verlo sin dificultad? ¿Por qué, detrás del cofre, se levantaba una pared de piedra que ocultaba el interior de la tumba?

Una lámina delgada de oro forjado cubría la caja. El cerrojo de bronce tenía puesta una llave que esperaba ser girada. El cofre del tesoro era un señuelo. Rurik no tenía la menor duda de que había muchas otras trampas al acecho, aguardándolos.

—Espera un momento, Rurik. —Tasya se dio la vuelta y le entregó la cámara a Ashley—. Quiero que retrocedas (¡con cuidado!) y tomes fotos del proyecto en su totalidad. Quiero una panorámica de las paredes, la rampa y el agujero que estamos abriendo aquí.

—De acuerdo. —Ashley parecía contenta de alejarse. Debía de estar verdaderamente aterrada.

Cuando Rurik colocó sus dedos sobre la siguiente piedra, Tasya apoyó una mano sobre la suya y le dijo suavemente al oído:

—No aflojes esa.

Rurik volvió la cabeza y la miró a los ojos.

El azul brillante se había tornado gris y grave. Tasya sabía algo que él desconocía.

—Me produce una sensación rara. Quiero que des un

paso atrás y la empujes con un palo o tires de ella con un garfio.

«¿Me produce una sensación rara? ¿Qué diablos significa eso?»

—¿Y por qué tendría que hacerte caso? —¿Por qué debía tener en cuenta la advertencia musitada por una mujer que solo se preocupaba por sí misma y por su carrera?

Tasya aferró con fuerza la mano de Rurik.

—No es que me importe si vives o mueres. Pero no tengo ganas de ver desangrarse a otro hombre colgado de la punta de una espada.

—Eres un encanto.

—Está bien. ¿Tienes algo que perder? —Su tono sarcástico contradecía la intensidad de su rostro. Estaba segura. Tan segura...

Y aun cuando quisiera descalificarla, Rurik no podía olvidar que había visto a su madre, la mujer más prosaica del mundo, atrapada en las garras de una poderosa profecía. Aquel día, menos de dos semanas atrás, su vida se había partido por la mitad... otra vez.

Un hombre debía aprender de sus experiencias. No desatendería la advertencia de Tasya, pero aprovecharía la oportunidad para descubrir otras cosas, acerca de ella y acerca de su pasado, un pasado del que jamás hablaba.

Con suma cautela, retiró la mano de la piedra. Giró la palma, todavía en la mano de Tasya, y aferró sus dedos.

—¿Hay algo que quieras decirme?

Tasya se encogió de hombros y desvió la mirada.

—Tengo un presentimiento —dijo en voz muy baja.

—¿Tuviste un presentimiento con Hardwick?

El rostro pálido de Tasya se volvió gris.

Aparentemente, hasta la reportera gráfica más ruda del mundo conocía el miedo cuando entraba en contacto con lo sobrenatural.

—Sí. Pero no pude llegar a tiempo.

Tasya retiró su mano y Rurik la dejó. Evitaba su mirada,

no quería darle pie para que la interrogara sobre su intuición... Como si hubiera podido hacerlo, con todos aquellos periodistas y turistas que lo observaban todo con ojos ávidos, y con Ashley allí de pie, a pocos metros de ellos, cámara en mano y registrando todos y cada uno de sus movimientos y palabras.

—Ashley, tráeme un garfio —gritó. Y cuando Ashley se alejó a toda prisa por la rampa hacia el cobertizo de almacenamiento, Rurik sonrió a Tasya—. Por fin solos.

Ella lo miró un instante y apartó los ojos.

—No.

Rurik disfrutó la posibilidad de tomar la delantera: ella lo había abandonado, se había marchado sin decir palabra, sin dejar siquiera una nota ni hacer una llamada. Él se había despertado después de una larga noche de amor y encontrado una cama fría, sin la menor señal de la mujer que tan escrupulosa y hábilmente había cortejado y poseído.

Ahora estaban allí una vez más, cara a cara, solos... y ella anhelaba desesperadamente evitar una conversación íntima... Qué venganza tan dulce. Era como retomar la cacería; pero esta vez no se molestaría en buscar subterfugios ni se desharía en sutilezas. Esta vez, ella sabía que él la perseguiría hasta darle alcance... y sabía que estaba muy enojado.

Naturalmente, siendo quien era, Tasya trató de controlar la situación.

—Este no es el momento ni el lugar adecuado para discutir asuntos personales. Tenemos un trabajo que hacer.

—Estoy de acuerdo. Discutiremos nuestros asuntos personales... más tarde. —Recorrió a Tasya con la mirada de la cabeza a los pies, calzados en unas zapatillas de deporte desgastadas, tocando al pasar todos los puntos nodales entre un extremo de su apetecible cuerpo y el otro. Esbozó la sonrisa de un sultán que aprueba su más reciente adquisición—. Esta vez no te será tan fácil salir corriendo.

Tasya se puso roja como un tomate.

—Yo no salí corriendo.

—Como un conejo asustado. —Pronunció las palabras

muy despacio, tomándose tiempo para enfatizar cada sílaba—. Mírate. Ni siquiera puedes mentir al respecto. —Rió suavemente, con un dejo de amenaza—. Pretendo tomar posesión de lo que es mío.

Tasya se inclinó hacia Rurik con el mentón en alto.

—Yo no soy tuya.

Un civil incauto apareció, de pronto, en el campo de batalla.

—Aquí tiene el garfio, señor —gorjeó Ashley.

—Gracias. —Sin apartar la vista de Tasya, Rurik cogió el garfio que le tendía Ashley.

—Tendría que haber dejado que te atrapara la trampa —dijo Tasya con ferocidad.

—¿Salvarías al mundo y me mandarías al infierno? —se burló Rurik.

—Te aseguro que, desde donde estás ahora sentado, es un viaje muy corto.

—Pero, Tasya, recuerda que siempre te llevo conmigo... a todos los lugares adonde voy.

Se miraron fijamente, desafiándose con los cuerpos y las mentes.

—¡Uau, estas sí que serán unas fotos estupendas! —dijo Ashley.

Rurik oyó el clic del obturador. Vio que Tasya se daba la vuelta para arrebatarle a Ashley la cámara de las manos. Y entonces se relajó y sonrió.

—Tienes razón, Ashley. Serán unas fotos magníficas.

Cuando terminaron, dos horas más tarde, Rurik había hecho saltar otras tres trampas para incautos. Con ayuda de Ashley, Tasya había tomado doscientas fotos. Habían despejado por completo la entrada... y Rurik sostenía el cofre del tesoro entre sus manos.

Para completar el cuadro, la multitud que rodeaba la tumba había aumentado de tamaño. Rurik no tenía la menor idea de dónde había salido tanta gente, puesto que todos los habitantes de la isla ya estaban allí desde antes. Entonces apareció un helicóptero y Rurik se dio cuenta de que los periodistas se las estaban ingeniando para llegar como podían. Había estado demasiado concentrado en sus asuntos para advertirlo. Había estado concentrado en su tarea, en mantener a Tasya sana y salva, y en detectar ese sexto sentido que ella tanto se esforzaba por ocultar.

Era sensible a... ¿qué? ¿A las intenciones crueles? ¿Al residuo de mal que rodeaba a Clovus, muerto hacía ya tantos años, y a todos sus actos?

Rurik no lo sabía, pero sí sabía que el presentimiento no había tomado a Tasya por sorpresa. Ella era consciente de su capacidad, y eso despertaba todavía más la curiosidad de Rurik. ¿Cuándo se habría dado cuenta de que poseía aquel don? ¿Qué acontecimiento habría disparado su instinto?

—¿Hay una trampa para incautos en el cofre? —preguntó él con voz queda.

—No. —Tasya se enfrentó sin inmutarse a la mirada inquisitiva de Rurik—. Estoy segura. —Volvió a mirar la tumba—. Por ahora estamos a salvo. Hay más trampas allá adentro, pero no... de algún modo, están mudas. Creo que están detrás de alguna cosa.

—Está bien. —El sol estaba bajando sobre el horizonte. Con reverencia, Rurik trasladó el cofre del tesoro desde las sombras hasta los rayos solares que aún rebotaban sobre el sendero de piedra. Lo colocó sobre la tierra y se arrodilló ante él.

Tasya se arrodilló a un lado de Rurik y Ashley al otro.

Rurik era consciente de que parecían tres antiguos sacerdotes venerando un dios de oro. Miró de reojo a Tasya.

Tomaba sus fotos reverentemente y no obstante con cierta animación que dejaba ver a las claras que el hallazgo era importante y estremecedor para ella. Desempeñaba su papel a la perfección, porque estaba al servicio de National Antiquities y su desesperada necesidad de obtener fuentes de financiamiento.

Hizo girar la llave en la cerradura de bronce, sin albergar

la más remota esperanza de que se abriera. No obstante, acompañado por el horrible sonido chirriante del mecanismo interno, el eje de la llave se mantuvo firme. Rurik abrió la tapa del cofre sin titubear.

Ashley contuvo el aliento.

La multitud murmuró.

La cámara de Tasya iba capturando, irrefrenable, una imagen tras otra.

El contenido de aquel cofre era todo lo que un arqueólogo podía desear. Resplandecía.

Con gran ceremonia Rurik fue retirando las piezas, una por una, y colocándolas sobre la tierra. Una daga de acero con zafiros y empuñadura y vaina de plata. Un brazalete de oro en forma de serpiente con ojos de rubíes. Anillos de oro macizo y pulseras de ámbar.

Cada vez que sacaba un objeto a la luz, los periodistas hablaban por sus micrófonos, tomaban fotos y grababan vídeos.

Pero cuando llegó a la base de cedro fino del cofre, la golpeteó para asegurarse de que no tuviera un doble fondo y no hubiera quedado nada oculto debajo.

—Maldición —susurró.

«Cada uno de mis cuatro hijos debe encontrar un fragmento del icono Varinski.»

Rurik conocía desde siempre la leyenda de los Varinski. Su padre les había contado la historia a él y a sus hermanos varones, Jasha y Adrik, y a su única hermana, Firebird.

«Mil años atrás, un sanguinario brutal asoló las estepas rusas. Dominado por su anhelo de poder, el primer Konstantine Varinski celebró un pacto terrible. A cambio de la capacidad para transformarse a voluntad en un predador de corazón frío, le vendió su alma, y las almas de sus descendientes, al diablo. Pagó con los benditos iconos Varinski... y con la sangre, es decir con la vida, de su propia madre.»

«Cada uno de mis cuatro hijos debe encontrar un fragmento del icono Varinski.»

Zorana tenía solamente tres hijos varones. Uno había desaparecido en las indómitas tierras de Asia. Su profecía era imposible.

No obstante, menos de una semana después de que tuviera aquella visión, Jasha había llegado a la casa familiar de Washington con su mujer... y uno de los iconos Varinski: una representación tradicional rusa de la Madonna. La Virgen tenía en sus brazos al niño Jesús, José estaba de pie a su derecha, y en las aureolas de ambos brillaban hojas de oro. La túnica de la Madonna era color rojo cereza, el fondo era de oro, y sus ojos... sus ojos eran grandes y oscuros, y estaban llenos de compasión.

De modo que Rurik, que ya estaba buscando una manera de romper el pacto, debía indefectiblemente encontrar el siguiente icono.

Rurik había sido piloto de las Fuerzas Aéreas; creer en una visión o en una profecía era ir contra las fibras más íntimas de su ser.

Pero, como todos los hombres de su familia, Rurik vivía cada uno de sus días sujeto a un pacto con el demonio. Habría sido un tonto en no creer en lo sobrenatural; pero, a decir verdad, tenía más fe en su investigación arqueológica. Y estaba convencido de haber localizado al caudillo correcto y la tumba correcta.

Pero el icono no estaba en el cofre.

Con un indisimulable rictus de desesperación, Tasya murmuró a su lado:

—Maldición.

Rurik la miró con dureza.

El hallazgo significaría publicidad gratis para la National Antiquities Society, gracias a la variopinta multitud de periodistas y aficionados que cubrirían los acontecimientos.

¿Qué más podía desear Tasya?

¿Qué estaba buscando?

¿Y por qué?

5

En el mes de julio, en el norte de Escocia, el sol salía a las cuatro de la mañana.

Rurik se había levantado más temprano. Vestido con ropa camuflada y botas de combate, había salido a correr como todas las mañanas... excepto porque aquella no era una mañana como todas.

Sabiendo que los periodistas se habrían tapado los ojos con las almohadas y que los habitantes de la isla estarían durmiendo la borrachera, Rurik se había lanzado a correr cuesta arriba, hacia la tumba.

Había pasado la noche anterior en la taberna del pueblo, ensalzando a Hardwick, sacando a relucir los hallazgos de la tumba, fingiendo modestia y compartiendo el mérito con todos y cada uno de los miembros de su equipo. Había bebido demasiadas cervezas y observado a Tasya mientras ella se abría paso entre la multitud, intercambiando información con otros periodistas, respondiendo a las preguntas de los turistas y hablando con los arqueólogos y los pobladores de la isla. Ah, y además ignorándolo olímpicamente. Con obvia y consumada facilidad.

Por lo menos tenía el consuelo de que Tasya se tomara la molestia de ignorarlo. Muchísimo peor habría sido que lo tratara con la misma indiferencia e informalidad con que trataba a los otros.

Aunque ya era entrada la medianoche cuando Rurik llegó a su cama, se había despertado a las tres de la madrugada, insomne y ansioso por regresar a la tumba.

No había podido encontrar el icono Varinski. Era probable que en alguna ocasión hubiera estado en el cofre del tesoro —según la investigación de Rurik, el cofre lo había contenido una vez—, pero ahora había desaparecido.

No obstante, la tumba era grande y Clovus había demostrado ser más astuto y más despiadado de lo que Rurik imaginaba; quizá el icono estuviera oculto en algún otro lugar, en el interior del sepulcro. O tal vez la tumba escondiera una pista, un indicio sobre su paradero. Rurik sabía que, apenas despuntara el día, arqueólogos y periodistas se abalanzarían sobre la tumba con la esperanza de obtener más descubrimientos electrizantes... de modo que corrió y corrió.

El sol empezaba a asomar a sus espaldas. El aire fresco le llenaba los pulmones. Avanzaba velozmente por el camino, dando largas zancadas que desafiaban con éxito la pronunciada pendiente de la isla.

Pero, cuando ya estaba cerca del sepulcro, vio que sus hombres se estaban marchando.

¿Qué demonios...? Se detuvo en seco y esperó que Connell y Tony llegaran hasta donde estaba.

—No es hora de cambio de guardia.

—MacNathan sigue allá arriba, con su rifle —señaló Connell.

El taciturno MacNathan montaba guardia sobre un montículo de rocas, con su silueta recortada contra el cielo. Saludó a Rurik con un gesto rápido.

—No tiene ningún sentido que todos nosotros nos quedemos aquí. —Tony tenía el cabello despeinado... probablemente habría dormido durante todo su turno de guardia.

—¿Todos nosotros? —preguntó Rurik.

—Hunni dijo que usted vendría pronto —murmuró Connell.

—¿Hunni? —Rurik se quedó mirando el pasto de la tumba, levemente barrido por la paciente y amenazadora brisa oceánica—. ¿Tasya Hunnicutt está aquí?

—Sí, dijo que usted le había pedido que comenzara a fotografiar la entrada. —Tony le obsequió con la sonrisa embobada de un hombre que, unos segundos atrás, había visto cumplirse sus sueños gracias a una sonrisa de mujer y unas pocas palabras seductoras—. ¿Sabe una cosa, jefe? Es fabuloso tenerla aquí como representante de National Antiquities. Está realmente apasionada por los hallazgos. Hunni podría ser arqueóloga... capta por completo el espíritu de las cosas.

—Es una mujer asombrosa. —«En más de una manera.» Rurik los miró alejarse.

«Pedazo de imbéciles.» No se les pasaba por la cabeza que Tasya pudiera estar mintiendo, que pudiera tener un motivo ulterior. Usar arqueólogos para proteger una tumba era equivalente a usar cachorros de pomerania para proteger una boca de incendio.

Por supuesto que a él tampoco se le había pasado por la cabeza que Tasya se levantaría más temprano que el propio Rurik para recorrer la tumba. Entonces ¿quién era el consumado imbécil en aquella historia?

Bajó por la rampa de piedra hacia la entrada de la tumba, con suma cautela para que Tasya no lo oyera.

Siempre había pensado que ella sabía demasiado, que estaba demasiado interesada en el asunto, y que tenía sus propias razones para acompañar los progresos de la excavación tan de cerca. Había llegado el momento de interrogarla... y disfrutaría de cada minuto.

Un haz de luz se filtraba desde el interior de la tumba. Tasya había instalado alguna fuente de luz y Rurik oía el clic de su cámara a medida que iba tomando las fotos. Rodeó la entrada sin hacer ruido; quería espiarla sin alertarla de su presencia.

Allí estaba, con una camiseta de camuflaje metida en sus vaqueros perfectamente ajustados.

No era para sorprenderse que sus muchachos creyeran

cada palabra que decía. Esa mujer tenía unas formas voluptuosas que hacían que los hombres quisieran llevársela al huerto. Repetidamente.

Llevaba puestas unas botas de trabajo negras y su mochila color caqui estaba apoyada en el suelo, a su lado. Podía pensarse que se había vestido de manera adecuada para contrarrestar el polvo y la suciedad de la tumba... Pero, si uno era suspicaz, podía sospechar que Tasya llevaba ropa de camuflaje por la misma razón que Rurik. Para no ser vista con facilidad.

Tasya se arrodilló junto a la pared, detrás de la repisa donde antes reposaba el cofre del tesoro. La piedra estaba cubierta de bajorrelieves y Tasya se acercó más, utilizando la lente macro de su cámara para capturar los distintos paneles.

Fascinante. Estaba fotografiando exactamente la misma pared que él pretendía examinar.

¿Por qué tendría tanto interés en los bajorrelieves cuando en el interior de la tumba podía haber más oro? ¿Más joyas?

¿Qué estaba buscando?

Por el momento, no le importaba.

Porque estaban solos. Tal como se lo había prometido, la tenía acorralada y no había ningún lugar adonde pudiera escapar corriendo.

Se detuvo en la entrada, bloqueando la luz solar que llegaba al interior. Primero tocó la pared... y luego tocó a Tasya.

Ella se dio la vuelta de golpe, agachándose en posición de pelea.

—Estás nerviosa. —Rurik bajó la cabeza y entró en la tumba—. ¿Por qué? ¿Te sientes culpable?

—Rurik. ¿Qué estás haciendo aquí? —Lo miró directamente a los ojos.

—Según les has dicho a mis muchachos, se supone que debo encontrarme contigo aquí.

—Sí. Bueno. —Se colgó la cámara del cuello y comenzó a jugar con los dispositivos de configuración.

Sí. Se sentía culpable.

—No pude esperar para ver qué había dentro de la tumba —dijo.

—Pero no estás dentro de la tumba. Estás concentrada en los bajorrelieves de la pared de entrada. ¿A qué se debe esa peculiaridad?

—Sabes que soy la fotógrafa oficial de la National Antiquities Society. Necesito registrar todas las piezas de esta tumba. —Su cabello negro estaba alborotado, como si aquella mañana no hubiera hecho otra cosa que pasar los dedos entre los rizos.

Rurik acercó la mano.

Ella intentó esquivarlo, pero luego, conscientemente, se quedó quieta.

¿Acaso trataba de convencerlo de que le importaba un bledo que la tocara? «Buena suerte.»

Le acomodó un rizo detrás de la oreja.

Ella se mordió el labio.

Qué chica tan inteligente. Debería ser más aprensiva.

Rurik deslizó su mano detrás del cuello de Tasya, atrayéndola hacia él.

—No. —Tasya levantó los puños.

—Intenta detenerme. —Sonrió mostrando los dientes—. Realmente me gustaría que pelearas.

—¿Por qué? ¿Qué te propones hacer? ¿Vas a obligarme a que te bese? —Sonaba tan burlona como solo podía hacerlo una mujer independiente.

—No tengo que obligarte a hacer nada. Te pondré tan cachonda —le susurró al oído— que nos derretiremos juntos, y jamás sabrás dónde termino yo y dónde comienzas tú.

Tasya contuvo el aliento de tal manera que obró maravillas sobre el temperamento de Rurik.

Volvió la cabeza y le dio un beso en la mejilla.

—Pero eso será más tarde. —Más tarde... cuando hubiera jugado con ella y le hubiera hecho perder el equilibrio, amenazándola con el infierno y prometiéndole el paraíso.

No podía obligarla a amarlo, no podía forzarla a quedarse con él, pero, como que Dios era grande, si Tasya volvía a salir corriendo... esta vez no se olvidaría de él.

Rurik concentró toda su atención en la pared y dijo con un tono de voz destinado a sacarla de sus casillas:

—Aquí aparece Clovus recibiendo un obsequio que se parece mucho a... espera, sí, parece muy valioso... ¡Parece el envoltorio de una barra de Golden Grahams!

A decir verdad, tenía la forma y el tamaño de un icono. Pero los artistas medievales no utilizaban una perspectiva realista, y los artesanos del norte de Escocia carecían de las habilidades de sus colegas del sur. Hasta que no hubiera estudiado lo que estaba escrito, Rurik no podría estar seguro de qué clase de obsequio había recibido Clovus. E incluso así sería difícil, porque el tiempo había desgastado las piezas y borrado las inscripciones.

—No seas estúpido. —Tasya jamás había sido tan brutalmente sincera con él—. Es demasiado corto y demasiado ancho para ser una barra de Golden Grahams. Créeme. Conozco muy bien mis barras de Golden Grahams. —Volvió a enfocar el visor de la cámara y tomó varias fotos desde distintos ángulos.

Rurik no sabía por qué Tasya estaba tan interesada en aquello. Pero, en última instancia, ¿qué importancia tenía? Mientras pudiera leer la escritura y estudiar los bajorrelieves, su parte de la búsqueda sería un éxito.

—¿Has tomado fotografías de todo?

—En líneas generales, sí. Ahora estoy tomando fotos desde todos los ángulos posibles, utilizando toda clase de luz.

—Bien. ¿No has tenido ningún presagio de trampas para incautos?

—Nada. Estamos a salvo.

—Bravo. —Sacó una linterna del bolsillo de la pierna—. Yo estoy a salvo. Tú tienes graves problemas.

Tasya dejó de tomar fotos y lo miró exasperada.

—No tienes por qué mostrarte odioso a la menor oportunidad.

—No soy odioso. Soy sincero. —Eligió el camino a seguir entre los desechos acumulados en el suelo y, bordeando la pared, enfocó la linterna hacia la antecámara de la tumba.

Las paredes eran de piedra, densa y oscura. La cabeza de Rurik rozaba el cieloraso, que también era de piedra. Había utensilios antiguos y huesos de animales desparramados por el suelo, y delante de la pared del fondo se levantaba un altar de piedra. Un sarcófago a medio abrir, también de piedra, esperaba apoyado sobre el altar.

Tasya entró tras él.

—¿Qué tenemos aquí dentro?

—Una mezcla de la Edad de Bronce con artesanías medievales tempranas. Eso confirma mis sospechas: la tumba tiene probablemente cuatro mil años de antigüedad y Clovus desenterró al rey que yacía aquí y confiscó el sepulcro para su uso personal.

—Ese hombre no le tenía miedo a nada, ¿no te parece?

—No tenía miedo a los muertos y no sentía ningún respeto por el pasado. Sospecho que ese sarcófago entreabierto contiene los restos del primer ocupante del sepulcro.

—No me gusta este lugar. —Tasya se encogió de hombros, incómoda—. ¿Dónde está Clovus?

—La cámara sepulcral está allí dentro. —Rurik señaló con la cabeza en dirección a una pared de piedras lisas.

—Sí. —Tasya tuvo un escalofrío—. Puedo sentirlo.

Rurik no sabía nada de ella. Nada. Y esta era su oportunidad.

—¿Qué sientes? ¿Cómo sabes que es él? ¿Desde cuándo puedes saber si un hombre es malvado?

En realidad no esperaba que fuera a responderle, pero Tasya contestó sus preguntas una por una.

—Siento como si me asfixiara la oscuridad. No estoy segura de que sea Clovus, pero ¿quién más podría ser? Y los sentí cuando tenía cuatro años, y jamás he olvidado esa sensación.

—¿Los sentiste? ¿A ellos? —Tasya tenía ahora toda su atención—. ¿Quiénes son ellos?

Pero Tasya no le hizo caso. Poco a poco fue volviendo la cabeza hacia la entrada de la tumba, observándolo todo con ojos escrutadores.

—Quizá no esté sintiendo a Clovus —susurró—. Porque... ellos están aquí.

Rurik oyó las voces al mismo tiempo. No necesitaba la advertencia de Tasya para reconocer el acento eslavo, el tono jactancioso, la amenaza.

Varinski. Hijos de puta. Varinski. Sus primos del infierno lo habían encontrado.

Los Varinski estaban entrenados para cazar incautos, asesinar a sus enemigos y destruir todo aquello que les viniera en gana. Casi siempre perpetraban sus tareas de asesinato y sabotaje para clientes que les pagaban en moneda contante y sonante.

Pero ahora nadie les había pagado. Los Varinski cazaban a los Wilder para consumar su venganza. Ya habían encontrado a su hermano mayor, Jasha. Y ahora lo habían encontrado a él.

Rurik estaba atrapado... entre su destino y una mujer que hacía que el corazón le doliera de nostalgia y al mismo tiempo lo sacaba de las casillas.

Sabía que su muerte pondría fin a las esperanzas de su familia. Pero estaba dispuesto a pelear y a sacar a Tasya de aquel enredo. Ella no merecía morir por el solo hecho de estar con él.

—Regresemos —le espetó—. Escondámonos detrás del altar.

Tasya miró la cámara que llevaba en la mano.

—Mi mochila. ¡Mi mochila se ha quedado en la entrada!

Rurik corrió hasta la entrada, cogió la mochila y la linterna de Tasya, y la empujó hacia la pared del fondo. Se arrodillaron juntos detrás del altar. Rurik hizo que Tasya se colocara a sus espaldas... pero Tasya desapareció de pronto dentro de la pared. Un panel de roca sólida se había deslizado y se la había tragado.

Rurik la buscó a tientas en la oscuridad absoluta.

Tasya lo tomó de la mano, y su mano temblaba. Lo mismo que su voz.

—Estoy aquí —musitó—. Es un pasadizo.

Sí. Se sentía el aire fresco del mar.

Rurik entró. Su vista era excelente —más que excelente— y pudo distinguir una pequeña recámara de piedra y un túnel sinuoso que se adentraba en la tierra. Empujó la mochila y la linterna en dirección a Tasya.

—Vete. Necesito escuchar lo que dicen.

Regresó a la antecámara de la tumba, cerró la pared falsa, se puso en cuclillas y esperó.

Eran cuatro. Hombres, por supuesto —los Varinski solo tenían hijos varones—, y Rurik comprendió enseguida que no sospechaban que él estaba allí.

También se dio cuenta de que Boris, el líder de los Varinski, no había enviado a sus mejores hombres a esa misión. O, si los había enviado, los Varinski estaban en franca decadencia. Porque esos matones eran ruidosos y visiblemente ineptos y parecía no importarles qué —o quién— podía estar escondiéndose en la tumba. Habían entrado sin tomar precauciones, como si fueran una pandilla de muchachos despreocupados que andaran a sus anchas por el mundo.

Uno de ellos, un treintañero de voz ronca, cargaba una bolsa de cuero de buen tamaño.

—Y bien, ¿qué es lo que hemos venido a buscar aquí? —preguntó en ruso.

—Sí, ¿por qué tuvimos que venir a dar con nuestros huesos a una isla insignificante en Escocia?

Otro de ellos examinó la columna de piedra y la pared que bloqueaba la entrada. Llevaba sombrero y botas de cowboy y parecía una réplica cosaca de un texano.

Rurik se deslizó, siempre detrás del altar, para poder escuchar mejor.

El líder debía de tener unos cuarenta años. Estaba de pie en el centro de la tumba, con los brazos en jarra.

—Según parece, uno de los muchachos tuvo una visión. No sé qué habrá sido... pero, hombre, a Boris se le pusieron los pelos de punta del susto.

—Yo estaba presente cuando ocurrió —dijo el más joven de todos.

Los otros tres se dieron la vuelta para mirarlo.

—No estabas. —Era evidente que el líder cuarentón no le creía.

—Sí, estaba —insistió el chico—. El tío Iván, ese ciego siniestro que tiene una película blanca sobre los ojos, llamó a Boris como si pudiera verlo, lo cogió del cuello, y con una voz que sonaba como... como... —El chico tuvo un escalofrío—. Sonaba profunda y poderosa y espectral.

—Al tío Iván nunca le ha gustado Boris —dijo el líder—. Trata de engañarlo.

El chico se encogió de hombros, incómodo.

—Sí. Ojalá yo también pudiera pensar eso.

—Entonces ¿qué dijo? —preguntó uno de los otros.

—El tío Iván le dijo a Boris que el pacto con el demonio se está quebrando, que a menos que los Varinski unan sus fuerzas y maten al hombre que se casó con la gitana...

—Konstantine —dijo el líder.

—Sí, Konstantine. Si los Varinski no matan a Konstantine y a sus vástagos y a esa puta con la que se casó, los Varinski se transformarán en el hazmerreír y el pacto se habrá roto. Todo este asunto me ha puesto la piel de gallina.

El relato también le puso la piel de gallina a Rurik. Hasta entonces había pensado que la visión de su madre era un incidente aislado, y, sin considerarla a fondo, había supuesto que una fuerza benévola hablaba a través de ella. La visión había sido una advertencia para su familia y les había enseñado cómo romper el pacto con el diablo.

Pero ahora, según parecía, uno de los Varinski había tenido una visión similar que ordenaba a Boris destruir a Konstantine y a su familia... o incluso más.

«Carajo.»

—¿Y qué tiene que ver este lugar con todo eso? —dijo resoplando el que cargaba el bolso de cuero. Abriéndolo de golpe, les arrojó un disco de metal a cada uno de sus compañeros.

—El tío Iván dijo que había un icono, una especie de cosa sagrada, que debemos encontrar. —El chico cogió el disco y lo ató a un pilar—. Supongo que el icono está aquí, en esta tumba, y por eso la haremos volar en pedazos.

Rurik, hasta entonces por completo concentrado en escuchar la conversación ajena, se dio cuenta de que sus primos asesinos... eran un equipo de demolición.

No era para sorprenderse que no les importara si había alguien escondido en la tumba. Iban a volarla en mil pedazos y era muy probable que destruyeran el icono, la única posibilidad de salvación de su padre, y... oh, Dios, ¿acaso Tasya lograría sobrevivir?

—Tú conociste a Konstantine, ¿no es así, Kaspar? —preguntó el más joven.

—Lo conocí —dijo el líder.

—¿Es cierto que fue el jefe más grande, y el mejor que tuvimos, y que Boris le tenía miedo? —Los tres subordinados miraron a Kaspar, esperando su respuesta.

—No fue el más grande, pero era muy astuto. Artero. Cuando peleaba, ganaba siempre. Tenía estrategias invencibles y, mientras él estuvo al mando, los Varinski fueron el poder más grande del mundo. —Kaspar escupió en el suelo—. No como ahora.

Ninguno de los otros dijo nada; estaban concentrados en colocar las cargas de dinamita.

Rurik no se atrevía a moverse. El icono... y Tasya. ¿Los perdería a ambos?

—Será mejor que Boris haga algo pronto, pues de lo contrario caerá en desgracia —dijo el chico.

—¿También escuchaste eso a escondidas? —se burló Kaspar.

—Boris es mi padre, pero Vadim es mi hermano. Vadim

tiene mi lealtad y os juro que será el próximo jefe. —El chico sonrió y volvió la cabeza hacia la luz del sol.

Rurik dio un respingo.

Sus labios eran de color rojo; sus mejillas, igualmente brillantes, y tenía los ojos oblicuos. Quizá llevara maquillaje para tener ese aspecto, pero Rurik no lo creía posible. Ese chico era un monstruo.

—No seas tonto —dijo Kaspar con dureza—. Vadim es demasiado joven.

El chico siseó algo en contra de Kaspar. Comenzó a girar sobre sus talones, y Rurik tuvo la súbita visión de aquello en lo que podía convertirse... Tenía las pupilas aguzadas; su piel, muy tersa, relucía como si estuviera pintada con esmalte para uñas; y los dientes de su boca roja eran puntiagudos como los de un vampiro... O los de una serpiente de cascabel.

Kaspar chasqueó los dedos para llamarle la atención.

—¡Basta! No tenemos tiempo para esa mierda, Alek. Debemos acabar con esto antes de que venga alguien a inspeccionar la tumba.

Alek dejó de girar.

—Si alguien nos atrapa, será un desastre —agregó Kaspar.

—De acuerdo. Pero no te burles de mi hermano o te dará caza. —Alek cogió su carga de dinamita y se agachó para colocarla.

Cuando Kaspar estuvo seguro de que Alek no podía verlo, le dio la espalda y se secó la frente con un pañuelo.

Rurik habría querido hacer lo mismo. Los Varinski eran aves de presa, lobos o panteras. Jamás serpientes. Jamás algo que se arrastrara por el suelo y matara con veneno. ¿Qué había ocurrido? ¿Cuándo se había producido aquella mutación?

Cuando Alek se enderezó, Kaspar preguntó:

—¿Las cargas están en su lugar? —Y cuando todos asintieron, dijo—: Entonces salgamos ahora mismo de aquí.

Los Varinski salieron disparados a una velocidad tal que dejaba a las claras el poder de los explosivos. Rurik empujó la pared falsa y entró en el túnel... y chocó con Tasya.

—¿Qué has averiguado? —susurró ella.

—¿Qué diablos estás haciendo aquí? Corre. ¡Corre! —La empujó hacia delante.

Era una chica inteligente. No había pedido detalles. Respondiendo a su agitación, se había lanzado a la oscuridad.

Rurik corría tras ella, con una mano apoyada en su espalda.

La luz fue desapareciendo. El túnel se volvió más angosto y más bajo. Ahora corrían sobre el barro, con unas pocas rocas donde afirmarse... pero el olor del mar guiaba a Rurik.

La oscuridad los rodeaba. Tasya tropezó con algo y estuvo a punto de caer.

Él la ayudó a mantener el equilibrio.

—Baja la cabeza. El techo está cada vez más cerca. Tendremos que avanzar a gatas... ahora. —La hizo ponerse de rodillas y la empujó para que siguiera avanzando. El túnel era cada vez más estrecho, pero Rurik veía una luz más adelante—. Casi hemos llegado.

—Es demasiado angosto. —Tasya jadeaba, exhausta, pero no por cansancio; más bien era presa del pánico.

Claustrofobia. El momento no habría podido ser peor para descubrirlo.

—Déjame avanzar primero. Si yo puedo pasar, tú también podrás.

—Sí. De acuerdo. —La sola idea aparentemente la hizo sentir mejor.

Tal vez no fuera aconsejable sumar más terror al terror, pero, por lo poco que sabía del carácter de Tasya, estaría a la altura de la ocasión. Al pasar junto a ella, Rurik murmuró:

—No te detengas. La tumba volará en pedazos.

Tasya no se detuvo.

Llegaron a la esquina del túnel. Rurik vio la luz del sol a lo lejos. Era un agujero pequeño, pero podrían salir. Avanzaban arrastrándose, moviéndose a gran velocidad. El túnel era cada vez más angosto, apenas una madriguera, y de pronto se encontró deslizándose sobre su abdomen.

—Faltan apenas unos metros. ¡Pocos metros más!

Al principio, la vibración fue apenas un rumor que se propagaba por la tierra. Luego aumentó hasta el estruendo. El temblor llegó desde atrás, y los atrapó. La tierra se levantó una sola vez, en un inmenso impacto. Rurik se aferró como pudo a una piedra de la pared.

Tasya gritó.

Presa del violento temblor, el tunel se derrumbó, enterrándolos.

6

Tasya no podía respirar. No podía respirar. No había aire. Estaba oscuro. La tierra pesaba sobre su cuerpo. Tenía tierra en la boca, en los pulmones.

Durante toda su vida, aquella había sido su peor pesadilla. Estaba enterrada viva.

Se retorcía indefensa, desorientada, sin saber muy bien cómo salir.

Entonces una cosa la aferró. Algo tiró de sus hombros. Ella luchó, tratando de ayudar. Tratando de salir.

Golpeó algo, muy fuerte, con la cabeza. Sintió que algo se deslizaba frenéticamente a su lado. Cogió una varilla de metal y la usó como si fuera un remo. Quiso gritar, pero no podía respirar.

Ay, Dios. Iba a morir. En la oscuridad. Moriría asfixiada en la oscuridad.

Y de pronto, su cabeza estaba fuera. Fuera, al aire libre. No podía ver; tenía los ojos tapados de tierra. No podía respirar. Tenía la boca y la nariz llenas de tierra. Pero aquel peso había desaparecido de su cabeza. Podía sentir el aire y el calor del sol sobre su piel.

Alguna cosa tiró de ella con fuerza. Tiró hasta hacerla salir del túnel que había sido su tumba y la dejó sobre el suelo.

Frenética, Tasya se limpió la cara y escupió tierra; pero todavía no podía respirar. Le zumbaba la cabeza.

Se estaba muriendo.

—Basta. —«Rurik. Rurik está aquí»—. Déjame ayudarte.

Apoyó sus labios sobre la boca de Tasya y le dio su aliento.

Sus pulmones se expandieron. Cuando Rurik se apartó, Tasya empezó a toser. Tosió y tosió y tosió, escupió tierra, inhaló aire, se sonó la nariz... Estaba viva. Se sentía horriblemente mal, pero estaba viva.

Cuando por fin pudo abrir los ojos, vio que estaba acostada sobre un angosto borde de roca del acantilado, frente al mar. Estaban a unos trescientos metros bajo el nivel del acantilado y a unos dos mil metros sobre el nivel del océano.

Rurik estaba sentado junto a ella, con los brazos apoyados sobre las rodillas cruzadas y las manos colgando laxas. Miraba el mar. Tenía el cabello, las cejas, la ropa y la piel cubiertos de tierra. Hasta tenía tierra en las orejas. Y había un corte en su frente, del que manaba sangre.

Su aspecto le daba una idea de lo horrible que debía de verse ella.

No le importaba. Estaba viva.

Volvió a apoyar la cabeza contra la piedra. El aire olía bien, como el océano... y la tierra. Las rocas se le clavaban en la espalda, y la incomodidad que sentía le anunciaba que estaba viva. Tenía las botas llenas de tierra y se le habían metido guijarros entre los dedos de los pies, pero eso también era una buena señal.

—¿Tienes miedo a las alturas? —le preguntó Rurik.

—No. —Abajo, muy abajo, las olas rompían contra las rocas—. Solo le temo a la oscuridad.

Rurik asintió.

—No puedo creer que hayas logrado salir con esa mochila.

Tasya bajó la vista. Mientras esperaba a Rurik en la entrada del túnel, se había colocado la mochila sobre el pecho y había ajustado las correas todo lo posible.

—La cámara —dijo.

Rurik rió entre dientes.

—Me lo imaginé —dijo. Y enseguida agregó—: ¿Está en buenas condiciones?

Tasya abrió el cierre principal, sacó la Nikon y la examinó. Su mochila a prueba de agua, a prueba de tierra, irrompible y acolchada había superado todas las pruebas.

—Parece estar en buena forma.

—Buena chica. —Volvió a reír entre dientes.

Con ternura, Tasya dejó su amada cámara a un costado. Rurik sacó su móvil del bolsillo y lo abrió. Pero estaba lleno de tierra.

—Caramba. —La pantalla estaba rota.

Lo sacudió un poco, pulsó la tecla HABLAR y se lo llevó a la oreja.

—Caramba —repitió—. Este aparato no fue creado para las cavernas. —Volvió a guardarlo en su bolsillo—. ¿Tienes un móvil?

—En la mochila —dijo vagamente—. Pero está apagado. ¿Quién iba a llamarme?

—No lo sé. ¿Tu madre? ¿Tu padre?

Tasya dejó que su mirada se perdiera en el océano. Era una línea delgada, de color gris claro, que ascendía desde el horizonte tragándose el azul del cielo.

—Mis padres están muertos.

—¿Tu otro amante?

—Está ocupado —dijo sin perder la compostura.

—¿Estás tratando de ponerme celoso?

—No.

—No. Por supuesto que no. Para que lo hicieras, yo tendría que importarte un poco.

«¿Realmente quieres hablar de eso ahora?» Pero no se lo preguntó. Era obvio que quería hablar de eso, en cualquier momento, en cualquier parte. Y ella anhelaba evitar esa confrontación a toda costa. Empezó a abrir la mochila.

—¿Quieres llamar a tu familia? Porque, cuando se divulgue la noticia de la explosión, seguramente van a preocuparse.

Rurik apoyó su mano sobre la de Tasya.

—No se preocuparán, al menos por unos días. Me gusta aterrizar despacio. No, mejor mantén tu teléfono apagado por ahora.

Ella sabía por qué.

—¿Estamos en peligro aquí? —preguntó, señalando la cima del acantilado.

—No. Esos muchachos nunca llegaron a saber que estábamos en la tumba. Y, por cierto, no saben que hemos escapado.

—Y yo que pensaba que la leyenda era exagerada —dijo Tasya.

Rurik volvió la cabeza para mirarla.

—¿Qué leyenda?

—Te lo diré cuando salgamos de esta isla.

Rurik entrecerró los ojos. Empezó a decir algo. Pero cambió de opinión. De todos modos, dijo otra cosa.

—¿Qué tienes en la mano?

Tasya estaba segura de que no era eso lo que Rurik había querido decirle.

Miró su mano. Tenía aferrada una pieza de metal sucio y oxidado, de pocos centímetros de largo, y estrecha como la hoja de un cuchillo.

—No lo sé. Parece una especie de cuchillo. Chocó conmigo mientras tironeabas para sacarme de la tierra.

—Guárdalo. Lo examinaremos más tarde.

Tasya abrió el cierre del bolsillo de su mochila —el bolsillo externo destinado a la botella de agua que jamás llevaba consigo— y dejó caer la antigualla adentro.

Rurik observaba con atención sus movimientos. La decepción ante la indolencia de Tasya había transformado su boca en una línea delgada.

—Ese cuchillo puede ser lo único que quede de la excavación.

—Lo lamento. —Apoyó la mano sobre el brazo de Rurik—. Sé lo que significaba esa tumba para ti.

Rurik sintió el peso de su mano. Miró a Tasya. Y sus ojos eran salvajes. Casi... aterradores; una llama roja parecía arder en lo más profundo de sus pupilas.

Tasya contuvo el aliento y retiró la mano de golpe.

—Siempre y cuando tú estés viva, esa tumba no significa nada.

Tasya esperaba que se abalanzara sobre ella, que la tomara en sus brazos, que la besara. No que dijera eso. Y mucho menos que lo dijera con un tono tan serio...

—Ya estuve en peligro antes.

—No como esta vez. No por mi causa.

Podía ser tan irritante... y poderoso... y seductor. La obligaba a activar todas sus defensas, porque la hacía sentir a salvo del mundo... y en peligro a causa de él. Si cedía, si se apoyaba en él, si confiaba en él, sería la tonta más grande en la historia del mundo.

—Te das demasiado mérito —dijo con voz áspera, de pocos amigos—. Me temo que he sido yo la que te ha puesto en peligro.

Al principio, él intentó negarlo. Pero luego rió entre dientes.

—Sí. Verdaderamente serías capaz de enfurecer a un santo. Pero, más allá de quién de los dos tenga la culpa de esto, haré todo lo que esté en mi poder para mantenerte viva. —Se puso en pie y le tendió la mano.

Tasya permitió que la ayudara a levantarse.

Rurik le deslizó un brazo por la cintura y la estrechó contra sí.

—No puedo predecir el futuro —dijo, apoyando su frente contra la de Tasya—, pero sé que esto acaba de comenzar.

Las pestañas de Rurik estaban cubiertas por una capa de tierra, pero sus ojos, del color del centeno, eran sombríos, calmos, pensativos... Y no estaba hablando de la tumba ni de la explosión; estaba hablando de ellos.

Daba miedo. Rurik daba miedo cuando se comportaba de aquel modo.

No en el sentido físico. Tasya jamás había temido que él pudiera lastimarla. Pero era implacablemente aterrador.

Rurik la deseaba y estaba decidido a tenerla. Quizá ella pudiera explicarle por qué era imposible. Tal vez pudiera confesarle su pasado, y hacerle comprender que era un peligro estar con ella, y asustarlo.

Pero Rurik no parecía ser de aquellos que se asustan fácilmente. Y si ella hablaba de los fantasmas que la perseguían... él lo sabría. Sabría que su fachada de periodista valiente no era sino un simulacro, que en realidad Tasya era una niñita asustada que temblaba por las noches. Rurik iluminaría con una lámpara los rincones oscuros de su alma y ella se vería obligada a enfrentarse a sus recuerdos y a sus miedos.

Ahora bien... ¿qué ocurriría si despreciaba lo que veía? ¿Si se reía y le decía que tenía que crecer? ¿Y si usaba sus miedos para manipularla?

¿Y si se marchaba?

No, lo mejor que podía hacer era mantenerlo a distancia.

«¿Y cómo va eso, Tasya?»

«No demasiado bien, dado que me ha estrechado contra su cuerpo y me mira a los ojos como si lo entendiera todo, como si entendiera demasiado.»

Tasya se liberó del abrazo con movimientos lentos y deliberados.

—Mira, tenemos que regresar con los periodistas y los arqueólogos para que pueda bajar a mi ordenador las fotos que tomé ayer y hoy y enviárselas a mi jefe en National Antiquities. No me alegra andar paseándome por ahí con el único registro válido de tus hallazgos, y pienso que estarán a salvo en el ordenador de National Antiquities.

Pero Rurik no le soltó la mano cuando ella se apartó. Quizá porque el saliente de roca donde se encontraban tenía poco menos de un metro de ancho. Tal vez porque no quería soltarla.

—Escuché la conversación de los que volaron la tumba. Hay alguien allá fuera que quiere que toda la información sea eliminada. Son unos tipos desesperados que reciben mucho dinero por hacer lo que hacen, posiblemente ecoterroristas. Como testigos presenciales, debemos mantener el perfil bajo y evitar que nos reconozcan hasta haber hablado con las autoridades.

En ese momento, ella estuvo a punto de decírselo. Explicarle quiénes eran aquellos hombres, y la verdadera razón por la que habían colocado los explosivos habría sido un colofón perfecto para su discurso.

Pero, en ese caso, también tendría que decirle a Rurik cuál había sido su verdadero objetivo y confesarle que lo había puesto en peligro, a él y a su adorada excavación.

Miró el borde del saliente.

Una larga caída hasta llegar al océano.

Se lo diría más tarde.

7

Rurik miró a Tasya, que escalaba el acantilado casi pisándole los talones.

No había mentido. No tenía miedo a las alturas. No le tenía miedo a nada que Rurik supiera... salvo a la oscuridad.

Le habría encantado saber por qué, pero no era momento de averiguarlo. Ahora tenían que correr. Correr lejos y rápido, proteger las fotos de los bajorrelieves, estudiarlas y tal vez, tal vez, encontrar una manera de salvar no solamente la vida, sino el alma de su padre.

—Esta es la situación. —Rurik llegó a la cima del acantilado. Se dejó caer al suelo plano y, arrastrándose sobre el abdomen, se alejó del borde del precipicio—. Tenemos que salir de la isla sin que nos descubran, y sucede que estoy preparado para esa eventualidad.

Allí mismo, en el acantilado y a dos mil metros sobre el nivel del océano, Tasya dejó de escalar. Ignoró la mano de Rurik, que buscaba aferrar la suya, y se quedó mirándolo como si estuviera loco.

Rurik no le dio ocasión de preguntar.

—He almacenado un equipo de supervivencia cerca de aquí.

—Por supuesto que sí. —Tasya terminó de escalar y, ella también, se dejó caer al suelo plano.

Habían recorrido un largo camino por el túnel, y ahora

las alturas los ocultaban de la tumba de Clovus. La isla yerma, sin árboles, no ofrecía muchas posibilidades de cubrirse y tendrían que bordear los contornos de tierra para que no los vieran.

Pero nada de todo aquello tenía importancia. Si los Varinski salían a buscarlos, los encontrarían. Rurik conocía su reputación. Los reconocía en su propia sangre.

Desde el día de su nacimiento, su padre lo había adiestrado para esperar problemas, para estar preparado para las dificultades, para caminar sin ser visto y oír todos los sonidos. Konstantine había preparado a sus hijos varones —y también a su única hija— para la inevitable aparición de los Varinski. No lo sorprendía que hubieran llegado ahora; lo único que lo sorprendía era que hubieran tardado tanto tiempo en encontrarlo.

—Nadie nos descubrirá. —Tasya se sacudió la ropa y pasó los dedos entre sus cabellos, desparramando tierra por todos lados—. Somos parte de la tierra.

Su ingenuidad lo maravillaba.

Tasya levantó la vista y lo pescó mirándola.

—¿Qué? ¿Por qué me miras de esa manera?

—Vamos. —Arrastró a Tasya fuera de la tumba y la condujo velozmente por los recovecos de la isla de Roi, con la esperanza de poder escapar antes de que los descubrieran. ¿Acaso podría pilotar una embarcación de pesca? ¿O el ferry?

—He estado pensando en cómo salir de la isla. —Ella lo seguía, casi pisándole los talones—. Mi ultraligero está aquí.

—¿Ultraligero? —Rurik se detuvo en seco, y tan de golpe que Tasya casi tropezó con él. Dio media vuelta para mirarla—. ¿Qué quieres decir con eso de ultraligero?

—Ya sabes, un avión pequeño, de alas fijas, especialmente diseñado para volar distancias cortas a baja velocidad.

—Sé muy bien lo que es un ultraligero —replicó irritado—. ¿Por qué está aquí?

—Me gusta volar. Este es un lugar hermoso y el cielo no está atestado de aviones. —Pero desvió la vista.

No quería que él la mirara a los ojos. ¿Por qué?

—¿Cuándo lo has traído?

—Mientras tú no estabas.

—¿Cuándo empezaste a volar?

—Tomé lecciones de vuelo la última vez que estuve en Estados Unidos.

Lecciones de vuelo. La última vez que había estado en Estados Unidos.

—¿Por qué ahora?

—¿Por qué esperar?

—¿Dónde aterrizaste? —Un ultraligero. Esas malditas máquinas eran notoriamente inestables. Uno podía matarse...

«—Tengo el avión —gritó, cogiendo los controles.

»La infranqueable ladera de una montaña se erguía frente a sus ojos.

»El misil estaba casi encima de ellos.

»Condujo el avión hacia arriba y hacia un costado.

»No iban a lograrlo...»

—Hay kilómetros de terreno llano que se pueden usar como pista de despegue. —Tasya estaba empezando a molestarse.

Mejor.

—Una vez más... ¿por qué has traído un ultraligero a Escocia?

—¿A qué se debe el interrogatorio? —le espetó ella—. ¿Qué hay de malo en tener un ultraligero? Montones de personas los tienen y los disfrutan. Ya sabes... ¡como *hobby* o algo parecido!

Un *hobby*. Un mero pasatiempo. Esa chica pensaba que volar era un *hobby*.

—Montones de personas disfrutan sus ultraligeros cuando están en un lugar que conocen. Pero ¿en una isla perdida del Atlántico Norte? ¿Donde uno solo está de visita? ¿Donde las corrientes de viento son traicioneras y una tormenta cualquiera, proveniente del océano, haría caer al ultraligero como si fuera una mosca?

«Rurik condujo el avión hacia arriba y hacia un lado.

»No iban a lograrlo...»

Respiró hondo, esforzándose por apartar los recuerdos de su mente.

—Es muy conveniente que lo hayas traído justo cuando tenemos problemas. Pero sucede que yo no confío en lo conveniente.

—Está bien. Quizá sospeché que podría tener problemas a causa del libro que escribí sobre la familia Varinski, donde específicamente me ocupo de los mellizos Varinski.

«Los Varinski».

Rurik se olvidó del avión. Se olvidó por completo del ultraligero.

«Los Varinski».

Sintió exactamente lo mismo que había sentido cuando el túnel se desmoronó. Se sentía aturdido, sin resuello, incapaz de captar la magnitud del desastre.

Tasya se quedó mirándolo. Rurik estaba boquiabierto.

—Tienes buenos dientes.

Rurik cerró la boca de golpe.

—Quiero más información.

—Mis editores me conseguirán una entrevista en *GMA* en cuanto obtenga alguna prueba de su leyenda. Estoy totalmente segura de que el hecho de que hayan dinamitado la tumba que, oh casualidad, yo estaba explorando nos pondrá, a mí y a mi crónica, en la primera plana de todos los periódicos y revistas.

—Y yo estoy totalmente seguro de que tienes razón. Y quiero que, en cuanto lleguemos a la isla, me lo cuentes todo.

Cogiéndola del brazo, la arrastró hasta el escondite.

—Además, tú tienes un equipo de supervivencia escondido en la isla. Eso también es conveniente. —Apenas podía respirar, pero sus reacciones eran tan rápidas y bruscas como de costumbre.

—Mi padre les enseñó a sus hijos a anticipar, siempre y en cualquier circunstancia, toda clase de amenazas. Y también a mostrarse agradecidos cuando el peligro no asomaba su espantosa cabeza.

—¿Tu padre es un superviviente nato?

—Podría decirse que sí.

—¿Por eso vives en las montañas de Washington? Siempre he oído decir que estaban llenas de... —Se interrumpió justo a tiempo.

—¿Chiflados? Conozco un montón. —También conocía a un montón de Varinski... salvo que se apellidaban Wilder.

Tasya parecía arrepentida de haber preguntado aquello.

—Pero, a decir verdad, mis padres se mudaron a Washington para escapar de sus respectivas familias. Las familias no querían que se casaran, y mis padres huyeron. —«No le digas la verdad a Tasya. Por lo menos... no se la digas toda.»

—Eran el uno para el otro.

—Por supuesto. Si creo en el amor, es porque ellos me han dado razón suficiente.

Tasya parecía querer desvanecerse en el aire.

«Sí, cariño mío, puedo hablar de amor y eso te pone los cabellos de punta... Y yo voy a averiguar por qué.»

Llegaron a la vertiente del arroyo que atravesaba la isla. Antiguamente habían venerado aquel lugar y habían apilado piedras y plantado un árbol solitario alrededor de la vertiente. Ahora el árbol estaba seco, salvo por una rama azotada por los vientos que constantemente soplaban desde el océano.

Rurik se quitó las botas y el cinturón.

—¿Y tus padres? Has dicho que están muertos, pero ¿eran el uno para el otro?

—No creo. Me parece que fue un matrimonio arreglado.

Tasya apretó la mandíbula.

—¿Un matrimonio arreglado? ¿En estos días y en esta época? —Sacó su móvil estropeado del bolsillo y lo dejó caer dentro de una de sus botas.

—No habían nacido en Estados Unidos.

Era evidente que Tasya pretendía guardar su información privada bajo llave.

Por suerte para él, Rurik era un buen inquisidor.

—Pero ¿se amaban? —dijo entrando en el arroyo.

—No recuerdo. Murieron hace mucho tiempo. —Tasya lo miraba con el ceño fruncido.

Sin titubear, él se hundió en la corriente. El agua clara y fría se llevó la tierra que tenía metida en todos los recovecos de su cuerpo. También se llevó su olor... De ese modo, si la brigada de explosivos Varinski se espabilaba y salía en su busca, no les resultaría tan fácil rastrearlo.

Cuando salió del agua sacudió la cabeza como un perro, salpicando gotas por todas partes.

—¿Para qué has hecho eso? —preguntó Tasya en un tono que expresaba a las claras que ya había formulado varias veces la misma pregunta.

Rurik la miró.

—La pregunta no es para qué he hecho eso. La pregunta es: ¿por qué no sigues mi ejemplo?

Se puso en pie y salió del arroyo, limpiándose el agua de la cara y estrujando las partes más empapadas de su ropa.

Tasya miró al cielo.

La línea gris claro se había adueñado del azul, que había desaparecido. La brisa era cada vez más intensa. Faltaba poco para que la clásica tormenta de verano escocesa se llevara todo el calor.

Se arrodilló y hundió la mano en el agua, pero se estremeció al sentirla tan fría. Volvió a mirarlo.

—Estoy limpio —dijo Rurik, señalándose.

Tasya se quitó las botas y el cinturón y, con suma cautela, puso su mochila a un lado.

—Está bien.

Se armó de valor, respiró hondo y se sumergió en la corriente.

Era exactamente igual a él. Probablemente también se quitaba los vendajes de un tirón.

Mientras Tasya se retorcía en el arroyo como un salmón varado, Rurik retiró dos piedras —que previamente había sopesado— del monumento primitivo y recuperó su equipo de supervivencia.

Tasya no era la única poseedora de una mochila capaz de sobrevivir a una explosión nuclear. Rurik tenía un par de calcetines limpios en la suya. Un pasaporte que lo identificaba como John Telford y otro a nombre de Cary Gilroy. Una linterna. Una brújula. Una bengala. Cerillas en un cilindro a prueba de agua. Sedal de pesca. Un botiquín de primeros auxilios. Tabletas de yodo. Raciones de alimento seco. Una manta térmica. Tres cuchillos, una pistola pequeña y sus correspondientes municiones, gafas de sol, un sombrero... y una navaja de afeitar.

Esperó a que Tasya saliera del agua, temblando debido al frío.

—Tienes muy buen aspecto —le dijo.

El agua del arroyo se había llevado la capa de tierra que la cubría, humedeciendo su piel pálida, ahora de un tono rosado vibrante. El cabello corto, negro y rizado, apuntaba en todas direcciones y... oh, demonios, sus pezones se transparentaban, erectos, a través de la blusa.

Lo que menos quería ver Rurik en aquel momento era el contorno de sus pezones. No quería pensar en sus pechos, ni en la curva de su cintura, ni en su pequeño clítoris, ni tampoco en las cosas que aquella chica le hacía sentir cuando la embestía y la penetraba incansablemente y ella gemía y se corría...

Estaban atrapados en una isla escocesa. Necesitaban salir de allí antes de que sus primos dieran con ellos. La mejor manera de escapar era en ese ultraligero que Tasya había llevado por alguna detestable razón.

Y él había jurado que jamás volvería a volar. No de esa manera. No con el viento de frente, azotándole el rostro.

La muerte ya había estado demasiado cerca aquel día. El derrumbamiento había cerrado sus ojos y sus oídos, la tierra había pesado demasiado y, durante unos pocos pero aterradores minutos, Rurik había pensado que ambos estaban a punto de morir. Había pensado que los Varinski habían ganado.

Entonces se las había ingeniado para llegar hasta aquel saliente, mientras la tierra caía en cascada de su cuerpo y el maldito túnel se desmoronaba a sus espaldas.

Pero había tenido que regresar. A la oscuridad sin oxígeno para rescatar a Tasya... o morir con ella.

Había obrado como una partera, arrancándola de las entrañas de la tierra. Y ahora, le gustara a ella o no, la fuerza de ese prodigio los había unido.

Qué tonta era. No comprendía nada.

Pero Rurik recorría el camino de la leyenda todos los días, y convivía con la prueba del mal. En la profecía de su madre había visto la evidencia de Dios.

Ahora, con el frío hedor de la muerte impregnando todavía sus orificios nasales, se sentía desgarrado por dos grandes deseos: el deseo de volar y el deseo de Tasya. Esas dos pasiones hacían arder su sangre y toda el agua helada del mundo no habría podido enfriarlas.

Pero Tasya le ofrecía satisfacer uno de esos deseos mientras reprimía el otro.

Ella no entendía... nada.

Le arrojó la navaja de afeitar.

—Aféitame la cabeza.

—¿Que te afeite la...?

—No conozco una manera más rápida de cambiar de aspecto. Necesito volverme irreconocible.

Tasya esbozó una medio sonrisa e intentó su mejor imitación de Mae West.

—No sé cómo darte esta noticia, muchachote, pero a un tío que mide más de dos metros se lo reconoce en cualquier parte.

Rurik no le devolvió la sonrisa.

—El oro encontrado en el yacimiento arqueológico es una gran noticia. La explosión es una noticia todavía más impactante, y tenemos periodistas de sobra para cubrirla in situ. Nuestra desaparición provocará especulaciones diversas: primero, dirán que quedamos enterrados en la tumba; luego, cuando no encuentren nuestros cadáveres, dirán que nosotros mismos pusimos la dinamita.

Tasya parpadeó, perpleja.

—Eso es mentira.

—Sí. Pero es la realidad. Si quieres llegar sana y salva a algún lugar y poder descargar esas fotografías, debes afeitarme la cabeza.

Tasya se puso seria.

—Todo el mundo va a mirarte.

—Querida, todo el mundo espera que los hombres corpulentos sean rudos. Y cuanto más malo parezca yo, menos querrán mirarme de frente, o hablar de mí, o pensar en mí.

—Sí. —Miró su cabello castaño, oscuro y húmedo, y luego clavó los ojos en la navaja que tenía en la mano.

Durante aquella noche que habían pasado juntos, Tasya le había acariciado el cabello una y otra vez, deslizando sus dedos sobre el cuero cabelludo, atusando los mechones.

Rurik vio aquellos recuerdos en sus ojos.

Era evidente que no quería afeitarle la cabeza. Pero asintió resuelta y señaló el suelo.

Rurik se sentó frente a ella, con las piernas cruzadas, teniendo cuidado de no retroceder mientras ella deslizaba la navaja con suma delicadeza sobre su cuero cabelludo.

—¿Y qué haremos conmigo? —La navaja era nueva y filosa. Pero, dado que no tenía nada más que agua para suavizar el afeitado, no le quedaba más remedio que arrastrar también la capa más superficial de la piel.

—Te pondrás mi sombrero y mis gafas de sol; y en cuanto podamos conseguirte otra ropa, cambiarás de estilo.

—¿Siempre piensas tan rápido? —Le estaba cogiendo el tranquillo al asunto. Sentía que la navaja se deslizaba cada vez con mayor facilidad.

—Es parte de mi entrenamiento.

—De tu entrenamiento en las Fuerzas Aéreas, querrás decir.

Sí. Lo había investigado. Pero no había manera de que investigara a su familia. Konstantine había cubierto tan bien las huellas que ningún periodista jamás había podido rastrear sus orígenes.

—Las Fuerzas Aéreas me enseñaron algunas cosas, pero aprendí de mi padre casi todo lo que sé. Es un superviviente nato, ¿recuerdas?

Tasya apartó la navaja del cuero cabelludo.

—¿Te estás burlando de mí? —le espetó.

Rurik continuó mirando al frente, estoico.

—No.

—No es muy astuto de tu parte. Ya te estoy quitando un poco de piel. No querría que se me escapara la navaja y te lastimara.

Por primera vez desde que había llegado a la isla el día anterior, Rurik sonrió y se relajó. Estaban caminando sobre la cuerda floja y ella tenía el valor de amenazarlo. No porque no comprendiera el peligro —era indudable que lo comprendía— sino porque, más allá de las circunstancias, no aceptaba abusos ni provocaciones de nadie.

Tasya encendía su cuerpo hasta la locura, sí; pero, aun cuando no hubiera sido así, la habría adorado.

—No te preocupes por rasparme. Ni por cortarme. Cicatrizo rápido. —«Muy rápido»—. Háblame un poco del ultraligero.

Ese maldito aparato era la mejor manera, y la más veloz, de salir inmediatamente de la isla. Rurik estaba seguro de poder escabullirse solo sin ser detectado, pero los dos juntos ¿cómo lo harían?

No. Tasya tenía razón. Tendrían que volar.

—Es un biplaza, un poco más pesado de lo normal. Puede llevarnos al continente.

Siempre y cuando él quebrantara el juramento que había hecho frente al cuerpo destrozado y torturado de Jedi. El piloto más joven y más brillante con el que había tenido ocasión de volar...

Se frotó el pecho sobre la camisa, en el lugar de su apesadumbrado corazón.

Pero quizá no estuvieran tan mal las cosas, después de todo. Cada día sentía más nostalgia de volar. Y si ahora se impedía coger los mandos, si refrenaba el éxtasis de ocupar el asiento del piloto, quizá no traicionara la esencia de su promesa.

—Ya está. —Tasya sacudió las mechas de cabello que le había quedado sobre los hombros y retrocedió para inspeccionarlo—. He hecho un excelente trabajo, aunque pareces un... —No encontraba la palabra justa.

—¿Un pájaro carpintero? —Se pasó las manos por el cráneo, entrecerrando los ojos cada vez que descubría una herida. Pero le gustó comprobar que, en su mayor parte, estaba liso.

—Pues... sí —admitió.

Se había levantado viento y Tasya comenzaba a temblar.

Rurik oyó el rugido de un avión a lo lejos. Miró hacia arriba. Era un hidroavión que descendería sobre el océano, cargado de periodistas o curiosos o policías. Sí, la noticia de la explosión se había propagado como un reguero de pólvora.

—Prepárate para despegar. —Se puso los calcetines secos, se calzó la mochila y se ajustó el cinturón.

Tasya hizo otro tanto.

—Cuando aterricemos, tendremos que caminar unos kilómetros para alquilar un vehículo...

—No. He encontrado un *bed-and-breakfast*. Lejos de la carretera. Pasaremos allí la noche.

—Pero si conducimos toda la noche, estaremos en Aberdeen a primera hora de la mañana...

—No queremos conducir toda la noche. No tenemos ninguna necesidad de ir con las luces altas en un camino sinuoso y vacío, enmitad de la noche y en medio de Escocia. Allá fuera está más oscuro que una boca de lobo, todos estarán buscándonos y el primero que nos encuentre nos matará o nos entrevistará hasta el cansancio. —Viendo que Tasya iba a objetar algo, Rurik la interceptó con un ademán—. Tú nos sacarás de esta isla. Yo haré que salgamos con vida de Escocia.

Tasya miró la palma de su mano; su rostro revelaba a las claras que no estaba de acuerdo.

No quería estar con él más tiempo del que fuera necesario. No obstante, sabía que Rurik tenía razón.

—Te tomo la palabra. —Intentaba convertir todo el asunto en un trato comercial. Y hasta quiso estrecharle la mano.

Pero Rurik cogió su mano, la obligó a abrir los dedos y contempló la palma. La piel pálida y sensible, y las líneas que habían trazado el destino y la experiencia.

—¿Te das cuenta de lo que ha ocurrido hoy?

—¿Qué ha ocurrido? —Lo miró con suspicacia.

—Tú y yo hemos renacido de la madre Tierra, hemos avanzado a rastras por el útero y hemos salido a una vida precaria. —Rurik la miró—. Juntos.

Casi pudo ver erizarse la piel del cuello de Tasya.

—¿Qué significa eso?

—No lo sé, pero últimamente he aprendido una cosa: no hay que ignorar los presagios. —Con ternura, se llevó la palma de la mano a los labios y besó el monte de Venus bajo el pulgar—. Sospecho que no falta mucho para que descubramos qué significa.

8

Tasya esperó hasta que estuvieron en el aire, sobrevolando el océano, para decirle:

—Nunca has vuelto a volar.

Rurik no contestó. Iba sentado detrás de ella, en una butaca minúscula, con el cuerpo ardiente apoyado contra la columna vertebral de Tasya. Durante el carreteo y el despegue había estado tenso y poco comunicativo, y ella había recordado que, de acuerdo con su investigación, Rurik había renunciado a las Fuerzas Aéreas tras la muerte accidental de su copiloto.

Pero no había podido conseguir más información al respecto; sus preguntas habían provocado el recelo y la extrema discreción de las Fuerzas Aéreas, y a raíz de ello había decidido olvidarse del asunto. No podía darse el lujo de encolerizar a las fuerzas armadas; una mujer que recorría el mundo tomando fotos nunca sabía cuándo podría necesitar ayuda de los militares.

Pero era obvio que Rurik había sufrido un trauma porque, salvo por sus esporádicos viajes en aerolíneas comerciales, jamás había vuelto a volar desde entonces.

El motor —pequeño y compacto— zumbaba ruidosamente, pero la brisa se llevaba el sonido. El peso de Rurik dificultaba el manejo del ultraligero. Su silencio hacía que Tasya quisiera ayudarlo a relajarse.

—Mi instructor me dijo que tengo buena mano para volar —comentó—. No sé si me habrá mentido, pero me encanta volar. Amo el viento en mi cabello. Amo la sensación de libertad.

No obtuvo ninguna respuesta.

—Cuando estoy aquí arriba, deseo quedarme para siempre. Deseo subir a las nubes y rozar las copas de los árboles. Pero no lo haré. —Rió entre dientes—. ¿Te estoy poniendo nervioso?

Tampoco obtuvo ninguna respuesta.

—¿Te sentías así cuando volabas?

No obtuvo ninguna respuesta, una vez más.

No sabía si estaba petrificado o echándose una siesta. Apenas sobrevolaron el continente y los vientos se estabilizaron lo suficiente para permitirle desviar la vista, Tasya se volvió en su asiento y lo miró.

Tenía los ojos cerrados.

Pero no estaba asustado.

Tampoco dormido.

Tenía una expresión de dicha distinta de todas las que le había visto hasta entonces... excepto una vez, cuando lo tenía entre sus brazos, dentro de su cuerpo, y lo había sentido temblar de éxtasis.

Volvió a mirar al frente, preguntándose qué habría detrás de su renuncia a volar... y anhelando con desesperación que aquello no le importara.

9

Rurik se encontraba de pie sobre el felpudo, en la entrada del pequeño *bed-and-breakfast*. Estaba empapado y chorreando agua debido a la lluvia que estaba cayendo, incesante, durante las últimas cuatro horas. Pero la señora Reddenhurst no le permitía continuar avanzando hacia el calor del vestíbulo.

Con los brazos en jarra sobre sus anchas caderas, oía cómo suplicaba sin disimular su impaciencia.

—Por favor, mi esposa y yo necesitamos una habitación. —Se secó la cara con el paño de cocina que la mujer le había ofrecido—. Decidimos escalar las Tierras Altas para nuestra luna de miel. Porque, ¿sabe?, los dos tenemos antepasados escoceses. Y nos encantó *Braveheart*. Supuestamente debíamos pasar la noche en Cameron Village, pero comenzó a llover y...

—Un poco de niebla. —La señora Reddenhurst era alta, fornida y brusca, con un acento marcado—. Sucede a menudo aquí.

—Sí, supongo que sí. Trajimos nuestros impermeables. —Levantó el borde de su poncho para mostrarle el nailon a prueba de agua—. Pero nos equivocamos de camino. Tenemos frío y estamos muertos de hambre. Por favor, por favor, si tiene un poco de compasión en el corazón...

Era el lugar perfecto. Pequeño, aislado, una casa familiar que recibía a turistas pero cuya existencia no era todavía muy conocida.

—Ya se lo he dicho, señor Telford. No nos quedan cuartos disponibles.

—Un vestidor amplio. Un ático. Cualquier lugar donde pueda prepararnos una cama para pasar la noche. Nos marcharemos a primera hora de la mañana. —Hizo un gesto hacia la puerta—. Le prometí a Jennifer que me adelantaría y conseguiría una habitación. Por favor. Estamos recién casados y no quisiera que ella se diera cuenta de que... —Se interrumpió y arrastró un poco los pies sobre el felpudo—. Ella me cree capaz de hacer cualquier cosa y yo desearía que... —Cogió la mano enrojecida de la señora Reddenhurst y la miró con ojos suplicantes y ansiosos—. Por favor, no me abandone ahora.

Sí. Había logrado convencerla. La señora Reddenhurst suspiró con fastidio, pero dijo:

—Usted me recuerda a mi esposo. Un gran papanatas con más cabello que cerebro en la cabeza. —Retiró la mano y la secó en su delantal—. Lo único que tengo es el ático.

—Nos lo quedamos.

—Yo lo llamo la suite de luna de miel.

—¡Es perfecto!

—Lo llamo así porque la cama es espantosa. Como el colchón está hundido, los dos caen hacia el medio.

—Ah. Eso es mejor todavía. —Jamás, en toda su vida, había sido tan sincero.

—Tendrán que compartir el baño conmigo. Bajando la escalera del ático, la primera puerta a la izquierda.

—Aquí tiene mi tarjeta de crédito. —Sacó la cartera de la mochila. Cuando aquel gasto se cargara en la cuenta Telford, Jasha se daría cuenta. Era una manera más astuta y más segura que una llamada telefónica para avisar a su familia de que estaba sano y salvo.

—Tendrán que conformarse con un bistec de ternera y un par de huevos para la cena. ¡No tengo salmón o cordero para ustedes!

—Cualquier cosa que usted prepare olerá de maravilla.

—Era cierto y Rurik estaba hambriento—. ¿Necesita ver mi documento de identidad?

—Y no pienso atenderlos. —Negó con el dedo—. ¡Tendrán que arreglarse solitos!

—No hay problema.

—¿Cuándo llegará su esposa? —La señora Reddenhurst se asomó a la puerta y escrutó la niebla.

—La dejé unos kilómetros atrás. Iré corriendo y la traeré de vuelta conmigo. —Hizo su mejor imitación de un estadounidense vergonzoso—. No hemos visto más que ovejas durante todo el día y ella está un poco abochornada por su aspecto. De modo que, si a usted no le molesta, pasará a saludarla y luego subirá al ático.

—Estoy preparando la cena, así que llévela directamente al ático para que pueda recomponerse. —Era obvio que a la señora Reddenhurst no se le pasaba por la cabeza que Rurik pudiera estar mintiendo.

—¿Los otros huéspedes no están en casa? —Espió el largo corredor a sus espaldas. Había amplias aberturas a cada lado: espacios públicos de alguna índole, supuso.

—Una de las parejas está en su habitación, cambiándose para la cena. Los otros se han ido a Loch MacIlvernock. ¡Ustedes los estadounidenses, siempre son tan vigorosos! —Sacudió la cabeza como si no comprendiera.

Rurik y Tasya habían llegado en el momento justo.

Cuando salía, la señora Reddenhurst le lanzó una última advertencia:

—Tendrán que comer en la cocina.

Rurik asintió, esperó a que no hubiera moros en la costa y se encaminó hacia el cobertizo del patio. Encontró a Tasya de pie bajo el alero; tenía los brazos cruzados y los labios azules de frío.

Se le había humedecido la ropa mientras volaban sobre el mar y, cuando por fin hicieron pie sobre un pedazo de tierra, estaba temblando. Luego habían caminado por los senderos que conducían al *bed-and-breakfast* y una hora después había empezado a llover. Ambos habían llevado sus impermeables, pero, si el ejercicio había hecho entrar en calor a Rurik, Tasya no había podido quitarse aquel frío que le calaba los huesos.

Siendo Tasya quien era, no había dejado de quejarse y había insistido en que podrían haber llegado al pueblo y a la agencia de alquiler de coches en menos de una hora. Pero, no obstante, había seguido sus pasos. Le había prometido confiar en él y no rompería su promesa por una racha de mal tiempo.

—Vamos. Podemos subir directamente al cuarto, de modo que trataremos de que nadie nos vea. —La tomó de la mano y, por una vez, Tasya se sintió demasiado cansada y helada para retirarla.

Corrieron hacia la casa y subieron a toda velocidad la escalera que llevaba al segundo piso. Rurik localizó la puerta del ático y, cuando la abrió, una corriente gélida estrecha la estrecha escalera.

—Estos escoceses podrían causarnos la muerte con su obsesión por el aire fresco —dijo él.

Tasya tuvo un escalofrío.

—Iré al baño para tomar una ducha y cambiarme. Veré qué puedo hacer para modificar mi aspecto. —Aferró su mochila y trató de sonreír—. Afeitarme la cabeza podría ser la mejor opción.

Rurik quería prohibírselo. Lo deseaba con todas sus fuerzas. Pero, al mirarla a los ojos, vio aquella mezcla de capricho y desafío. Y entonces hizo lo que mejor sabía hacer: eligió sus armas.

—Queremos que cambies de aspecto, no que te transformes en una terrorista sospechosa.

Tasya parecía estar desilusionada porque había rechazado la provocación.

—Espero que la propietaria tenga un poco de maquillaje o algún producto para el cabello que pueda tomar prestado —dijo. Y se dirigió hacia el cuarto de baño.

—Sí, yo también —murmuró Rurik. Pero, recordando el cabello gris acero y los labios finos de la señora Reddenhurst, apostaba a que no.

Con su piel pálida y clara, sus ojos azul eléctrico y aquel cabello negro como el hollín, Tasya era demasiado fácil de reconocer... y demasiado atractiva para él.

Subió corriendo la escalera y miró a su alrededor. Y si Tasya hubiera visto su sonrisa maliciosa, habría salido disparada en dirección opuesta y no habría dejado de correr hasta llegar a la frontera con Inglaterra.

¿Cuántas semanas habían pasado desde que la había poseído? ¿Cuántas semanas despertándose cada noche, rugiendo de furia porque ella lo había dejado plantado? ¿Cuántos días había pasado alimentando aquella ardiente ansia?

Ahora, Rurik y Tasya pasarían la noche en un *bed-and-breakfast* en el medio de la nada, en un ático pequeño y frío, acurrucados en una cama de matrimonio llena de almohadas, con un colchón que se hundía en el medio.

Tasya Hunnicutt estaba en apuros... y ni siquiera se había dado cuenta.

Tasya estaba en apuros, y lo sabía. Se apoyó sobre el lavabo de porcelana blanca resquebrajada y miró sus ojos, rodeados de círculos oscuros, en el espejo.

Esa mañana, la decisión de Rurik de alojarse en el *bed-and-breakfast* había tenido sentido. Pero esa mañana apenas había logrado salir con vida de una explosión y un derrumbamiento. Esa mañana había sido un milagro de vida. Esa mañana había sentido que podía manejar cualquier cosa, cualquier situación, incluso a Rurik en su peor momento.

Pero ahora había pasado frío durante horas, estaba muerta de hambre y debía hacer el papel de la novia... de Frankenstein.

De acuerdo, Rurik no se parecía a Frankenstein, pero era lo suficientemente corpulento para emular al monstruo. De hecho, la primera vez que hicieron el amor y Rurik la penetró, Tasya se lo pensó dos veces.

Aquella noche, de haberlo pensado Tasya, la reacción de Rurik ante su jadeo de pánico la habría asustado más que su volumen. Estaban estirados en la cama, completamente desnudos, y en un momento en el que la mayoría de los hombres habría embestido sin vacilar, Rurik había advertido su aprensión. Había parado, en realidad se había frenado. Se había tomado su tiempo, le había acomodado las piernas, besado los labios, deslizado las yemas de los dedos por los pezones y luego por el bajo vientre... En cuanto a imaginar qué era lo mejor para una mujer, Rurik era un auténtico maestro. Cuando rozó su clítoris... bueno, cuando ella por fin terminaba de correrse, él la había penetrado a fondo y le había enseñado el significado del orgasmo múltiple.

Era corpulento, era decidido, era despiadado y la deseaba. «Oh. Y una cosa más, Tasya: no olvidemos que está molesto porque lo dejaste plantado.»

Si lo había dejado plantado era porque había dado demasiado de sí misma, y Tasya Hunnicutt jamás hacía esas cosas.

Peor aún: lo deseaba tanto, y tan intensamente, que cuando Rurik se le acercaba —supiera ella que él estaba allí o no— sus cinco sentidos entraban en alerta y se le disparaba la adrenalina.

Abrió el grifo y se echó un poco de agua fría sobre la frente. Cogió la toalla de mano, se restregó la cara y volvió a mirarse al espejo.

Continuaba teniendo un aspecto terrible.

Porque pronto tendría que decirle la verdad a Rurik.

Bueno, no toda. Jamás le decía toda la verdad a nadie. Pero sí la suficiente para que Rurik comprendiera que la responsabilidad por la explosión recaía sobre sus hombros y para que, si tenía un gramo de cerebro, se alejara inmediatamente de ella.

Sin dejar de mirarse al espejo, levantó el mentón con gesto altivo.

Era probable que la mataran antes de que todo aquello terminara; pero si lograba conseguir la información que necesitaba sobre los Varinski, se habría hecho justicia. En Sereminia, Yerik y Fdoror Varinski serían condenados por intimidación y asesinato, y serían ejecutados. Quizá muriera en el intento, pero moriría con la satisfacción de saber que los Varinski serían hechos pedazos, que su reinado de mil años de terror terminaría... y que ella se habría vengado.

Miró su mochila en el suelo. La cámara estaba dentro. Las fotos se encontraban en la tarjeta de memoria.

La invadió una sensación de urgencia. ¡Si solamente pudiera ver con exactitud qué clase de evidencia había reunido!

Miró hacia la puerta, preguntándose si la señora Reddenhurst le permitiría usar su ordenador.

No obstante, poco importaba tener las fotos si no lograba sobrevivir el tiempo suficiente para salir de Escocia.

Tendría que disfrazarse de algún modo.

Abrió el botiquín de la señora Reddenhurst y escudriñó, sin demasiadas esperanzas, entre los tubos de crema de cacao, el ungüento para los juanetes y la pomada para las hemorroides, las lociones para manos, las tenacillas, las bandas adhesivas... La señora Reddenhurst debía de ser la mujer más aburrida de la historia del mundo.

Entonces, en el rincón del fondo a la derecha, Tasya encontró lo que necesitaba. Observó la caja gastada, la fecha de vencimiento caducada hacía tiempo y comprendió: era perfecto. Absolutamente perfecto.

No solamente cambiaría de aspecto, sino que casi estaba segura de que Rurik detestaría su nuevo estilo. Lo odiaría, lo despreciaría... y tendría que convivir con él durante el resto del viaje.

Rurik estaba de pie delante de la antigua cocina a leña, calentándose el trasero mientras miraba cómo cocinaba la señora Reddenhurst.

Sobre el fregadero, la pequeña pantalla del televisor mostraba una andanada de repeticiones de comedias de la BBC. La tapa de la cacerola que estaba sobre el fuego se levantaba cada vez que burbujeaba. Las fuentes de cerámica que había en el horno se iban oscureciendo a medida que la temperatura aumentaba. Todo el tiempo, la señora Reddenhurst hablaba de su enorme y torpe esposo con una mezcla de afecto y exasperación. Era evidente que lo añoraba. Rurik había logrado averiguar, por fragmentos de la conversación, que la pérdida de su peculio había sido el motivo de que la señora Reddenhurst convirtiera su pequeña casa en un *bed-and-breakfast*.

Aquella mujer le recordaba a su madre: brusca por fuera en su manera de hablar, y dulce y tierna por dentro. La señora Reddenhurst había jurado que no prestaría ninguna atención a sus huéspedes inesperados, pero, en el transcurso de media hora, había aceptado dejarles su ordenador para que pudieran ver las fotos de «sus vacaciones». Había ofrecido lavar y secar sus ropas y tenerlas listas a primera hora del día siguiente. Y también haría un arreglo con una de las dos parejas que se alojaban en el *bed-and-breakfast* para que los llevaran a Edimburgo. Y, lo más importante de todo: había separado algunos panecillos de avena del desayuno para que Rurik tuviera algo que picotear mientras esperaba a Tasya.

Cosa que había resultado ser una gran idea, porque Tasya llevaba ya más de una hora en ese cuarto de baño.

—A las mujeres jóvenes les gusta tomarse todo el tiempo del mundo para acicalarse, sobre todo si tienen que impresionar a un marido guapo. —La señora Reddenhurst lo empujó a un lado y sacó el cordero del horno—. Ya lo verá. Cuando su esposa asome la nariz por esa puerta usted se quedará atónito, como si le hubiera pasado un tren por encima.

—Eso es lo que temo —murmuró Rurik.

Pero, a decir verdad, ¿en qué loca empresa podría haberse embarcado Tasya en el baño de la señora Reddenhurst?

La señora Reddenhurst levantó la vista de los platos que estaba sirviendo y dijo:

—¡Y aquí llega la joven dama!

Rurik miró hacia la puerta... e hizo una mueca de horror.

Tasya se las había ingeniado para conseguir agua oxigenada y las puntas de su cabello tenían ahora un color blanco brillante, platino. Por si fuera poco, había encontrado gel de peluquería y alisado hasta el último rizo de su cabello. Unas puntas como púas salían disparadas en todas direcciones. Parecía un puercoespín viejo y asustado.

Quería matarla.

Dio un paso en dirección a ella... y casi tropezó con la señora Reddenhurst que, afanosa, estaba poniendo la mesa de madera.

—¡Dígame si no es una cosa preciosa! —dijo mirándolo con desaprobación—. No me había dado cuenta de que su esposa era casi una niña, señor Telford.

Ay, Dios, la señora Reddenhurst tenía razón. Con ese cabello, Tasya era un imán para pedófilos.

«¿Por qué? —quería decirle—. ¿Por qué? ¿Por qué? ¿Por qué?»

Pero Rurik conocía la respuesta: porque él mismo había dicho que debía cambiar de aspecto, porque se las había ingeniado para conseguir agua oxigenada... y porque le encantaba sacarlo de sus casillas.

Esta vez sí que había logrado su cometido.

—Es un atuendo perfecto para una cena informal. —La señora Reddenhurst aprobó los pantalones color caqui, que no requerían planchado, la camiseta de tirantes negra y suelta y la entallada chaqueta caqui de Tasya—. Venga a sentarse. No sea tímida.

—Estoy tan feliz de conocerla, señora Reddenhurst. —Tasya entró en la cocina y le tendió la mano con una sonrisa—. Quería darle las gracias por habernos recibido y decirle que espero que no le estemos causando muchos problemas.

Rurik no era el único al que le sobraba encanto. Y lo comprobó al ver que la señora Reddenhurst respondía, radiante:

—No me causan ningún problema, todo lo contrario.

—El señor Telford hizo que perdiéramos el rumbo, pero usted nos ha salvado la vida. —Tasya deslizó el brazo por la cintura de Rurik y lo estrechó con fingido afecto.

Rurik le devolvió el abrazo, quizá con demasiada fuerza, y la apretó contra su cuerpo para que ella percibiera su ira.

—Cariño, si comienzas a contarle a la señora Reddenhurst todas nuestras aventuras en estas bellas montañas, alguien va a sonrojarse.

Como por arte de magia, las mejillas de Tasya se pusieron rojas como tomates.

—Supongo que tú. —Rurik se inclinó y la besó en la boca.

Y aunque lo había hecho para vengarse de sus comentarios insidiosos, sus labios se detuvieron... y volvieron a besarla. La ducha la había hecho entrar en calor y tenía la piel húmeda y un aroma de frescura la envolvía: era como tener un afrodisíaco entre sus brazos. Rurik bajó la cabeza y la miró: los ojos cerrados, las pestañas ridículamente largas, sus labios enrojecidos que rivalizaban con el rubor de sus mejillas...

El sonido de una campanilla lejana hizo que se apartaran de golpe.

—Supongo que los otros huéspedes están reclamando el plato principal. Es una suerte... pues está haciendo demasiado calor aquí. —La señora Reddenhurst esbozó una sonrisita tonta, cogió los platos y se dirigió presurosa al pequeño comedor, dejándolos solos.

Rurik se inclinó para besar otra vez a Tasya.

Pero ella le puso la mano sobre la boca.

—Déjame ir. Estoy muerta de hambre.

En ese momento sí que lo había sacado de quicio; la retuvo entre sus brazos solo para divertirse.

—Tendría que darte pequeños azotes en el trasero por ese cabello.

—Me dijiste que cambiara de aspecto. —Tenía aquel aire arrogante que decía a las claras que estaba disfrutando de su reacción.

—Entonces tendría que darte una zurra para divertirme.

Tasya casi rió al oír aquello. Casi.

Rurik jamás lo habría pensado. Parecía ser la clase de mujer que tomaba las amenazas —cualquier amenaza, por muy arraigada en la sexualidad que estuviera— demasiado en serio.

—¿Acaso me crees incapaz de hacerlo?

Ahora fue Tasya la que rió entre dientes.

—Creo que, si lo hicieras, lo disfrutarías muchísimo.

—Y yo creo que tú también lo disfrutarías. —Se apoyó contra el fregadero y la estrechó contra sí, de tal modo que todas sus partes corporales descansaran sobre las suyas—. Sobre todo disfrutarías la parte en que te tengo boca abajo sobre mis rodillas y te hago abrir las piernas y te toco.

La risa de Tasya se evaporó.

—En menos de dos segundos estarías suplicándome. Con ese tono jadeante que pones cuando te consume el deseo.

Los ojos azules de ella se volvieron grises como el humo.

—Lo escuché varias veces aquella noche, en Edimburgo. —Rurik arrastraba las palabras—. Te acuerdas de esa noche, ¿verdad?

—Suéltame. —Se retorció en sus brazos, intentando desasirse.

Era el tormento más placentero que Rurik había sufrido en su vida.

—Esa noche aprendí mucho acerca de lo que te gusta. Por eso sé que, después de darte pequeños azotes en el trasero, podría tocarte aquí. —Deslizó una mano entre sus cuerpos e hizo presión allí donde sería mejor y más gustosamente recibida—. Luego deslizaría un dedo adentro y te correrías sobre mis rodillas.

Tasya se liberó del abrazo.

Rurik la dejó ir, pero la siguió de cerca cuando ella se apresuró hacia la mesa de la cocina.

—Cuando te metiera el segundo dedo dentro, estarías tan cachonda que tendría que sostenerte con mi otra mano para que no cayeras al suelo.

—¡Basta! —Lo miró con ojos atormentados.

—Oblígame a parar. —Se sentó a la mesa, apoyando las palmas de las manos sobre la tabla.

Tasya lo miraba fijamente; tenía los puños cerrados sobre el pecho.

—Sal corriendo, Tasya —la retó—, para que pueda darte caza.

—Jamás te daré esa satisfacción.

—Oh, sí, claro que me la darás. Te juro que me darás exactamente la satisfacción que exijo.

Una tosesilla leve hizo que se dieran la vuelta al unísono. Y allí estaba su anfitriona.

Con tono a la vez horrorizado y complacido, la señora Reddenhurst preguntó:

—¿Os apetece tomar ahora la carne y los huevos, o preferís tomar primero la ensalada? ¿O acaso preferís que posponga por un rato la cena mientras termináis vuestra pelea en el ático?

10

Boris Varinski estaba despatarrado cuan largo era en el sofá más amplio de la sala familiar de los Varinski en Ucrania, con el mando en la mano, mirando las noticias de la CNN en la pantalla plana, de plasma, del televisor de cincuenta y ocho pulgadas. El sonido era ensordecedor. En torno a él, los Varinski se daban puñetazos suaves en las espaldas unos a otros y ululaban de risa.

Pero Boris no se reía.

Se había reído antes: cuando se difundió la noticia de la explosión en la excavación escocesa, había recibido de buen grado las felicitaciones de sus subordinados. Y había disfrutado de su renovado respeto.

Pero luego los periodistas habían salido a anunciar que el director de la excavación, Rurik Wilder, y la fotógrafa de la National Antiquities Society, Tasya Hunnicutt, habían desaparecido y se los daba por muertos en la explosión. Habían mostrado las fotos de ambos y Boris había comprendido al instante que todo se había ido al demonio... y que él era el único Varinski lo suficientemente astuto para saberlo.

El hombre de la foto era el vástago de Konstantine.

Boris había pasado durante todo un largo día en Kiev, encerrado con Mykhailo Khmelnytsky, el respetado historiador, mientras Mykhailo investigaba los iconos de la familia Varinski y su posible paradero actual. En determinado momento

Boris lo había urgido a apresurarse y, para incentivarlo, le había cercenado pequeños, ínfimos pedazos de su cuerpo: la yema del índice y el dedo meñique del pie. Hasta que, por fin, Mykhailo había dado en la tecla e identificado la tumba de Escocia como uno de los lugares donde estaba oculto uno de los iconos. Boris había enviado a su equipo de demolición a dinamitar el sitio. Y durante la celebración posterior al hecho, había alimentado una débil esperanza de haber salvado el pellejo.

Pero si el hijo de Konstantine era el director de una excavación en ese mismo sitio, apostaba su cuero cabelludo a que el muchacho estaba buscando el mismo icono de mierda que Boris había recibido la orden de encontrar... y no por una buena razón.

Peor aún: el hijo de Konstantine no moriría con tanta facilidad como imaginaban los periodistas, y si tenía el icono en su poder...

Boris miró a su alrededor.

Por lo menos el tío Iván había desaparecido dando tumbos, otra vez borracho como una cuba, y ahora estaría tirado en algún rincón de la enorme casa llena de rincones, con sus ojos blancos abiertos al vacío. El tío Iván tragaba más vodka del que podía soportar cualquier hígado humano para calmar la pena de ser el primer Varinski que había quedado ciego en un millar de años. Y Boris no tenía problema en descorchar una botella tras otra. Porque cuando el tío Iván ahogaba sus penas, Boris sabía que estaba a salvo de él y del temible ser que lo poseía. Aquella cosa que conocía la existencia del icono y que se valía del cuerpo del tío Iván para atrapar a Boris y amenazarlo.

Si tenía suerte, el equipo de demolición encontraría a Rurik. Lo encontraría pronto, lo eliminaría y se apoderaría del icono. Después, Boris les entregaría a la chica. Sería una recompensa para ellos y una lección para ella.

—Pasadme el teléfono —dijo Boris.

Nadie le prestó atención.

Se puso en pie. El dolor aguijoneaba su cadera enferma, volviéndolo más gritón y beligerante.

—¡Dadme un teléfono he dicho!

El festejo se interrumpió abruptamente. Los otros se detuvieron y lo miraron; y Boris les devolvió la mirada.

¡Uf! La mitad de esos jóvenes eran idiotas que babeaban, tenían la mirada en blanco y no entendían nada. Poseían el mismo nivel de inteligencia que un chimpancé.

Algunos, los más jóvenes, se transformaban en criaturas repulsivas: comadrejas, serpientes o buitres. Predadores, pero no predadores nobles; predadores cuya presa era carroña. Predadores que se arrastraban por el suelo o andaban a saltos o corrían desesperados.

Y estaba Vadim. El hijo de Boris. Vadim era inteligente, malvado, corpulento, y aún no había cumplido los veinte años. Desde que había empezado a gatear, había dominado a los de su generación. Esos pequeños *govnosos* miraban a Boris como un tigre mira a un antílope viejo que pronto se desmoronará. Vadim observaba y esperaba, regodeándose en la idea de que Boris caería pronto y él podría ocupar su lugar.

Pura basura. Era cierto que, después de que Konstantine los abandonara, Boris había tenido que luchar para ser nombrado líder del clan Varinski. Pero hacía ya más de treinta años que detentaba el poder. Él había tomado la decisión de abandonar la búsqueda de Konstantine y de su perversa esposa. Él había llevado a los Varinski a la edad moderna con la tecnología de rastreo y los explosivos de última generación y un sitio web realmente excepcional que explicaba sus actividades y tenía un gran logo corporativo.

«Varinski. Si quiere que el trabajo se haga, y se haga bien.»

El propio Boris lo había inventado. Y ese eslogan lo decía todo. El negocio había subido a lo más alto desde que habían iniciado la campaña publicitaria. Los Varinski estaban nadando en oro... y era oro de verdad. Cuando un dictador quería eliminar a alguien, pagaba en oro. Cuando una corporación petrolera deseaba iniciar una pequeña guerra, pagaba en oro.

Y cuando Boris extorsionaba al dictador y a la corporación petrolera para no divulgar la información que los comprometía, pagaban en montañas de oro.

Diablos, Boris tenía un asesor de inversiones al que no le faltaban incentivos para realizar excelentes operaciones. Sabía que, de no hacerlo así, Boris lo mataría con sus propias manos.

Y, justo cuando tenía a toda la familia Varinski a sus pies y las cosas marchaban mejor que nunca... había ocurrido aquello.

Algunos habían enfermado.

Los Varinski no enfermaban.

Algunos de los más viejos murieron a los ochenta, a los ochenta y largos años.

Los Varinski solían vivir más de cien años.

Algunas víctimas de los Varinski empezaron a dar batalla; varias mujeres que habían sido violadas presentaron cargos contra ellos.

Sus demandas no llegaban a ninguna parte —los Varinski controlaban el sistema judicial ucraniano—, pero para las futuras generaciones de Varinski sería nocivo que las mujeres tuvieran tan poco respeto por las costumbres.

Yerik y Fdoror habían sido capturados y esperaban un juicio por intimidación y asesinato. ¡Como si aquello nunca hubiera ocurrido antes! ¡Como si fuera una novedad!

Pero esta vez, nada de lo que había hecho Boris —ni la presión ejercida sobre el gobierno sereminiano, ni los sobornos ofrecidos, ni las amenazas a los funcionarios— había contribuido a liberarlos.

El mundo —y todo lo que en él había— maquinaba una conspiración para derrocar a Boris.

—Aquí tienes el teléfono, hermano. —Uno de sus hermanos, uno de su misma generación, le pasó un teléfono inalámbrico.

Boris se quedó mirándolo. Luego lo cogió con mano temblorosa y comprendió que no podía hablar allí delante de todos. Su nerviosismo ya lo había traicionado demasiado.

—Iré a mi oficina.

—Antes de ir a hacer tu llamada telefónica para remediar este entuerto, dame el mando del televisor —dijo Vadim. Estaba recostado en el sofá, muy a sus anchas, con aquella sonrisa repelente y burlona.

Boris miró a los jóvenes idiotas de ojos grandes, a los criticones maduros y a los viejos decrépitos. Le arrojó el mando al tío Shaman.

Vadim chasqueó los dedos y Shaman se lo arrojó a él.

¡Su propio tío lo traicionaba! No solo lo traicionaba: lo miraba con ojos acusadores.

—¡Eh, gracias! —Vadim lanzó una carcajada y cambió de canal.

Boris se abalanzó sobre Vadim.

Vadim no se movió. Pero los otros muchachos sí se movieron. Se plantaron delante de él, como si estuvieran dispuestos a sacrificar sus vidas por Vadim... y algunos de ellos eran hijos de Boris.

¡Sus hijos! ¡Sus tíos! Todos desleales. ¡Todos!

Boris se detuvo.

—No estás a la altura de un escupitajo mío —siseó. Dio media vuelta para irse. Después de todo, ¿qué otra opción le quedaba?

—Estás cojeando, viejo —le gritó Vadim—. ¿Necesitas que te acompañe a tu oficina?

—Eres un patán miserable —murmuró Boris. Y cruzó la sala de la televisión caminando con normalidad.

Solo se detuvo después de cruzar el umbral. Apoyó la mano contra la pared y sacudió la pierna enferma, tratando de colocar la articulación de la cadera en una posición más cómoda. Luego avanzó cojeando todo el trayecto por el pasillo oscuro que conducía a su oficina.

Le dolía la cadera. El imbécil del médico había dicho que era la artritis.

Y Boris lo había matado. No necesitaba testigos de su debilidad.

Pero no podía matar al testigo invisible que le molía los huesos y le devoraba los nervios noche tras noche, día tras día. La enfermedad seguía en su cuerpo, y estaba empeorando.

Necesitaba su medicina. Apuró el paso... y, cuando salió de la oscuridad, algo le aferró el tobillo.

Tropezó. Se le aflojó la pierna. Cayó sobre una rodilla, sosteniéndose con la mano... y se encontró cara a cara con el tío Iván en el suelo.

El tío Iván, con sus ojos que brillaban azules en la oscuridad. El tío Iván, que ahora se movía con una velocidad y una fuerza muy superiores a sus capacidades de viejo guerrero.

—Te lo advertí. —Su voz era profunda, cruel, lo suficientemente fría para congelarle la médula de los huesos.

Pero aquel no era el tío Iván. Era... el Otro.

—No es mi culpa —dijo Boris—. No sabía que el vástago de Konstantine era el director de la excavación. No lo sabía...

En menos de un segundo, el tío Iván le soltó el tobillo y lo cogió por la garganta. Los dedos viejos y torcidos apretaron la glotis de Boris, dejándolo sin aliento.

—¿Culpa? ¿Quién habla de culpa? Lo único que me importa son los resultados.

Disminuyó un poco la presión, apenas lo suficiente para que Boris pudiera hablar.

—Ya lo sé. Quiero arreglar...

—Te dije que encontraras los iconos.

—Y eso hice. Encontré uno. Intenté destruirlo...

—No puedes destruir los iconos. Ningún mortal puede hacerlo.

—La explosión...

—No sirvió de nada. ¿Acaso no comprendes? —La mano apretó con fuerza. Y apretó todavía un poco más—. La madre Varinski dio su vida para proteger a la Madonna. Su sangre volvió indestructibles a los iconos.

El último recuerdo que tenía Boris era haberse aferrado a aquel brazo embravecido y haber comprendido que algo,

algo que no era de este mundo, le daba una fuerza extraordinaria al tío Iván...

Cuando recuperó la conciencia, el Otro se inclinó sobre él, sin remordimientos, viejo y malvado en una manera que Boris apenas comenzaba a vislumbrar.

Una llama azul ardía en los ojos del tío Iván cuando susurró:

—Tráeme los iconos. Todos los iconos. Y encuentra a las mujeres.

Boris anhelaba desesperadamente cerrar los ojos... pero no se atrevía a hacerlo.

—Sí.

—Las mujeres que los Wilder aman están vinculadas a los iconos. Encuentra a las mujeres. Encuentra los iconos. Encuéntralos, tráemelos.

—Sí —prometió Boris con voz ronca.

—Triunfa, Boris. —Un olor a azufre impregnaba el aliento del anciano—. Triunfa, Boris, o verás el infierno en toda su gloria. Y mucho más pronto de lo que has imaginado jamás.

11

—Te ha oído. —Furiosa y avergonzada, Tasya cruzaba a grandes zancadas el pasillo tenuemente iluminado hacia la minúscula biblioteca—. ¡La señora Reddenhurst ha oído, una por una, tus palabras!

—Y también las ha disfrutado. —Rurik iba pisándole los talones, pues sus largas piernas le permitían seguirle el paso sin dificultad—. Apuesto a que esta noche, cuando esté acostada en su cama, se abrazará a la almohada.

—Solo si su almohada lleva dos pilas de tamaño grande. —Tasya jamás se había sentido tan mortificada en su vida.

Rurik ni siquiera se había turbado. Obviamente. Se había limitado a sonreír y saborear su bistec y sus huevos con deleite.

Y su actitud displicente había enfurecido todavía más a Tasya.

—Quiero decir, no soy ninguna puritana...

—Puritana no; inexperta.

Tasya se detuvo en seco. Giró sobre sus talones. Y casi se dio de narices contra el pecho de Rurik.

—¡No soy inexperta!

—Inexperta y confundida. —Rodeó a Tasya, pasó de largo por la sala donde la señora Reddenhurst miraba la televisión con dos de sus huéspedes, y entró en la biblioteca vacía. El ordenador de la señora Reddenhurst estaba sobre el escritorio, un Mac de cuatro años de antigüedad con una pantalla de doce pulgadas. Lo encendió, examinó las conexiones y extendió la mano—. Podemos hacerlo. ¿Dónde está la tarjeta de memoria?

Tasya se deslizó en la silla.

—Aquí. —Sacó la tarjeta del bolsillo y la colocó en el lector.

Casi esperaba que Rurik intentara expulsarla de su asiento, pero en cambio él fue a buscar una silla y se acomodó a su izquierda.

—Las fotos ¿están?

Tasya cargó las fotos en el programa y suspiró aliviada.

—Parece que no hay problema.

El día anterior había tomado cientos de fotos del yacimiento y del cofre del tesoro y todos sus contenidos, pero apenas las miró. Estaba ansiosa por llegar a las que había tomado esa misma mañana.

Entrecerró los ojos al ver la cantidad: solo unas pocas docenas de un panel de un metro de largo cubierto de números, símbolos y escritura. Parpadeó. La pantalla no era buena: todo tenía una tonalidad verdosa y la resolución era deficiente.

—¿Dominas el inglés antiguo? —preguntó ella.

—No demasiado, a decir verdad; pero por suerte este bajorrelieve fue realizado pocos años antes de la invasión normanda, de modo que nos estamos acercando al inglés medio. Además, la mayor parte de la historia se cuenta en imágenes. —Señaló la primera foto—. ¿Puedes aumentar el tamaño?

Tasya obedeció y juntos estudiaron la imagen de la pared.

Tasya señaló una figura a la izquierda.

—Clovus es un líder militar; decapita a sus enemigos hasta que no son sino una enorme pila de cadáveres bajo sus pies, y los otros caudillos se inclinan ante él.

—He encontrado pruebas de eso —convino Rurik.

—Siembra la destrucción en Europa y el único que puede hacerle frente es este hombre. —Tasya señaló la figura rígida, toscamente dibujada, de una silueta coronada con un solo ojo y la cara derretida—. Y una no tiene más remedio que preguntarse cómo habrá sido el rey si pudo derrotar a Clovus el Decapitador.

—En aquellos tiempos había montones de hechiceros.

Tasya abrió la siguiente foto y se dio cuenta de que le convenía echarse hacia atrás, contra el respaldo de la silla, y analizar la imagen general en vez de intentar descifrar cada trazo.

—Clovus tomó un barco. —Sabía que era Clovus porque llevaba en la mano una cabeza sangrante de recuerdo—. Imagino que cruzó el canal hacia Inglaterra.

Rurik señaló una escritura.

—Eso dice aquí.

Tasya entrecerró los ojos frente a la pantalla.

—¿En serio? ¿Eso dice? Tendría que haber estudiado mejor el *Beowulf*.

—Me alegra descubrir una razón para haberlo estudiado. —Rurik apoyó la mano en la nuca de ella y comenzó a masajearla suavemente para deshacer el nudo de tensión.

Si era astuta, le diría que parara. Pero él tenía un enorme talento para los juegos de manos y ella había tenido un día largo. Un día muy largo, muy tenso.

—De acuerdo. Entonces esta vez Clovus pasó la guadaña por la campiña inglesa, hasta que se encontró... —Tasya aumentó el tamaño de la foto—. ¿Se encontró con el diablo? —Aquello resultaba cada vez más interesante.

—Patas de cabra. Cola. Sí, ese es el diablo. —confirmó Rurik confirmó en un tono del todo natural.

—Clovus sí que andaba con quien no debía. —Tasya controló su entusiasmo y abrió la siguiente foto—. El diablo le hizo un maravilloso obsequio.

—La barra de Golden Grahams. —Rurik señaló el rectángulo que cambiaba de manos.

—Oh, vete al cuerno. —Pero estaba demasiado concentrada y sus masajes eran demasiado buenos para poner énfasis en el insulto—. ¿Qué crees que es?

—No lo sé.

—¿Ves el resplandor que lo rodea? Creo que debe de ser una tablilla de oro.

—Podrías estar en lo cierto.

Tasya se dio la vuelta para mirarlo.

—¿Qué es lo que va mal?

—¿Qué quieres decir con eso?

—Suenas tan... neutro. Y pareces... —Parecía raro. Como si supiera algo que ella desconocía y estuviera intentando reprimir la ansiedad—. Tú eres el arqueólogo. Yo soy una simple aficionada. ¿Estoy leyendo mal?

—Estás leyendo exactamente como leería yo. Excepto que... no creo que eso sea oro. —Señaló, en la pantalla, el objeto que el diablo le estaba dando a Clovus.

—¿Qué crees que es?

—Un objeto sagrado.

—Por el halo. —Aquello mandaba directamente al infierno, sin escalas, su teoría sobre el tesoro de los Varinski—. Pero ¿qué hace el diablo con un objeto sagrado?

—Nada bueno, me atrevería a apostar.

—No. —Tasya tamborileaba con los dedos sobre el escritorio.

—Estás desilusionada.

—No lo sé. —Repasó los detalles de la mitología Varinski—. Está esa parte del icono...

—¿Icono? —Rurik entró en alerta.

—Nada. Yo solo... Nada. —No tenía necesidad de introducir ese tema ahora. Volvió a la pantalla y dijo—: Mira. Clovus está enfermo. —El autor del bajorrelieve había retratado la imagen de los diversos desórdenes corporales de Clovus con desagradable detalle.

—Y le echa la culpa al objeto, sea lo que sea, y se lo envía al rey tuerto. —Rurik se recostó en el respaldo de la silla y se golpeó la frente con la palma de la mano—. ¡Eso sería perfecto!

—¿Perfecto? —Tasya apenas podía disimular su decepción—. ¿Te parecería perfecto que la barra de Golden Grahams estuviera en algún lugar de Europa? ¿Por qué?

—Porque, de otro modo, este objeto habrá volado en pedazos en la tumba. Y aunque no haya sido destruido, llevaría más de diez años buscar entre los escombros y catalogar las piezas. ¿Y quién diablos puede esperar diez años?

—Tienes razón —admitió Tasya con sarcasmo—. Ahora lo único que tenemos que hacer es descubrir a qué monarca europeo del siglo once, tuerto y tan hijo de puta como él, le envió Clovus el objeto.

Finalmente, y a pesar de todos sus reparos, Rurik pudo descifrar buena parte del inglés antiguo y averiguó que el rey cíclope había vivido y saqueado en Lorena, ahora una provincia del este de Francia. Empezarían por allí.

Su erudición impresionaba a Tasya. Su erudición y el calor que le transmitía su cuerpo y los dedos que le frotaban la base del cuello... Le apetecía estar allí sentada junto a él descifrando los bajorrelieves, decidiendo el próximo paso a seguir. Se sentían cómodos el uno con el otro, como dos personas que tenían mucho en común. Casi... como si fueran amigos.

Amigos, excepto por el hecho de que ella no había sido completamente franca con él —por no entrar en detalles— y además estaba esa cuestión del sexo, algo que hacían tan bien juntos y que la hacía desear salir corriendo lo más lejos posible.

Porque Rurik Wilder jamás se sentiría amenazado por su carrera ni por su independencia y no desaparecería acobardado. Rurik Wilder no se dejaba amilanar por nada. Quería tener una relación con ella —de qué clase y duración eran cosas que Tasya no se atrevía a preguntar— y eso la aterraba. La aterraba porque había gente que la perseguía. La aterraba porque Rurik podría salir lastimado. Y eso no sería justo.

Mientras Tasya retiraba la tarjeta de la memoria, volvía a colocarla en su cámara y ponía a salvo el equipo, Rurik eliminó los archivos de las fotos del ordenador de la señora Reddenhurst. Tasya miraba cómo trabajaba con un dejo de satisfacción. Esa noche habían hecho un buen trabajo. Formaban un buen equipo.

Rurik apagó el ordenador y se dio la vuelta —tan rápido que Tasya no tuvo tiempo de retroceder—, y cogió su mano entre las suyas.

—Ahora háblame de ti y de los Varinski.

La hora del interrogatorio había llegado más pronto de lo que esperaba.

12

—No sé por dónde empezar. —Tasya intentó pasarse los dedos por el cabello, pero las puntas rígidas le recordaron de inmediato lo que había hecho para cambiar de aspecto... y por qué razón.

—Empieza por el principio. —Rurik empujó la silla que tenía delante con el dedo gordo del pie y le indicó que se sentara.

Aunque no le agradaba su actitud, Tasya se sentó. Después de todo, estaba en deuda con él. Lo había involucrado en algo que estaba muy por encima de sus expectativas, algo que él jamás podría manejar.

Aunque tal vez se estaba engañando. Porque, llegando al final de ese largo día, cada vez se sentía más impresionada por su competencia. Ese hombre tenía algo especial: la había sacado del túnel, había ocultado aquella mochila llena de artículos de supervivencia, había encontrado el *bed-and-breakfast*: todas ellas eran acciones que revelaban un rasgo de carácter. Rurik era un hombre que esperaba el peligro y estaba preparado para afrontar problemas.

Pero era ella quien había llevado los problemas. Resignada, se inclinó hacia delante para iniciar su confesión.

—¿Sabes quiénes son los mellizos Varinski?

—Dos expertos asesinos de una legendaria familia de criminales rusos, bueno, ahora ucranianos, que fueron atrapados en Seremenia cometiendo un asesinato por encargo y ahora están en la cárcel esperando el juicio.

—Exactamente. No son los primeros miembros de la familia que han sido atrapados, pero sí son los primeros que no han podido «escapar» —usaba citas trilladas— antes del juicio. Los Varinski han ofrecido sus servicios como mercenarios durante mil años, han cometido actos horribles y jamás han sido castigados por un solo crimen. —Se inclinó hacia delante todavía más, era evidente que el tema la entusiasmaba—. ¿Puedes imaginarte eso? Mil años.

—Increíble. —Estaba sentado completamente inmóvil, escuchando como si Tasya fuera la oradora más deslumbrante del mundo—. ¿Por qué sabes tanto acerca de ellos?

—Hice mi investigación.

—¿Qué clase de investigación?

—De toda clase. En la biblioteca, online, incluso hice entrevistas. —Eso no era todo, pero sospechaba que Rurik no aprobaría el resto.

Probablemente estaba hablando de más. Pero jamás había podido airear el asunto. Y mucho menos con alguien que no odiara a los Varinski tanto como ella. Pero allí estaba Rurik; su yacimiento arqueológico había volado por los aires, el trabajo de su vida había sido arruinado... Estaba segura de que él comprendería.

—He documentado la historia de los Varinski, su leyenda y sus crímenes. ¿Sabes que la mención rusa más antigua que he podido encontrar tiene casi ochocientos años, un manuscrito iluminado que habla de un tesoro de gran valía que el primer Konstantine Varinski le habría dado «al diablo» para recibir sus poderes sobrenaturales?

—¿Y qué poderes sobrenaturales serían esos? —Rurik intentaba sonar cortés, pero por su cara parecía que le estaban arrancando una pierna.

Tasya no lo culpaba por eso.

—Ya sé... Yo tampoco puedo creer que los Varinski hayan podido divulgar semejante sarta de mentiras y salirse con la suya. Supuestamente pueden cambiar de forma y convertirse en predadores cuando lo desean. Los monjes les tenían miedo y decían que el pacto con el diablo había transformado a los Varinski de humanos a demonios. Todos los documentos rusos que encontré después decían lo mismo, y afirmaban que por eso son tan buenos rastreadores y nadie puede escapar de ellos. ¿No te parece la mejor propaganda que has escuchado en tu vida?

—Asombroso. —Rurik se echó hacia atrás. Tenía los brazos cruzados sobre el pecho y la cara fuera del haz de luz—. ¿Y tú qué piensas? ¿Cuál es, a tu juicio, la verdad?

—Descubrí que Konstantine le había pagado a alguien, a un hombre poderoso, probablemente un representante del zar, muchísimo dinero para poder hacer y deshacer a su antojo en las estepas ucranianas. Una vez que Konstantine recibió esa licencia, procedió a crearse fama como caudillo sanguinario. —No quería hablar de las cosas que había hecho Konstantine, porque a su lado Clovus parecía un hombre benévolo—. Engendró y crió a más guerreros sanguinarios, y estos a su vez engendraron más continuando la tradición familiar de hombres que rastrean y asesinan por encargo, hombres que pelean como mercenarios en cualquier ejército. No se casan, pero salen de cacería a violar a mujeres. Y si las mujeres saben lo que les conviene, les entregan a sus hijos. Supuestamente, los Varinski solo tienen hijos varones...

—Es posible, dado que el macho es quien determina el género —acotó Rurik.

—Sí, pero tratándose de esa gente, sospecho que dejan morir a las niñas.

Rurik estuvo a punto de decir algo, pero volvió a concentrarse.

—Todos los Varinski son entrenados para ser soldados de una perversidad sin límites.

—Entonces ¿no crees en la parte sobrenatural?

—Oh, por favor.

—No crees en lo sobrenatural.

—No. Creo en lo que puedo ver y saborear y tocar. —Ni siquiera creía en Dios. Había perdido la fe la misma noche en que había perdido a sus padres—. He rastreado la que, a mi entender, es la pieza fundamental del tesoro de la familia Varinski...

—¿Te refieres al tesoro que Konstantine le entregó al diablo? —Como la cara de Rurik estaba en sombras, Tasya solo podía ver sus ojos vivaces y expectantes—. ¿Y por qué no lo tiene el diablo?

—Según el mito Varinski, el diablo dividió el tesoro en cuatro partes y arrojó los fragmentos a los cuatro vientos.

Rurik negó con la cabeza.

—Los arrojó a los cuatro confines de la tierra.

—Es cierto. ¡Has hecho los deberes! —Tasya le dio más puntos por eso—. El diablo arrojó los fragmentos a los cuatro confines de la tierra. Las crónicas no concuerdan acerca del tesoro y qué era. Unos dijeron que oro. Otros que plata. Otros dijeron que era un icono sagrado, como los que las familias rusas tienen en los altares de sus casas.

Rurik clavó los ojos en el ordenador y asintió.

—Pensé que, si era tan valioso, probablemente sería oro; y además los grabados y las iluminaciones mostraban imágenes parecidas a las del panel de piedra. —Palmeó la tarjeta de memoria en el bolsillo de su camisa—. Deduje que el acuerdo que otorgó a Konstantine sus derechos para comportarse como un reverendo hijo de puta debía de estar grabado de algún modo en el tesoro.

—De acuerdo —dijo Rurik muy despacio, frunciendo el entrecejo—. Es un gran salto.

—Si Konstantine Varinski estaba tan preocupado por la, eh... barra de Golden Graham como para inventar la historia de que el diablo la había arrojado a los cuatro confines de la tierra, entonces tiene que haber algo incriminatorio en ella.

—Si todo lo que dices es verdad (si la leyenda Varinski es un fraude, si los Varinski no se transforman en animales de presa y únicamente usan el mito para asustar a la gente), entonces sí, lo que dices parecería lógico. Pero qué ocurriría si...

—¿Si realmente se transformaran en animales? —Tasya rió con ligereza.

Con un movimiento velocísimo, Rurik se enderezó en el asiento y su cara quedó bajo el haz de luz. Estaba en extremo exasperado y Tasya habría jurado que iba a hacer algo precipitado, aunque no sabía qué. Rurik volvió a hundirse en la silla, pero ella percibía su vigilancia y su impaciencia, semejantes a la actitud del halcón que espera que el ratón asome la cabeza de su agujero.

—Verdaderamente es un gran mito. Los Varinski no son hombres lobos controlados por la luna, ni vampiros solitarios que no pueden salir de día. Pueden ir a cualquier parte y en cualquier momento, como hombres o como bestias. Eso los vuelve mucho más peligrosos, ¿no crees? —Volvió a reír—. ¡No me habléis, después, de propaganda!

—Increíble. —Parecía estar escogiendo con sumo cuidado sus palabras—. ¿Y si la barra de Golden Grahams no fuera más que un icono familiar ruso y tú te hubieras tomado inútilmente todo ese trabajo de rastrear el tesoro de los Varinski hasta la tumba de Clovus en la isla de Roi?

—Pero ¿no te das cuenta? Los Varinski son los rastreadores y asesinos internacionales y de alta tecnología más exitosos del mercado. Ellos dinamitaron la tumba. —Apoyó la mano sobre la rodilla de Rurik—. Están tratando de ocultar algo.

—De modo que estás convencida de que los Varinski volaron la tumba. —Su pierna era dura como el acero bajo la palma de su mano.

—Por supuesto que lo estoy. Y si lo piensas un poco, tú también lo estarás. —Apretó los dedos, y luego los aflojó—. Has dicho que no creías en las coincidencias.

—Entonces es probable que hayan querido matarte. A los Varinski no les gusta que la gente ande husmeando ni exponiendo sus secretos.

Rurik sabía más acerca de los Varinski de lo que Tasya había imaginado.

—Es posible.

—Hablas de tu posible muerte con demasiada serenidad.

Tasya pensó varias respuestas y las descartó: todas sonaban melodramáticas.

—El cofre del tesoro fue una enorme decepción. Cuando terminaste de vaciarlo y la tablilla no estaba, casi me pongo a llorar.

—Y yo estoy a punto de ponerme a llorar ahora. —Parecía un poco perturbado—. Aunque no me hace ninguna gracia, tengo que preguntártelo... ¿qué estás haciendo con toda esa información?

—He escrito un libro.

—¿Has escrito un libro acerca de los Varinski? —Rurik levantó la voz.

Tasya levantó las cejas.

—¡Es bueno!

—Hazme un favor, ¿de acuerdo? No intentes averiguarlo.

—Mi editor dice que es bueno.

—¿Tienes un editor? —le preguntó Rurik con tono de horror.

—Van a publicarlo dentro de dos meses. ¡Con tapa dura! —Había desplegado todas sus habilidades de escritora para urdir los hechos y la fantasía en una trama que atrapara al lector. Estaba orgullosa de sí misma... y el muy insolente la estaba descorazonando—. ¿Sabes algo de publicaciones?

—Sé que la mayoría de los libros fracasan. Es probable que nadie le preste atención al tuyo. —Sonaba positivamente esperanzado.

—Para que lo sepas, la previsión de ventas es excelente —dijo Tasya con gélida cortesía—. Mi editor dice que podría encabezar la lista de libros más vendidos del *New York Times*.

—¿No es un embuste?

Quería aplastarlo como a un insecto: a él y a su burda falta de entusiasmo.

—He documentado exhaustivamente toda mi investigación, pero si puedo obtener una prueba real, material y fehaciente de la historia de los Varinski... la prensa se volverá loca y me dará el grado de exposición que necesito. Por eso, si bien una crónica escrita de la corrupción de Konstantine sería útil a mis fines, lo cierto es que el icono me vendría de perillas. Sea como sea, todas son maniobras publicitarias.

—Maniobras publicitarias —repitió Rurik—. Cuando iniciamos esta conversación te pedí que comenzaras por el principio. Pero no creo que lo hayas hecho. ¿Qué son los Varinski para ti? —Había pronunciado cada palabra lentamente, sílaba por sílaba.

—¿Qué quieres decir con eso? ¿Me estás preguntando si somos parientes? —Le ardieron las mejillas—. Porque no tengo ninguna relación familiar con esos monstruos. ¡Y jamás me he acostado con ninguno!

Rurik desvió la mirada en un rápido parpadeo. Pero enseguida volvió a enfocarla en Tasya.

—No. No es eso lo que estoy preguntando. Hay muchas injusticias en este mundo, Tasya Hunnicutt. Tú las conoces. Las has visto. ¿Por qué has elegido entonces poner a prueba y destruir ese mal? ¿Por qué ese y no otro?

—Porque es lo que hay que hacer. —Era una respuesta vaga—. Porque es lo que yo hago.

—No. Tú sacas fotos de un mal que afecta al mundo. Escribes una crónica. Te mueves con relativa seguridad. Pero en el caso de los Varinski, una vez que te declares su enemiga no volverás a estar a salvo. Y tú lo sabes. Entonces, una vez más te pregunto: ¿por qué los Varinski?

—Quisiera recordarte que hay varios gobiernos en este mundo que me odian por mis crónicas.

No había pensado que Rurik pudiera interesarse por sus motivos ni tampoco que su interrogatorio resultaría tan preciso. Lo único que lo importaba a la mayoría de los hombres era la comida, la bebida y el sexo. ¿Por qué diablos se habría enredado ella con el señor inquisidor?

—Tú puedes sentir el mal. —La miraba sin emoción alguna.

Tasya se revolvió en la silla. Sabía perfectamente bien adónde quería llegar Rurik.

—Sentiste a Clovus y sus trampas. Sabías que los Varinski estaban allí.

—Cuando están cerca, siento... un zumbido ensordecedor en los oídos, y un fuerte destello que me hace ver llamas.

—«¡Demasiado cerca, Tasya! ¡Te estás acercando demasiado a la verdad!»

—¿Alguna otra vez has sentido eso?

A decir verdad, Tasya se sentía rara cuando Rurik estaba cerca, pero siempre lo había atribuido a la constante lujuria de baja estofa que la consumía y a la mala costumbre de olvidarse de respirar cuando lo miraba.

Le apetecía mirarlo, contemplar sus ojos dorados como la miel, su rostro fuerte y rudo, y aquel cuerpo musculoso que era tan atractivo con ropa... y mucho más sin ella. Le encantaba su olor, y le gustaba lo que sentía cuando él la tocaba... como si fuera a vivir para siempre. Eternamente, en un instante.

—¿Alguna otra vez has sentido eso? —volvió a preguntar Rurik.

No lo dejaría pasar.

Y ella no estaba dispuesta a hablar de eso... De aquella noche, tanto tiempo atrás, de las llamas en el horizonte, de cómo había gritado llamando a su madre porque cuando esos hombres espantosos se acercaron ella se sentía enferma, muy enferma.

—Lo siento, Rurik. En cierto sentido yo tengo la culpa de que hayan dinamitado el yacimiento arqueológico, pero te juro que jamás se me ocurrió que podrían hacerlo.

—Entonces lo has sentido antes. —Era como un perro con un hueso—. Y no obstante tienes el valor de decir que no crees en lo sobrenatural.

Había intentado contener el impulso, pero no pudo más y estalló.

—Eso no es sobrenatural. ¡No es más que una sensación!

—Y muy útil —Rurik se puso en pie.

—¿Tú crees en lo sobrenatural?

—Muchísimo.

No sabía si estaba bromeando o no.

—¿Un piloto de las Fuerzas Aéreas que cree en brujas y fantasmas?

—Un ex piloto de las Fuerzas Aéreas. Quizá haya abandonado la aviación por culpa de las brujas y los fantasmas.

Las palabras de Rurik no tenían el menor sentido para Tasya. Ella también se puso en pie.

—¿Y qué piensas de lo que estoy haciendo?

—Pienso que harás que te maten.

—Pero si muriendo acabo con un linaje de crueldad, ¿acaso no habrá valido la pena?

—No. Porque no puedo soportar la idea de un mundo donde tú no estés.

Antes de que pudiera adivinar sus intenciones, Rurik ya la tenía en sus brazos, apretada contra su cuerpo. Era duro y caliente, tal como lo recordaba, pero menos suave... Quería besarla y ya no tenía paciencia para seducirla. Fue un beso violento como una tormenta, pleno como un clímax. Rurik hundió la lengua en su boca y le clavó los dientes en el labio inferior. Le pasó un brazo por la espalda mientras con el otro le cogía el trasero y lo manoseaba tanto y tan intensamente que Tasya se estremeció, casi a punto de rendirse.

Entonces la soltó. La soltó y retrocedió. Y salió por la puerta.

Tasya se llevó los dedos al labio lastimado y cerró los ojos. Siempre había pensado que nadie la lloraría si moría, y no obstante... Rurik podía parecer calmo y estoico, pero escondía abismos de pasión y angustia que hacían subir la temperatura de su cuerpo y despertaban en ella un deseo irrefrenable de vivir.

Salió corriendo al pasillo; quería alcanzarlo.

Estaba de pie en la arcada del salón donde brillaba la pantalla del televisor, y miraba por encima de las cabezas de las señora Reddenhurst y sus dos huéspedes.

Tasya se detuvo a su lado.

Había una periodista bajo la lluvia ante el derrumbado sepulcro de la isla de Roi. A sus espaldas, varios obreros trabajaban bajo los reflectores, cavando frenéticamente.

—No sabemos quién dinamitó el yacimiento —estaba diciendo la periodista—. Se especula que fueron terroristas, por supuesto; pero sabemos que hay dos personas desaparecidas que están presuntamente muertas. No obstante, hasta que sus cadáveres no sean recuperados, son los principales sospechosos de la explosión.

Y entonces enseguida aparecieron las fotos de Rurik y de Tasya en la pantalla.

13

Tasya tenía un aspecto culpable y estaba a punto de salir corriendo, pero Rurik necesitaba saber si sus disfraces eran buenos.

—Señora Reddenhurst, mi esposa y yo subiremos a la habitación ahora.

La señora Reddenhurst hizo girar su silla.

—Vengan, vengan un momento. Quiero presentarles al amable caballero que ha aceptado compartir su coche con ustedes mañana.

Rurik tomó a Tasya de la mano y la condujo a la pequeña sala.

—Less agradecemos mucho que hayan tenido la buena voluntad de permitirnos viajar con ustedes mañana, señor y señora Kelly.

—Serena y Hamlin —dijo el señor Kelly, extendiendo la mano. Era un hombre de baja estatura, viejo, con una barriga redonda que sobresalía por encima del cinturón y una tupida barba blanca. Su esposa lo igualaba en altura y circunferencia y ambos sonreían, radiantes de entusiasmo.

Quién hubiera dicho que, cuando llegaba el verano, Papá Noel y su esposa pasaban las vacaciones en el norte de Escocia.

—Nos alegra tener compañía, sobre todo porque compartiréis los gastos de combustible. —Ladeó la cabeza—. Tengo la impresión de conoceros.

Mierda.

—O por lo menos reconozco vuestro acento. Sois yanquis —prosiguió.

—Nosotros nacimos al norte de vuestro país —dijo Serena—. Somos de Canadá. Siempre es bueno encontrarse con los vecinos cuando se viaja.

Tasya se apoyó en Rurik como si verdaderamente necesitara que la sostuvieran.

—¿Recuerdas aquella vez, cuando vimos a Fred y a Carol en Florida? —dijo Hamlin—. Fue una locura. ¿No te parece que fue una locura?

—Fred y Carol Browning eran vecinos nuestros de verdad; vivíamos en el mismo barrio y nuestros hijos se habían criado juntos —explicó Serena.

—Y nos cruzamos con ellos en Florida, en febrero. Imaginaos. —Hamlin deslizó los pulgares bajo sus tirantes.

—Increíble —dijo Tasya con un hilo de voz.

Antes de que los Kelly volvieran a respirar hondo para continuar explayándose, Rurik dijo:

—Señora Reddenhurst, queremos darle las gracias por habernos prestado el ordenador, y también agradecerle que nos haya alojado.

—Sí, gracias. —Tasya estrechó la mano de la señora Reddenhurst.

—No tienen nada que agradecerme ustedes dos. —La señora Reddenhurst parecía complacida con tantos halagos—. ¿Subirán ahora mismo?

—¡Por supuesto que sí! —dijo Hamlin con sincero entusiasmo—. ¡Son recién casados!

Serena soltó una sonora carcajada, comparable a la de su esposo.

—¡Mañana las ventanillas del coche estarán cubiertas de vapor durante todo el trayecto!

Sería un largo viaje a Edimburgo.

Rurik empujó a Tasya hacia el pasillo y a continuación escalera arriba.

—No nos han reconocido por las fotos de la televisión —dijo en voz baja.

—Entonces tenemos alguna posibilidad de llegar a Francia de incógnito. —Rurik la seguía de cerca, casi pisándole los talones, mientras subía de dos en dos los escalones que llevaban al segundo piso.

Pero Tasya se detuvo en el rellano.

—No tienes que venir a Francia conmigo.

—Tengo que hacerlo. Créeme.

—No, lo digo en serio. Te he puesto en peligro.

Rurik rió. Fue una risa amarga y corta. Él ya estaba en peligro desde antes, pero Tasya definitivamente había añadido su granito de arena.

—Tengo una idea mejor. ¿Por qué no te pones a salvo, en un lugar seguro, mientras yo voy a Francia a buscar el tesoro de los Varinski?

—No —Rurik se respondió al mismo tiempo que Tasya le respondía, y con el mismo monosílabo.

—Necesito encontrar el tesoro por mis propios medios. —Sus ojos eran grandes, azules y decididos.

—¿Porque así obtendrás más publicidad? —Apenas podía disimular su irritación.

Cuando pensaba en el plan de Tasya —escribir un libro acerca de los Varinski y convertirlo en un éxito de ventas— quería gritar. Tasya Hunnicutt, la viajera internacional con más sentido común que había conocido en su vida, imaginaba que podía echarle la zarpa al cártel más antiguo y más mortífero del mundo y salir ganando.

Los Varinski hacían que los mafiosos parecieran monaguillos comparados con ellos. ¿Y todo por qué?

Porque el viejo Konstantine había hecho un pacto con el diablo, y el diablo sabía cómo eran las cosas.

Entonces ¿qué importancia tenía que Tasya no creyera en los demonios ni en los seres que cambiaban de forma?

Rurik vivía con la prueba —y las consecuencias— cada día.

Por eso iría a Francia con ella, y cuando por fin encontraran el icono... Rurik se lo arrebataría.

Porque estaban buscando el icono que podía salvar la vida de su padre y, lo que era más importante aún, su alma.

Tasya se pondría furiosa, pero tendría que aprender a vivir con eso... porque Rurik pretendía conservarla a su lado.

—Tendrías que regresar a la excavación —le dijo ella—. Y dejar que yo rastree el tesoro de los Varinski.

El ánimo de Rurik oscilaba entre la frustración sofocante y la fría resolución. Apoyó los dedos sobre sus labios y dijo:

—No te atrevas a insinuarlo siquiera. No pienso dejar que te enfrentes tú sola a los Varinski.

Los ojos de Tasya se llenaron de lágrimas. Bajó la vista, respiró hondo y dijo:

—Lo siento, debo de estar muy cansada.

Tasya pensaba que Rurik era un buen hombre, muy humano. Su testaruda necedad, por no mencionar la confrontación en ciernes, lo enfureció todavía más.

—Los dos estamos cansados. Voy a tomar una ducha. La señora Reddenhurst dijo que te prestaría una bata. No me esperes levantada.

—No lo haré. —Lo miró a los ojos—. Rurik, de veras lamento haber sido la causante de que dinamitaran tu excavación.

Pensaba que él estaba furioso por el yacimiento arqueológico. ¿Cómo podía equivocarse tanto?

Sin esperar respuesta, Tasya subió corriendo la escalera.

Rurik se quedó mirándola y dijo en voz muy baja:

—No te preocupes. Vas a pagar tu culpa... y en más de una manera.

Tasya durmió largo rato, profundamente, debido al agotamiento físico y mental. Luego, poco a poco, fue recuperando la consciencia.

Estaba envuelta en un capullo caliente... excepto por el

pie que colgaba fuera de la cama. Pendía fuera de las mantas y se le habían enfriado los dedos del pie.

Pero el resto de su cuerpo estaba tan caliente... tan relajado... Era el mejor sueño que había tenido en su vida.

Había soñado que Rurik la ponía boca arriba. Que Rurik levantaba los bordes de la ridícula y voluminosa bata de franela de la señora Reddenhurst. Que Rurik deslizaba los dedos bajo sus bragas y la acariciaba justo encima del clítoris... creando lentamente sensaciones, dejándola descansar, volviendo a acariciarla... El aire gélido del ático le lastimaba la cara y resquebrajaba sus labios... y Rurik estaba inclinado sobre ella. Era una sombra enorme, oscura y predadora a la luz del amanecer que se aproximaba.

Todo lo que necesitaba era que la tocara un poco más seguido, con un poco más de intimidad, y quizá haciendo un poco más de presión...

Giró las caderas, en una voluptuosa invitación a que invadieran en vez de redondear.

Rurik soltó una risotada y deslizó una pierna desnuda entre las suyas.

—No, esto no será tan fácil.

Tasya despertó de golpe.

—¿Qué?

Estaba demasiado somnolienta y confundida para entender lo que decía, o incluso lo que estaba ocurriendo.

Porque si él había decidido tomar el toro por los cuernos y follarla mientras estaba dormida... —y aunque sabía que tenía muy importantes y muy razonables objeciones que formular al respecto, en ese preciso instante no se oponía en absoluto a que otro decidiera por ella— entonces ¿por qué la estaba excitando hasta el paroxismo pero no la montaba? ¿Por qué no la barría con toda la fuerza de su pasión?

¿Por qué demonios no la había penetrado todavía?

Exhaló un murmullo suave, incoherente, imposible de ser interpretado como un estímulo... aunque lo era.

Rurik la besó. Recorrió la línea del mentón con sus labios,

hasta llegar al lóbulo de la oreja. Lo chupó largamente, cosa que Tasya encontró medianamente interesante, y luego lo mordió provocándole un instantáneo y leve aguijonazo de dolor.

Ella se arqueó en la cama.

Él volvió a reírse.

Tasya no entendía qué era lo que le parecía tan gracioso.

La mano de Rurik rozó su cuello desnudo y luego bajó un poco, luego un poco más... La bata de la señora Reddenhurst envolvía a Tasya con sus enormes pliegues de franela con aroma a lavanda. Era tan amplia y tan grotesca, y el ático estaba tan espantosamente frío, que Tasya se había dormido con la bata puesta.

Aparentemente Rurik se las había ingeniado para ignorar la parte ridícula de la prenda y encontrar sus debilidades, porque Tasya percibía que estaba desabrochado los cuatro botones de delante. Eran solo cuatro botones cerca del cuello... pero la bata era tan amplia que, aunque hubiera protegido a la señora Reddenhurst, resultaba ser de fácil acceso para Rurik.

Deslizó las manos por dentro de la tela, dejando que las ráfagas de aire frío susurraran sobre la tierna piel de Tasya. Abrió los bordes de la bata y encontró sus senos, y cogió uno en la palma de la mano. Levantándolo un poco, cerró la boca sobre el pezón y succionando intensamente lo llevó hasta su paladar con la lengua.

Las olas de pasión arreciaban contra sus costas y Tasya se zambulló, dejándose arrastrar con un prolongado gemido.

Había pasado tanto tiempo... semanas desde que lo había tenido. Semanas sin poder dormir, de anhelo infructuoso, de despertar después de haber tenido sueños eróticos y con el cuerpo sacudiéndose todavía en las dulces garras del orgasmo.

Ahora estaba allí y la llevaba al borde del clímax... al borde del clímax... y la dejaba temblando y desolada.

Contuvo el aliento y abrió los ojos.

El sol asomaría dentro de media hora, como mucho. Vio a Rurik apoyado sobre un codo, mirándola. Sus hombros macizos estaban desnudos, la piel dura y tensa sobre los músculos marcados.

Era hermoso, corpulento, limpio y masculino. Y ella lo deseaba.

—Por favor —susurró.

Rurik negó con la cabeza.

—No, cariño. Te quiero exactamente en el estado en que estás ahora.

—¿De qué hablas?

—Mientras estemos viajando, quiero que sepas que me deseas con locura. Mientras estemos buscando el tesoro, quiero que tu deseo sea un murmullo bajo de fondo, algo de lo que estés consciente cada minuto mientras continúas con tu vida habitual. —Su voz era baja y profunda y estaba plagada de turbias intenciones.

—Estás loco. —Eso pensaba.

—Estoy obsesionado. —Rurik se había acercado tanto a ella que su aliento le acariciaba la mejilla, justo frente a la oreja—. Y quiero que tú compartas mi obsesión.

Estaba loco.

Y ella también estaba loca, porque se sentía a medias halagada por sus intenciones... A medias halagada, y furiosa del todo.

—No es que yo no sepa satisfacer mis necesidades. —Deslizó la mano hacia el bajo vientre, lista para tocarse.

Rurik la aferró por las muñecas y la obligó a levantar los brazos por encima de la cabeza.

—Y yo sé cómo impedírtelo. —Apretó la pierna entre las suyas, llevándola una vez más al borde del orgasmo.

Tasya luchaba por desasirse.

Pero él la mantenía cautiva sin dificultad.

Tasya estaba en buena forma física. No obstante, mientras se retorcía debajo de él y apelaba a todos los movimientos de defensa propia que había aprendido, al muy miserable no le caía una sola gota de sudor.

Finalmente se dio por vencida.

Cuando quedó rendida, jadeando de furia y frustración, Rurik la besó. Con besos largos, lentos y dulces que empezaban en la frente y bajaban hasta sus labios, su cuello y sus pechos. Encontró la carne desnuda de su vientre y por fin deslizó la lengua entre sus pliegues...

Durante la primera noche que habían pasado juntos habían hecho el amor más veces de las que Tasya podía recordar, pero jamás habían llegado a este punto.

Era una maravilla descubrir cuán a fondo conocía Rurik el cuerpo de la mujer... Sabía dónde lamer, cuánta presión ejercer, cómo despertar el deseo femenino en lentas ondas de placer.

Tasya no estaba para nada sorprendida. Rurik tenía un aura de experiencia masculina que prometía llevarla a la cúspide del placer.

Pero justo cuando sus sentidos empezaban a alcanzar la cima, Rurik se apartó.

Tasya olvidó toda dignidad e intentó aferrarse a él, pero Rurik se deslizó de la cama y se puso en pie, orgullosamente desnudo, luciendo con desparpajo su erección prominente y atormentadora.

—Tenemos que irnos.

¿Y ella había pensado que tenía un aura de experiencia masculina?

Sí, por supuesto que era masculino. Era un imbécil gordinflón y corpulento.

—Eso ha estado muy mal. —Tasya se sentó y abrió las mantas de golpe, esperando que el aire frío aliviara su libido desenfrenada.

Por desgracia para su libido, Rurik cruzó la habitación para buscar su ropa y su trasero le recordó al *David* de Miguel Ángel. Solo que vivo.

—Sí. Casi tan mal como pasar toda una noche haciéndome el amor y después salir corriendo sin decir palabra, como si yo fuera un monstruo. —Se dio la vuelta con la camiseta en la mano. El tatuaje que tanto la había fascinado ocupaba el brazo, el hombro y le atravesaba el pecho: una gran franja de color hasta la cintura.

Rurik la pescó mirándolo y, en una suerte de lento y exótico striptease al revés, levantó los brazos por encima de la cabeza y se puso la camiseta.

A Tasya se le secó la boca.

—¿Tal vez querrás contarme por qué te acobardaste? —le preguntó Rurik.

—No me acobardé. Solo... —Solo estaba asustada. Temía que él fuera el único hombre capaz de seguirle el ritmo. El único hombre al que podría amar.

Entonces, si le ocurría algo a Rurik...

Pero no podía decir eso, ¿verdad? Decir eso sería revelar demasiado de un alma herida por la pérdida.

—Siempre he sabido que existía la posibilidad de que los Varinski dieran conmigo. No quería que te lastimaran.

—Eso es muy noble de tu parte. Muy noble. —Sus palabras no sonaban verdaderas—. Y también fue muy bueno por tu parte tomar la decisión de salvar mi vida de un hipotético peligro desapareciendo a primera hora de la mañana como una prima donna del periodismo gráfico temerosa de que le pidan un autógrafo.

—¡Yo no hice eso que dices!

—Entonces dime por qué te fuiste.

No le creía. ¿Cómo podía no creerle?

—Tenía miedo de que te hicieran daño —dijo tercamente.

Rurik se acercó a la cama con un movimiento rápido y suave.

Ella intentó evitarlo, pero la atrapó a medio camino entre la cama y el suelo, tratando de hacer equilibrio y vulnerable.

La estrechó contra su cuerpo y la besó lentamente, casi sin poder controlar el deseo. Cuando toda su resistencia cedió y Tasya deslizó los brazos detrás de su cuello, Rurik la dejó caer nuevamente sobre las sábanas.

Como quien no quiere la cosa, volvió a buscar su ropa.

Tasya apartó el cabello de su frente húmeda.

—¿Por qué haces esto?

—Porque quiero que cada vez que respires te sientas vacía, a menos que estés lo suficientemente cerca de mí para olerme. Quiero que cada palabra que pronuncies carezca de importancia, excepto las que me digas a mí. Que cada sonido que oigas carezca de sentido, a menos que sea mi voz. Quiero que recuerdes que todo el placer que vayas a disfrutar de ahora en adelante provendrá de mí. —La miró a los ojos—. Quiero que confíes en mí lo suficiente para decirme la verdad, toda la verdad... acerca de Tasya Hunnicutt.

Era extraordinario cómo ponía los problemas con los Varinski en perspectiva.

Dos metros de problemas allí de pie frente a ella, poniéndose los pantalones.

14

Tasya y Rurik estaban de pie en la acera, frente a la estación ferroviaria de Edimburgo, viendo alejarse el coche de Hamlin y Serena Kelly.

—Ha sido el viaje más largo de mi vida —suspiró Rurik.

—¿Cómo lo sabes? Has dormido durante la mayor parte del trayecto.

Tasya no había pegado ojo. Había permanecido despierta, escuchando el constante parloteo de los Kelly acerca de su casa, sus vecinos, sus viajes y sus vidas. Y justo cuando pensaba que iba a matarlos si no cambiaban de tema, los Kelly cambiaron de tema... y observaron con picardía que Rurik y Tasya habían cubierto de vapor las ventanillas traseras.

Dado que para entonces Rurik roncaba como un oso, Tasya no comprendía por qué aquello les parecía tan divertido. Pero los Kelly se entretuvieron con eso durante varios kilómetros.

Si hubiera dejado de llover, Tasya habría bajado los vidrios de las ventanillas para que el viento se llevara sus voces. Pero no: la niebla continuaba indómita y ella había quedado atrapada.

Atrapada entre Rurik, que dormía como un bendito, y dos exuberantes canadienses y sus recuerdos de la noche anterior.

Maldito Rurik. Por su culpa Tasya caminaba de puntillas, se sentaba con dificultad y andaba todo el tiempo cachonda.

La había retrotraído a sus épocas de adolescente apasionada y a Tasya no le apetecía en lo más mínimo que todos sus pensamientos giraran en torno a una sola cosa: el sexo. Y más que eso: el sexo con él.

Rurik le hizo señas a un taxi y Tasya preguntó:

—¿Qué haces?

—Iremos a averiguar cuándo zarpa el ferry rumbo a Bélgica.

—¿El ferry rumbo a...? Pero les hemos dicho a la señora Reddenhurst y a los Kelly que tomaríamos el tren que cruza el Canal.

—Mentimos. —Sostuvo la puerta del taxi mientras Tasya subía y le indicó el destino al conductor. Deslizó el brazo sobre el asiento, apoyándolo sobre sus hombros, y le murmuró al oído—: Podrían ser interrogados por alguien que no nos agrada, y cuanto menos sepan, mejor.

—Ah. —Estaba acostumbrada a ser cauta; una mujer soltera que viajaba por los lugares del mundo que Tasya había visitado necesariamente tenía que serlo. Pero ese viaje parecía *El caso Bourne,* solo que en compañía de un hombre mucho más guapo que Matt Damon.

Miró por la ventana.

Tenía que dejar de pensar así. Hasta no hace mucho sabía que Matt Damon era el hombre más apuesto de la tierra. Estaba segura de que, si evitaba mirar a Rurik, volvería a convencerse.

—¿Crees que nos habrán seguido?

—Todo es posible. —Le puso un dedo sobre los labios y señaló al taxista.

Quince minutos después tenían sus billetes para el ferry. La embarcación tardaría dieciocho horas en llegar a Zeebrugge, en Bélgica, y por lo tanto el servicio incluía restaurantes y casinos. Tenían que subir a bordo al cabo de dos horas —zarparían con la caída del sol— y Rurik decidió que les quedaba suficiente tiempo para visitar una tienda de ropa de segunda mano.

Tasya tuvo que cambiar su informal conjunto caqui por un atuendo vagamente gótico y totalmente escandaloso.

Después, mientras andaban por la calle, contempló el negro remolino de algodón que envolvía sus caderas y miró su escote, desnudo bajo una blusa rosa brillante con la cara de Marilyn Monroe impresa sobre las costillas.

—Pensé que intentábamos pasar inadvertidos.

—No. —Rurik llevaba un gabán de cuero negro desde la cabeza hasta debajo de las rodillas, tejanos negros descoloridos y una camisa con botones a presión. Solo le faltaba un sombrero de vaquero para pasar por texano—. Queremos que la gente mire otra cosa además de tu cara. Ahora tenemos la gran ventaja de que, con ese corte de cabello y ese atuendo, pareces una chica de quince años. Eso es bueno si alguien tiene que describir tu aspecto.

—Jamás van a creer que eres un vaquero —le informó Tasya.

—Me contentaría con parecer un poco menos corpulento. —Sostuvo la puerta de una cafetería—. Es mi tamaño lo que no puedo disimular.

El lugar era amplio, olía deliciosamente a café y pan recién hecho, y había televisores en todas las esquinas y una hilera de ordenadores en la pared del fondo. Rurik fue al mostrador, compró dos tazas de café y la contraseña para el servicio wi-fi, e hizo sentar a Tasya ante un ordenador libre.

Se sentó en una silla junto a ella, mirando hacia el salón, y dijo con voz suave:

—Envía esas fotos a tu jefe.

Era raro sentir el corazón latiendo tan fuerte mientras hacía algo que había hecho cientos de veces: subir fotos a su correo electrónico y enviárselas a Kirk Lebreque de National Antiquities. Lo imaginó recibiendo los archivos, estudiando las fotos, enviándolas a producción y desde allí distribuyéndolas por todo el país. Gracias a eso, Kirk se daría cuenta de que estaba viva y se pondría muy contento... Tasya le agradaba como persona, sí, pero como reportera gráfica... la amaba.

Y además era un gran alivio no tener toda la responsabilidad por el registro de los hallazgos.

El proceso completo tardó menos de quince minutos. Tasya volvió a colocar la tarjeta de memoria en la cámara y tocó con disimulo el codo de Rurik.

—Ya podemos irnos —dijo.

Pero él estaba rígido, mirando uno de los televisores.

Tasya oyó una voz que reconoció de inmediato. Se dio la vuelta para mirar la pantalla.

La señora Reddenhurst sollozaba frente a lo que quedaba de su bed and breakfast, reducido a cenizas humeantes, y repetía hasta el cansancio con voz quebrada:

—No sé por qué lo hicieron. Esos hombres entraron y prendieron fuego a mi casa, sin más. Lo he perdido todo. Todo.

Kirk Lebreque observaba las fotografías, que se iban abriendo una tras otra, intentando memorizar detalles, estimar tamaños, materiales, fechas.

Cuando terminó de bajar la última, las colocó con sumo cuidado en una carpeta del Photoshop. Estaba cómodamente sentado, cubriendo el ratón con la mano.

El frío caño del revólver le rozó el cuello.

—Hágalo. —Era una voz áspera, con acento ruso.

Kirk tragó el nudo de pavor que le cerraba la garganta, resaltó la carpeta y la puso en la papelera.

—Con eso no alcanza. —Volvió a acariciarlo con la pistola—. Borre la memoria del ordenador.

Kirk no pudo evitar su reacción.

—¿Por qué no le dispara a la pantalla? —le espetó.

—No trate de engañarme. ¿Acaso cree que soy estúpido? Ese ordenador envía todos sus archivos a una central. Hasta que no borre la memoria, no habrá diferencia. Quizá le dispare luego para divertirme —especuló con tono reflexivo.

—¡Pero National Antiquities guarda información importante en esos ordenadores!

—Bórrela ahora mismo.

Kirk se frotó las húmedas palmas de las manos en los pantalones y abrió el archivo de funciones. Buscó el botón de borrar, abrió el disco duro...

—Esto es un crimen. En este ordenador hay cosas que jamás podrán ser recuperadas.

—Precisamente.

Kirk ya no podía mirar al hombre. Lo había estado mirando durante seis horas seguidas, al principio argumentando, diciéndole que Tasya estaba muerta, y luego sin decir nada para evitar aquellos grandes puños.

No sabía su nombre. Lo único que sabía era que era fornido y feo, y que tenía algo mal en la cara... su nariz semejaba un hocico de rata y sus ojos parecían ser capaces de ver en la oscuridad.

Para empezar, le causaba espanto. Y esa manera que tenía de manipular el cuchillo, y esa pistola semiautomática... Kirk clicó el botón de borrar y se quedó mirando mientras el ordenador iniciaba el proceso de borrar el disco duro.

Giró la cabeza. No podía seguir mirando. Levantó la vista y le dijo en la cara a aquel energúmeno:

—Usted no podrá salir impune de esto, y lo sabe. Puedo identificarlo.

Tuvo apenas un segundo para darse cuenta de que había subestimado la situación.

La ráfaga de corto alcance le voló la tapa de los sesos, que se desparramaron por todas partes. Stanislaw Varinski miró aquel caos con rotunda satisfacción.

—Ya no. No puedes identificarme.

15

Rurik lo entrevió cuando subieron al ferry. Apenas lo vislumbró. Pero con eso bastaba, y lo sabía. Un Varinski los había encontrado.

Condujo a Tasya a un espacio público, desde donde podrían ver embarcar al resto de pasajeros. La embarcación, ancha y de base plana, podía transportar ochocientos treinta pasajeros y ciento veinte coches, o por lo menos eso anunciaba la publicidad de la empresa. Rurik no vio más señales de asesinos.

Pero, en un ferry de ese tamaño, un Varinski podía ocultarse en el maletero de un coche o sobornar a la tripulación.

Ningún lugar estaba a salvo de los Varinski, a menos que Rurik se encargara de ello.

—¿Vamos a nuestros asientos? —preguntó Tasya—. ¿O prefieres ir al casino? ¿O a uno de los restaurantes? —Estaba siendo sarcástica. Estaba molesta por lo que le había ocurrido a la señora Reddenhurst y su *bed and breakfast*, y todas las garantías que le había dado Rurik de que su familia se ocuparía de ayudarla no habían borrado el odio y la desesperación de su mirada. Tasya se tomaba muy en serio la responsabilidad de ambos en el asunto, y su actitud había llevado a Rurik a recordar lo que siempre decía su madre: que el precio del asesinato y el saqueo era mucho mayor que la vida y las posesiones. Los Varinski destruían cualquier sensación de seguridad y ensombrecían cualquier día de sol.

—Primero vamos a ver dónde están nuestros asientos. —Los asientos eran del mismo estilo que las butacas de los aviones, y miraban todos en la misma dirección en un espacio amplio. Se reclinaban. Y además Rurik había comprado billetes de primera clase para poder estirar las piernas.

La cabina estaba atestada de gente que acomodaba sus pertenencias, pero una rápida mirada le bastó para comprobar que no había rastro de ningún Varinski.

—¿Tienes el mapa del ferry? —preguntó, sentándose junto a Tasya.

Ella se lo entregó y cerró los ojos.

Rurik desplegó el mapa y estudió la disposición de las áreas públicas, los sectores de la tripulación y los depósitos de almacenamiento, prestando especial atención a todos los lugares donde podría esconderse un Varinski.

—Cuando lleguemos a Bélgica compraremos pasajes de tren y viajaremos a Francia desde allí.

Tasya abrió los ojos.

—No seas tonto. El tren tardará demasiado. Volaremos a Lorraine...

—El tren será... —Hizo una pausa.

—¿Más lento? —Tasya se irguió en su asiento—. Hasta el momento les estamos sacando ventaja a los Varinski. No saben hacia dónde vamos, y un viaje rápido en avión los mantendrá lejos, al menos por un tiempo.

—Aprendes rápido. —«Maldita sea.»

—Cogeremos un vuelo directo a Estrasburgo y estaremos a salvo. Por lo menos... espero que estemos a salvo.

Primero tendrían que salir vivos del ferry.

Rurik volvió a mirar el mapa. Los baños siempre eran un peligro; todo el mundo tenía que utilizarlos pero nadie se quedaba demasiado tiempo, de modo que las oportunidades para un ataque solitario eran buenas.

—Los Varinski estarán vigilando los aeropuertos.

—¿Eso quiere decir que no vigilarán los trenes? —Subió el tono sin querer. Pero acto seguido se respaldó en el asiento y moduló la voz. Tanto, que sonó extremadamente razonable cuando dijo—: Ya hice este viaje antes, Rurik. Sé de qué estoy hablando.

—Sí. Sé que lo sabes. —Los pasillos inferiores, donde viajaban los tripulantes, los vehículos y el equipaje... también parecían lugares propicios.

Pero Rurik se inclinaba por la cubierta. Continuaba lloviendo y con la llegada de la noche el aire era cada vez más gélido. No había nadie en cubierta y un astuto Varinski merodearía hasta que la mayoría de los pasajeros estuvieran dormidos o apostando en el casino. Lo único que debía hacer era encontrar a Tasya y a Rurik solos y sus posibilidades serían óptimas.

—Entonces viajaremos en avión —dijo Tasya.

Rurik la miró. Si no lograba atrapar al maldito Varinski, jamás bajarían del ferry. Ahora estaba dispuesto a pelear por sus vidas; discutir con Tasya acerca de qué medio de transporte coger parecía mucho menos importante. Después de todo, había volado en el ultraligero. Seguramente podría soportar cruzar Francia en avión.

—De acuerdo.

—De acuerdo. —Ella lo miró con curiosidad—. ¿Qué ocurre?

El ferry ya estaba en marcha, abandonando el puerto rumbo al mar del Norte.

—Voy a estirar un poco las piernas. —Se levantó—. Tú quédate en tu asiento.

—¿Y si me dan ganas de orinar?

—Te acompañaré ahora si tienes ganas, pero después me gustaría que permanecieras en tu asiento.

Tasya miró a su alrededor.

—¿Estamos en peligro?

—Soy un hombre cauto.

—No tengo que ir al baño. —Desplegó su manta de viaje y se la echó sobre los hombros—. Me quedaré aquí.

Con tanta gente cerca y los camareros cruzando permanentemente los pasillos, Tasya estaría a salvo. O eso esperaba.

Rurik abrió la puerta que daba a cubierta y el viento casi se la arrancó de las manos. La niebla había desencadenado una tormenta y las nubes y el sol poniente convertían la cubierta en un lugar sombrío, vacío e invadido por la lluvia. La escalera estaba oscura; los botes salvavidas tenían rincones donde podía ocultarse un Varinski... sobre todo uno en estado animal. Fragmentos de luz de las ventanas creaban sombras fantasmagóricas. Mientras recorría sigilosamente la cubierta, Rurik sacó su cuchillo de la funda que llevaba escondida en la cintura.

Llegó a la popa. Se detuvo un instante y contempló la estela burbujeante que el ferry iba dejando atrás. Prestó atención a los posibles movimientos... y oyó algo, el débil roce de una pluma.

Fue ese segundo de advertencia el que le salvó los ojos.

El halcón peregrino se lanzó directamente a su cara, con las garras abiertas.

Con el brazo, Rurik empujó el ave hacia un lado. Un dolor cegador le atravesaba el pecho.

En un abrir y cerrar de ojos, el halcón peregrino mutó y se transformó en un hombre alto como Rurik, con unos brazos larguísimos y una mirada mortífera y resuelta.

Rurik no se paró a mirar. Embistió cuchillo en mano... y el cuchillo hizo contacto, hundiéndose en el cuello carnoso del Varinski.

El hombre retrocedió, atónito.

Bravo. Esos miserables siempre subestimaban a los hijos de Konstantine.

Rurik lanzó una carcajada.

—¿Solamente enviaron a uno de vosotros?

El hombre puso la mano sobre la sangre que manaba de su garganta.

—Solamente se necesita un Varinski. —Aferró la mano donde Rurik tenía el cuchillo con uno de sus enormes puños y se golpeó el pecho con el otro—. El mejor.

El cuchillo giró a pesar del esfuerzo de Rurik, y apuntó a su pecho.

Rurik se concentró y abrió los dedos. El cuchillo cayó al suelo. Rurik cayó de rodillas y su peso hizo perder el equilibrio al Varinski. Emergiendo desde abajo del Varinski, Rurik usó el hombro para dislocarle el brazo.

El Varinski rugió de dolor.

Apretó la mano de Rurik, como si quisiera aplastarla.

Aparentemente, el dolor había hecho que se enfureciera.

Los huesos de Rurik comenzaron a crujir y separarse. El dolor era horrible; su vista comenzaba a debilitarse.

Estaba a punto de desmayarse.

En lo más profundo de su memoria, Rurik oyó vagamente a su padre gritándole que pensara. También oyó a sus hermanos burlándose de él por sus desmayos, por ser frágil como una niña.

Solo tenía una posibilidad contra aquel gorila Varinski. Se concentró para girar su otra mano y abrió la navaja que llevaba oculta en la manga... y se la clavó al Varinski entre las costillas.

El Varinski quedó ensartado en la navaja, con los ojos muy abiertos y el puño siempre cerrado. Vomitó un borboteo de sangre y murió.

Rurik lo cogió mientras caía. Le tomó el pulso, y nada. Sin dudar un segundo, lo arrastró y lo arrojó por la borda.

No se detuvo a escuchar el ruido del agua. La mancha de sangre desaparecería bajo la lluvia, pero no podía confiar en que los pasajeros o los tripulantes no hubieran visto la pelea. Necesitaba lavarse y desaparecer de la vista antes de que llegara alguien.

Rompió el candado de un armario y se limpió con las toallas de papel. Se quitó el abrigo, lo sacudió y lo examinó atentamente. Estaba empapado, pero no tenía manchas de sangre.

Frunció el ceño al ver su pecho. El halcón peregrino había abierto un tajo de siete centímetros en su camisa y sobre su pectoral derecho. Ardía. Los bordes del tatuaje quedarían dentados. Pero la piel sanaría. La camisa no, y además era una evidencia demasiado gráfica de la pelea.

Encogiéndose de hombros, volvió a ponerse el abrigo. Con suma cautela recorrió el resto de la embarcación, deteniéndose a escuchar, observando a los demás pasajeros. Hizo un alto en la tienda de regalos, se compró una camiseta con la inscripción «Llévame Lejos en Ferry» y se cambió de ropa en el baño de hombres. Finalmente regresó a su asiento.

Tendría que pasarse el resto de la noche vigilando, pero por el momento estaban a salvo.

Tasya se despertó cuando Rurik ocupó su asiento.

—Ah. Eres tú —dijo parpadeando.

—Sí. Soy yo. —Y de pronto recordó algo que antes no le había importado. Había aceptado volar con ella a Lorraine.

El misil estaba casi encima de ellos.

Condujo el avión hacia arriba y hacia un lado.

No iban a lograrlo. No iban a...

—¿Ha ido todo bien? —preguntó Tasya—. ¿Hay algún Varinski en el ferry?

Rurik se quedó mirándola, en blanco, pero luego se recompuso.

—Dímelo tú. ¿Has sentido la presencia de los Varinski?

La había atrapado medio dormida, con todas las defensas bajas. Tasya se mordió el labio inferior y apartó la vista.

—¿Qué? —Su obvia incomodidad lo intrigaba. Y también lo satisfacía.

Ella hacía que volara.

Él hacía que se revelase.

Ya le había confesado sus premoniciones. ¿Por qué se sentía tan incómoda entonces?

—No podría sentir a un Varinski a menos que estuviera muy cerca, porque cuando estoy contigo siempre experimento un bajo nivel de sensación de... algo. —Le apoyó la mano sobre el brazo como queriendo tranquilizarlo—. Creo que se debe a que, a tu manera, eres peligroso.

—Ya veo. —Lo había supuesto. Pero ahora lo sabía. A Tasya no le fallaba el instinto en lo que a él atañía.

Pero su instinto no era del todo certero.

Boris Varinski estaba sentado frente a su ordenador, junto al teléfono, en su oficina, buscando en la página web de la CNN la noticia que anhelaba.

Nada. Ni una palabra sobre los misteriosos asesinatos de Rurik Wilder y Tasya Hunnicutt.

¿Por qué no?

Duscha era uno de los hijos de Boris, un asesino experimentado que contaba con unos largos brazos y una masa muscular abrumadora. Le gustaba matar, e insistía en ejecutar a mano todas y cada una de sus misiones.

Ellos —Boris y sus hermanos— siempre habían estado convencidos de que la debilidad de Konstantine por la gitana lo haría engendrar hijos inferiores.

Pero Jasha Wilder había resultado imposible de matar, y ahora, con cada minuto que pasaba sin una llamada telefónica de Duscha, las esperanzas de Boris se iban debilitando.

La puerta se abrió de golpe. Uno de los chicos más jóvenes asomó la cabeza por la puerta.

—Eh, tío, ¿quieres jugar al póquer?

A Boris le encantaba jugar por dinero y últimamente, demasiado a menudo, la familia jugaba sin invitarlo a participar. Esa falta de respeto era otra señal de que su estatus como líder había decaído, y esta era una buena oportunidad para reforzar el control sobre sus subordinados.

Pero si abandonaba la oficina esa noche, podría perder la llamada de Duscha.

Peor aún, podría toparse con el tío Iván.

—Estoy esperando una llamada. ¿No te das cuenta de que espero una llamada? —le espetó.

—Sí. Por supuesto. Espera tu llamada entonces. —El chico cerró dando un portazo.

Boris se quedó mirando el teléfono.

16

Rurik se sentó en su butaca, mirando la puerta que lo separaba de la cabina de mando. Intentaba traspasar esa barrera con la mente, averiguar si el piloto estaba sobrio, cuántos años de vuelo tenía, si podía transformarse en pájaro y dejarse llevar por las corrientes de viento...

Tasya le tomó la mano.

—¿Estás bien?

Rurik volvió la cabeza para mirarla.

—Perfectamente bien.

—Anoche no pudiste pegar ojo, ¿verdad? —Le apretó los dedos—. ¿Por qué no duermes una siesta?

—No podré dormir hasta que no hayamos abandonado tierra firme.

—Sí, claro. —Esbozó una sonrisa desconfiada—. Ahora mismo estás a punto de quedarte dormido.

—No. En serio. Tengo... tengo miedo de volar.

De acuerdo, era la mentira más grande que había dicho en su vida, pero aquella chica de Estados Unidos que había viajado en avión con él le había creído. ¿Por qué no habría de creerle Tasya?

Porque ella sabía que Rurik había sido piloto.

—Vamos, cierra de una vez los ojos.

Pero, incluso con los ojos cerrados, pudo escuchar el sonido del avión cuando se unió a la fila de espera, analizar el ruido del motor, el que hacían los alerones preparándose para el despegue...

«El Blackshadow XF-155 atravesó el cielo azul claro, dejando una blanca estela de vapor. Abajo, en el borde de la planicie afgana, la tierra se combaba y ascendía abruptamente desde la llanura pardusca a las encumbradas alturas de las montañas. Durante cuatro mil años esa llanura y esas montañas, y el calor y el frío y las sequías y el enemigo que se deslizaba sin ser visto en las cuevas y a través de los pasos habían convertido Afganistán en un país terrible, quizá el peor del mundo, para hacer la guerra.

»Pero eso no era ninguna novedad. Las Fuerzas Aéreas de Estados Unidos de América jamás se habían molestado en destinar al capitán Rurik *Halcón* Wilder a ningún lugar que no fuera el peor del mundo.

»Y él siempre iba, e iba contento, porque eso le garantizaba la posibilidad de pilotar aviones como aquellos: jets de los que las Fuerzas Aéreas no hablaban, aviones que no existían oficialmente, aviones que volaban bajo los radares, literal y figuradamente, sin generar siquiera una onda.

»—Eh, Halcón, ¿qué es lo que estamos buscando? —preguntó el novato desde el asiento del copiloto, a sus espaldas.

»—No lo sé. —Rurik escaneó la tierra, buscando alguna... cosa.

»—¿No tenemos ninguna pista?

»—Lo único que sé es que los altos mandos se están comportando como adolescentes con las hormonas disparadas.

»—¿Peor que de costumbre?

»—Piénsalo un poco, Jedi. Estamos pilotando un avión tan secreto que ni una sola pista de su existencia se ha filtrado a la prensa. Es mi tercera vez en el asiento del piloto, tu primera vez como OSIA, y solo has podido participar en esta misión porque yo pedí que estuvieras. ¿Y el general García llama desde la base, da las coordenadas y nos dice que hagamos tareas de reconocimiento? —Rurik silbó con desprecio—. Por favor. Hasta que no hayan hecho una docena de misiones en esta aeronave no se convencerán de que puede permanecer en el aire. —Halcón continuaba escaneando la tierra allá abajo—. Le pregunté al general si había alguna información de inteligencia satelital que pudiera pasarnos. ¿Y sabes qué me contestó? —Sin esperar la respuesta, Rurik prosiguió—: Dijo que una información de inteligencia satelital era la causa de que nos hubieran asignado esta misión. La información no era concluyente, pero sí lo suficientemente buena para que nos hayan pedido un reconocimiento ocular. Y déjame decirte, Jedi, que se acerca algo muy, pero que muy fuerte.

»—¿Esa es la terminología oficial de las Fuerzas Aéreas de Estados Unidos?

»—Sí... igual que BMN.

»Jedi soltó una carcajada.

»BMN podía traducirse, sin demasiada sutileza, como «buen muchacho nuevo»; y Matt *Jedi* Clark era precisamente eso: un BMN. Acababa de terminar su entrenamiento en el teatro de operaciones con su piloto instructor. Era su novena misión como OSIA —oficial de sistemas de información de armas— en un área hostil y con Halcón Wilder en el asiento del piloto. Los otros OSIA pensaban que había alcanzado la cima. Rurik Wilder era el mejor piloto de las Fuerzas Aéreas. Todo el mundo lo sabía; y todos sabían también que Jedi había tenido la suerte de ser elegido porque tenía el mejor potencial para ocupar el lugar de Rurik en la cadena alimentaria.

»Jedi era bueno. Bueno de verdad. Valiente, fuerte y sincero. Por eso lo llamaban Jedi. Era Luke Skywalker sin los quejidos.

»Pero Rurik era *el Halcón*. A los veintiocho años ya tenía muchas horas de vuelo venciendo los desafíos de los servicios de su propio país, y también de otras naciones... algunas amistosas y otros definitivamente agresoras. Hasta el momento, nadie se había acercado siquiera a sus extraordinarias capacidades. Ninguno de esos muchachos lo sabía, pero nadie podría igualarlo jamás.

»Miró el techo transparente por el espejo retrovisor.

»Por otra parte, Jedi era más guapo que Rurik. Tenía ojos castaños, cabello color rojo zanahoria, el cuerpo tonificado por el levantamiento de pesas y aquel aire de «soy un chulo seductor» que muchos pilotos solían cultivar.

»Rurik sonrió.

»Las chicas adoraban a Jedi.

»Pero las mujeres amaban a Rurik.

»No obstante, Jedi era veloz e inteligente y tenía un don especial para volar. Llegaría lejos.

»—Déjame ver las montañas —gritó Jedi.

»Rurik bajó el ala derecha.

»Debajo de ellos, la llanura brillaba tenuemente por el calor estival. Pero Rurik no veía ni una sola cosa que pudiera interesarles. ¿Qué podía haber allí? El terreno era marrón y plano, después marrón y escarpado, y ascendía rápidamente hacia el cielo y brillaba tanto que... ¿Qué diablos estaba ocurriendo allá abajo?

»—Un terremoto. —Jedi levantó la voz, exaltado—. ¡Un terremoto!

»Los pedruscos comenzaron a rodar cuesta abajo. El aire se sacudió con tanta fuerza como la tierra. Y allí mismo, en el pliegue de la montaña, Rurik vio abrirse la tierra.

»No, no era la tierra la que se abría.

»Levantó el visor del casco y volvió a mirar.

»Lo que se estaba abriendo era una base: una base camuflada. Lo que estaban buscando estaba precisamente allí abajo y había quedado expuesto por un truco de la naturaleza.

»Era eso lo que los altos mandos lo habían enviado a ver. Una base enemiga de alguna clase...

»—Hijo de puta —murmuró Rurik.

»—¿Qué es, Halcón?

»—¿Tú qué crees que es? —Rurik creía saberlo. También creía que debía estar absolutamente seguro.

»—Creo que es... creo que es un campamento militar o... —Su voz sonaba estrangulada—. Tendríamos que dejar de sacudirnos y debería estar más cerca para poder ver mejor. ¿Podemos acercarnos un poco más?

»—No podemos. No queremos que esos cretinos le echen un vistazo a nuestro bebé. —Se refería al avión, el nuevo juguete de las Fuerzas Aéreas. Además, Rurik tenía otra opción. Todo dependía de que el BMN fuera capaz de poner en práctica bajo presión todo lo que había aprendido en el entrenamiento—. Yo estoy delante. Tengo un buen panorama general. Tú tomarás los mandos.

»—¿Quieres que yo tome los mandos? ¿Del Blackshadow?

»—Ahora.

»—Los tengo. —Jedi sonó firme como una roca al coger el mando de control.

»Buen chico. Rurik sabía que, mientras pilotaba la nave, Jedi debía de estar imaginando la escena: el bar, sus compañeros pilotos, el anuncio de que el Halcón le había pedido que pilotara el nuevo avión...

»—Concéntrate en volar. Mantenlo en línea recta, mantenlo a una velocidad constante.

»—De acuerdo, Halcón. Lo tengo.

»Pero Rurik decidió esperar un poco más. Observó a Jedi por el espejo retrovisor.

»El chico realmente lo tenía. Era tan bueno como había pensado.

»Respiró hondo. Por un segundo se relajó y cerró los ojos.

»Y pudo sentirlo en lo más profundo de su ser. La mutación, la sensación exultante... la sensación de superioridad.

»Hacía tanto tiempo que no se permitía cambiar de forma, que había olvidado... aquel susurro sibilante en el cerebro, aquel murmullo que le decía que él tenía el poder. Podía tomar a una mujer. Podía ayudar a un niño. Podía aplastar a un hombre.

»Era un dios.

»Entonces, como una bofetada, una voz más profunda y obstinada se adueñó de su mente.

»No era un dios. Era un demonio.

»Abrió los ojos y miró a Jedi.

»Estaba observando los indicadores.

»Rurik se concentró en el campamento militar. Acercándose cada vez más, descubriendo detalles que jamás podría haber visto con su visión normal.

»Camiones. Hombres.

»Mierda.

»Volvió a respirar hondo y agudizó todavía más su visión.

»Una base nuclear. Suficientes cabezas de misiles... ¿Cuántas? «Cuéntalas». Suficientes para hacer desaparecer del mapa a estadounidenses y a paquistaníes y, vistas desde allí, a todo el subcontinente indio... Se enfureció. Esos estúpidos y jactanciosos tiranuelos. No se daban cuenta de que podían matar al mundo entero.

»Una vez más, la vocecilla sibilante susurró en su mente.

»Él tenía el poder de acabar con ellos en aquel momento... Quería acabar con ellos en aquel momento..

»Oyó un ruido estrangulado a sus espaldas y ese ruido, más que el recuerdo de la voz firme y profunda de su padre, lo ayudó a escapar de la tentación.

»Por supuesto. Tenía una misión que cumplir. Todo ese asunto del poder absoluto sobre la vida y la muerte tendría que esperar.

»—No te asustes, Jedi. Los atrapamos a tiempo. —Iba a apretar el botón de radiotransmisión... pero quedó petrificado al escuchar el clic del seguro de la pistola de Jedi.

»Miró por el espejo retrovisor y vio sus propios ojos... el resplandor rojo en la profundidad de las pupilas dilatadas, el vestigio del Otro.

»Se encontró con la mirada de Jedi.

»Sus ojos eran humanos, tan humanos... y feroces y furiosos... y estaban llenos de miedo.

»Jedi era en primer lugar un piloto de las Fuerzas Aéreas y después un OSIA, excepcionalmente bien entrenado para afrontar cualquier circunstancia que las fuerzas armadas de su país pudieran imaginar.

»Pero los militares estadounidenses jamás habrían imaginado aquello.

»Jedi apuntó a Rurik con su pistola.

»—Coloca las manos sobre el techo, donde yo pueda verlas.

»Rurik trató de suavizar la voz, en un esfuerzo por controlar aquella situación insostenible.

»—Jedi... Jedi, tienes que pilotar el avión.

»—Es lo que estoy haciendo. Y tú haz lo que te he dicho.

»Lentamente, Rurik hizo lo que Jedi le había ordenado; puso las manos sobre el techo sin dejar de mirarlo por el espejo retrovisor.

»Las mejillas de Jedi tenían el color de una cereza aplastada.

»El problema era que el chico no tenía experiencia suficiente para apuntar con un revólver a Rurik, mantener bajo control al Blackshadow... y controlar su miedo. Un miedo que rápidamente se estaba transformando en ira.

»—¿Por qué tienes los ojos así? —preguntó con furia—. ¿Con qué te has chutado?

»Maldita fuera. Rurik le había pedido que se concentrara en pilotar el avión. Que se lo llevara el diablo por no obedecer las órdenes.

»—¿Chutado?

»—No me sorprende que seas imbatible. Te has chutado con alguna clase de... —Jedi apretó el botón del micrófono.

»Puffy —el mayor Jerry Jacobs— respondió la llamada, y eso, más que cualquier otra cosa, le indicó a Rurik que los altos mandos se tomaban muy en serio aquel vuelo y sus observaciones. Las dispensas de seguridad de Puffy eran tan altas que el solo hecho de que las tuviera era clasificado.

»—Adelante, Blackshadow.

»—El capitán Wilder está drogado —barboteó Jedi.

»Hijo de puta. Ahora sí que tenían problemas.

»—¿Tiene idea de lo que está diciendo, novato? —El mayor Jacobs sonaba completamente ofendido.

»—Ha tomado alguna droga de diseño. Sus ojos tenían un resplandor rojizo. Como si fuera el... —Jedi se interrumpió y tragó saliva—. Rojos como el fuego. Luego sus pupilas cambiaron de tamaño. Fue un cambio pronunciado.

»La voz de Jacobs adoptó un tono bajo y controlado.

»—¿Se da cuenta de la gravedad de su acusación?

»—Lo vi con toda claridad, señor. —Jedi era un hombre recto, y estaba aterrado. Conocía la gravedad de sus acusaciones y sus acciones, pero más allá de eso... Rurik le producía un terror ingobernable—. Yo tengo los mandos.

»Porque no era cuestión de drogas. Y, en algún lugar de su mente, Jedi lo sabía. Sabía que había visto cambiar de forma a una pequeña parte de Rurik. Dejar de ser hombre... para convertirse en halcón.

»Pero Jedi era un hombre moderno. No creía en los demonios. No creía que el diablo anduviera por la tierra haciendo pactos con los mortales. No creía nada de todo aquello y no quería saber.

»—¿Usted le quitó los mandos al capitán Wilder? —La voz inflexible de Jacobs exigía una respuesta... La respuesta correcta.

»Ningún piloto de las Fuerzas Aéreas tomaba los mandos por la fuerza. Jamás.

»—Yo le entregué los mandos al capitán Clark para poder concentrarme en mi tarea de reconocimiento —dijo Rurik. No tenía sentido empeorar la situación.

»—¿Y? —Jacobs esperaba que Rurik dijera algo... Que confirmara los dichos de Clark, que los negara, algo.

»—Cuando aterricemos le entregaré mi informe.

»—De acuerdo. Aterrice, Clark. —Apagó el micrófono.

»Jedi continuó pilotando el avión, pero de un modo cada vez más errático porque simultáneamente intentaba vigilar a Rurik sin dejar de apuntarlo con su pistola.

»El avión era demasiado nuevo y había demasiadas montañas acechando allá abajo para volar de ese modo.

»—No pierdas la calma. —Poco a poco, Rurik fue bajando las manos—. Solo tienes que llevarnos de regreso a la base. Tú puedes hacerlo. Puedes aterrizar. No voy a interferir.

»—Cierra la boca —dijo Jedi con ferocidad—. Cierra la boca y mantén las manos alejadas de los mandos.

»Rurik sabía que aquello no acabaría bien para el chico... ni para él. Aterrizarían y lo harían mear en un recipiente estéril. Analizarían su sangre, su hígado, su piel. Buscarían sus amígdalas, que había perdido en un hospital de Seattle veintidós años atrás.

»Todos los análisis darían buenos resultados.

»Entonces le harían toda clase de pruebas al BMN, y, cuando dieran negativo, sería castigado. Lo sacarían del entrenamiento y lo mandarían al psiquiatra. Y todo el tiempo juraría que había visto lo que había visto, y Rurik diría lo menos posible, y se formarían bandos opuestos y el malentendido sería irreparable.

»Mientras tanto, había una base nuclear hasta entonces desconocida en la tierra, controlada por un grupo de maníacos, y si Rurik no manejaba bien la situación, en cualquier momento explotaría una bomba sobre...

»Sonó la alarma de advertencia de amenaza. Había sido diseñada para llamar la atención... y cumplía su cometido con éxito. Le bastó una mirada para comprender la situación. La base nuclear los había detectado. Y había enviado un misil a buscarlos.

»—Déjame pilotar el avión. —Rurik acercó las manos a los controles.

»—¡No, señor!

»—¡Entonces deja de apuntarme con ese revólver y vuela

bien este condenado avión! —Rurik ni siquiera se daba cuenta de que estaba usando su voz de mando.

»—¡No, señor!

»—Tienes que volar. O ese hijo de puta se nos meterá por el culo. —Rurik no podía apartar la vista del misil que los perseguía.

»—¡Estoy volando! —Y sí, estaba volando, pero mal. No lo suficientemente bien para salvarles el pellejo. No estaba concentrado. No tenía la experiencia necesaria. Lo peor de todo era que tenía más miedo de Rurik que de morir.

»Jedi hizo entrar al Blackshadow en una espiral. Dio varios giros y descendió de golpe.

»Las correas de seguridad sujetaban la cabeza, los brazos y el abdomen de Rurik, y sintió que estaba a punto de desmayarse.

»El misil los estaba rastreando, y se iba acercando.

»—¡No tenemos tiempo para esto! —Rurik no tenía la menor intención de terminar sus días en una explosión. Se estiró y arrancó la pistola de las manos sudorosas del chico.

»El chico gritó.

»—¡Tengo el avión! —gritó Rurik, cogiendo los mandos.

»La infranqueable ladera de una montaña se erguía frente a sus ojos.

»El misil estaba casi encima de ellos.

»Condujo el avión hacia arriba y hacia un lado.

»No iban a lograrlo...

»Y estaban a salvo.

»El misil chocó contra la montaña y explotó.

»El techo del avión voló por el aire en ese mismo momento.

»¿Qué diablos?

»Jedi se había eyectado. Sobre territorio enemigo.

»¿Porque pensaba que estaban condenados a estrellarse contra la montaña y sufrir una horrible muerte? ¿O porque tenía tanto terror de Rurik que no podía estar en el mismo avión con él?

»Azorado, Rurik observó el descenso del paracaídas. Registró el lugar y puso rumbo a la base, decidido a regresar lo antes posible para salvar al muchacho.

»Pero era demasiado tarde.

»Demasiado tarde, maldita fuera.

17

Pero había sido demasiado tarde.

Demasiado tarde, maldita fuera.

Desde entonces, Rurik había sopesado cada opción y se había movido con la precisión del rayo. Jamás volvería a llegar demasiado tarde.

La vida y la muerte, el cielo y el infierno, dependían de él.

Ahora estaba en medio del pueblo de Toul y hacía planes metódicos para encontrar el icono.

—Haremos lo siguiente. Iremos a la sociedad histórica local y les preguntaremos todo lo que saben acerca del rey tuerto. Si no conseguimos ninguna información al respecto, intentaremos en la biblioteca; y si los bibliotecarios no pueden ayudarnos, usaremos sus ordenadores para investigar en internet.

—Mmm... —Tasya miró las calles a su alrededor, que empezaban a calentarse bajo el sol matinal—. ¿Hablas francés?

—No muy bien. ¿Por qué?

—Porque hablar con historiadores y bibliotecarios podría requerir cierta destreza lingüística.

—Si es necesario, contrataremos a un intérprete. Y es probable que debamos hacerlo, porque si no podemos encontrar ninguna evidencia del rey tuerto y del regalo que recibió, tendremos que visitar la sociedad arqueológica local. Casi siempre son aficionados, pero suelen conocer mejor que nadie el territorio que los rodea. —Rurik se frotó las manos. En realidad prefería esa segunda opción. La gente de las sociedades arqueológicas locales era su clase de gente.

—Quédate aquí. Iré al centro de visitantes. —Tasya se encaminó hacia el edificio más moderno de la modesta vía pública.

Una rápida visita al cuarto de baño, imaginó Rurik.

—Consigue un mapa —le gritó.

Tasya se dio la vuelta y asintió.

Vaya sueño infernal el que había tenido en el avión.

No, no había sido un sueño. Había sido una reconstrucción del hecho.

Cada vez que subía a un avión, los recuerdos lo abrumaban.

Ese pobre chico. Cuando Rurik recordaba que había encontrado el cuerpo de Matt Clark torturado, descuartizado, destruido... cuando recordaba que les había escrito una carta a los padres del muchacho expresando sus condolencias... se retorcía de culpa.

Había jurado no volver a volar jamás. Vuelos en aerolíneas comerciales, por supuesto que sí... No podía evitarlo, y además a nadie le gustaban los vuelos en aerolíneas comerciales. Pero el ultraligero había sido muy placentero y Rurik había experimentado cada corriente de aire en el pequeño avión como cuando el viento sostenía sus alas de halcón durante el vuelo...

Ya no. Nada de volar. Por ningún motivo.

Rurik tenía con Jedi la deuda de ser fiel a su juramento.

Mientras esperaba a Tasya, se dedicó a observar a los lugareños apresurados por llegar a sus trabajos y a los turistas que andaban sin rumbo por las pintorescas calles. Los Varinski no estaban acostumbrados al fracaso, y en cuanto vieran que su asesino no llamaba para anunciar que la misión había sido cumplida enviarían refuerzos, y rápido. Pero, por el momento, no veía señales de peligro.

Bueno, excepto por Tasya, que acababa de salir del centro de visitantes. Era peligrosa... para él y para la paz de su espíritu.

—Lo tengo. —Agitó un folleto bajo el mentón de Rurik.

—¿Qué es? —preguntó él.

—Las indicaciones para llegar a la vinatería donde se encuentra el famoso tapiz del rey tuerto.

Rurik se quedó mirándola boquiabierto.

Tasya se encogió de hombros.

—Supuse que el centro de visitantes sería un excelente punto de partida, sobre todo porque en esos lugares siempre hay alguien que habla inglés. Vamos, la vinatería está a pocas manzanas de aquí.

Rurik empezó a andar detrás de ella, a corta distancia. Tasya se abría camino entre la multitud, sonriendo a diestro y siniestro hasta que franceses y turistas por igual retrocedían y la dejaban pasar.

Rurik se había concentrado tanto en protegerla de los Varinski que había olvidado que era una viajera experimentada y que, siendo reportera gráfica, era capaz de reunir —y reuniría— toda la información que necesitaba.

La vinatería era un edificio medieval que había sido remodelado para recibir el flujo de turistas que lo visitaba cada año. Miraba al río Mosela y, en cuanto traspasaron el umbral, Rurik se sintió transportado a cinco siglos atrás. El cielorraso del fresco y penumbroso centro de ventas era bajo. Todo el lugar olía a vino fermentado y entre sus paredes retumbaban las voces de un grupo parlanchín que se aprestaba a seguir al guía hacia las bodegas.

—Allí está —dijo Tasya—. Ese es el hombre que necesitamos.

Avanzó en dirección a un anciano encorvado, que irguió la espalda con reprobación al ver su cabello blanco y negro en punta. Pero Tasya no se dejó amilanar; lo cautivó con una sonrisa radiante y le hizo varios comentarios en francés. Al final desarmó el hombre y este le devolvió la sonrisa.

Unos segundos después, aquel arrogante francés los guiaba hacia una galería larga y vacía situada en la parte de atrás del edificio. Encendió las luces, señaló la pared y regresó al centro de ventas cerrando la puerta a sus espaldas.

Rurik contempló el tapiz, que abarcaba toda la longitud de la sala y cubría la pared desde el nivel de los ojos hasta el altísimo cielorraso.

—Santo Dios. —Caminó hacia el otro extremo del grueso cordón de terciopelo que habían colocado para mantener el tapiz fuera del alcance de los turistas—. ¿Qué es?

—Es un tapiz hecho en el siglo doce para celebrar la historia de Lorena. Está escrito en latín. No se sabe mucho acerca de sus orígenes, pero se cree que fue obra de los artesanos locales. —Tasya avanzaba despacio, con las manos a la espalda, escrutando todas y cada una de las escenas representadas en el tapiz.

—¿Los empleados de la oficina de visitantes te dijeron que el rey tuerto estaba aquí? —Había escenas de batallas y coronaciones, fragmentos de textos y un confuso conjunto de acontecimientos.

—No es un rey —lo corrigió Tasya—. Su nombre es Arnulf y es un caudillo, igual que Clovus. Es probable que Clovus haya dicho que era un rey para que su derrota a manos de Arnulf no resultara tan humillante.

—Más propaganda.

—Sin duda. —Con expresión resuelta, Tasya se detenía a cada paso para examinar las figuras bordadas sobre el fondo de lino pardo—. Es más un bordado que un tapiz, pero el detalle es asombroso. Toda la historia de Alsacia y Lorena está aquí, incluyendo... —Se interrumpió—. Allí está. Arnulf el Tuerto.

Rurik avanzó hasta donde ella estaba, junto a la soga.

Los colores todavía eran intensos; las figuras estaban claramente dibujadas. Era obvio que Arnulf no le había pagado a su biógrafo, porque si bien las escenas donde participaba eran muy similares a las que retrataban a Clovus, la actitud de conquista no aparecía por ninguna parte. Arnulf estaba de pie sobre pilas de cadáveres pero, según relataba el tapiz, había tenido que sacrificar su ojo y su nobleza a cambio del poder. El tapiz lo mostraba abriéndose camino por llanos y bosques a golpes de espada e incendiándolo todo a su paso. Hasta que, un día, recibió un obsequio de un lugar lejano.

—Mira —señaló Tasya.

—Ya veo. —El obsequio era una barra de Golden Grahams gigante y rodeada por un halo.

—Ahí está —susurró Tasya.

—Mira. Arnulf acepta alegremente el tributo, pero su suerte empeora de inmediato. Resulta herido y debe guardar cama. ¿Dirías que la herida se gangrenó? —Un líquido negro manaba de la herida y los enemigos de Arnulf rodeaban su lecho en actitud de triunfo.

—Se lo tiene merecido. —Tasya sonrió—. Culpó al obsequio por su infortunio y ordenó que lo ocultaran en un convento de monjas con la esperanza de curarse.

Rurik veía muchas cosas representadas en aquel tapiz, pero no con tanto detalle.

—¿Dónde ves todo ese asunto de querer curarse?

—Está en la guía turística. —Tasya le mostró el folleto.

Sí que era astuta esa muchacha.

—Si toda la información que necesitamos figura en la guía turística, ¿puedes decirme qué diablos estamos haciendo aquí?

—La guía turística no dice dónde está el convento de monjas. —Estaba contemplando la última escena protagonizada por Arnulf el Tuerto—. Esperaba que esa información apareciera en algún lugar del... —Su voz se volvió un murmullo.

Rurik siguió su mirada hasta el pequeño retrato de Arnulf difunto, con los ojos cerrados y una lánguida flor entre las manos.

—Hay algo escrito allí. —Recurriendo a su precario latín, leyó—: «Pero era demasiado tarde para Arnulf. El...», no puedo leer bien, pero creo que se refiere al objeto sagrado...

—Entonces es un icono.

—Sí. —Rurik ya lo sabía y podría habérselo dicho antes, pero ella no le habría hecho caso—. «El objeto sagrado fue a parar a un convento de monjas en el reino de...» No reconozco ese nombre. —Se acercó más, tratando de encontrar el nombre moderno que correspondiera al antiguo—. Espera. El convento está en... Lo tengo en la punta de la lengua...

Tasya estaba inmóvil, sin poder apartar la mirada del tapiz. Con una voz tan baja que Rurik apenas pudo oírla, musitó:

—Ruyshvania. El convento está en Ruyshvania. —Se llevó una mano temblorosa a la frente—. Tengo que regresar a Ruyshvania.

18

Tasya se recompuso de inmediato, con la secreta esperanza de que Rurik no hubiera notado su brevísimo ataque de pánico frente al tapiz. En cualquier caso, él no hizo ningún comentario. En cambio, organizó rápidamente el programa de viaje a seguir.

Alquilar un coche. Ir en ese coche a Viena. Llegar a última hora de la tarde. Esperar cuatro horas la llegada del tren nocturno que los trasladaría desde Viena hasta la ciudad de Capraru en Ruyshvania. Hacer compras mientras esperaban.

Cuando Tasya por fin pudo acomodarse en el compartimiento privado del tren nocturno, era otra persona. Llevaba maquillaje, un par de vaqueros caros, botas negras y una camisa blanca abotonada hasta el cuello, y ajustada por encima de la tela con un vistoso cinturón. El conjunto, estudiadamente informal, costaba más que su cámara, y el conductor del tren había inclinado la cabeza y bajado los ojos al verlos entrar al vagón.

¿Qué otra cosa podía esperar? Estaban en Europa. Y los europeos reverenciaban la moda.

Aunque Rurik también se había comprado una camisa nueva, continuaba llevando aquel largo abrigo de cuero.

Decía que le gustaba porque le daba un aire de anonimato.

Tasya pensaba que en realidad le gustaba porque ocultaba la variedad de armas que ahora sabía que portaba.

—Voy a recorrer el tren —dijo Rurik en cuanto salieron de la estación—. ¿Necesitas algo?

—Recorrer el tren. ¿Es un eufemismo para buscar problemas?

Rurik no respondió, ni tampoco la invitó a acompañarlo. Pero Tasya ya se había cuenta de que le apetecía patrullar por su cuenta y riesgo.

—Una copa de vino no me vendría mal —dijo—. Quizá una botella.

Rurik apoyó las manos sobre la pared, a ambos lados de Tasya, y se acercó un poco más.

—La tensión te afecta después de un rato, ¿no es cierto?

¿La tensión? No era la tensión lo que la afectaba. Era el lugar al que se dirigían. No podía creerlo... bueno, por supuesto que podía creerlo. Nadie sabía mejor que ella que el destino era inexorable.

En vez de responder, Tasya apoyó la mano sobre la mejilla de Rurik y lo besó en la boca.

—Ten cuidado.

—Siempre. —Rurik le devolvió el beso, demorándose en sus labios, y luego se enderezó—. Y tú pon el cerrojo a la puerta cuando yo salga.

Eso hizo. Aprovechó el raro momento de privacidad para tomar una ducha en el diminuto baño del camarote y, con un suspiro, volvió a ponerse la misma ropa, pero esta vez prescindiendo del cinturón.

Por lo general le apetecía viajar, y hacerlo ligera de equipaje. Pero, según parecía, cada tramo de aquel trayecto implicaba un nuevo disfraz... y otra revelación. Pero ahora, lo único que quería Tasya era regresar a casa, a Estados Unidos, a su pequeño apartamento, y vegetar en el sofá con el televisor encendido, el mando en la mano, y tratar de recordar quién era.

O, mejor dicho, quién había aprendido a ser.

Cuando salió del baño, limpia y húmeda, Rurik estaba de vuelta en el camarote. La cena los esperaba en la pequeña mesa plegable cubierta con un mantel blanco, y la botella de vino ya había sido descorchada y respiraba.

Al ver a Tasya, los ojos de color whisky de Rurik ardieron como si una llama los calentara.

Ah, sí. Tenía planes. ¿Planes de atormentarla un poco más? ¿Planes de convertirla en la mujer más feliz del mundo?

¿Cómo se sentía ella al respecto?

No lo sabía. Si él fuera menos intenso... si el tren se dirigiera a algún otro destino...

Sí, si...

Con una actitud calculadamente casual, Tasya intentó alisar las arrugas que el cinturón había dejado en su camisa y preguntó:

—¿Algún problema?

—Ninguna señal de problemas. Permíteme asearme un poco y cenaremos enseguida.

—De acuerdo —dijo Tasya. Pero Rurik ya había cerrado la puerta del baño.

Cuando salió, tenía el cabello mojado y el rostro húmedo.

—No he visto a ningún Varinski en el tren.

Comenzó a abotonar su camisa nueva sobre su ancho pecho desnudo. Tasya habría querido aullar de deseo. Debía de ejercitarse a diario para tener esos pectorales esculpidos, esos... Se le erizó la piel al ver la herida de arma blanca que le atravesaba el pecho, surcando el tatuaje y levantando los bordes de la piel.

—Creo que los perdimos en... —empezó a decir Rurik.

—¿Qué te ha ocurrido? —Tasya se levantó de un salto, lo obligó a apartar las manos y le abrió la camisa. La herida se veía roja, inflamada y reciente—. Has tenido una pelea.

—No es nada.

—Un Varinski.

Rurik guardó silencio un instante y bajó la cabeza.

Tasya juntó las piezas del rompecabezas.

—En el ferry. Lo mataste.

—Sí.

—Se supone que los Varinski son indestructibles.

—Yo puedo matarlos.

—Sé que es un mito —dijo con impaciencia—, pero siempre imaginé que eran imbatibles peleando.

—Lo son. Pero, hasta el momento, yo soy mejor que ellos.

Tasya rozó la piel que rodeaba la herida con la yema de los dedos.

—Y yo soy muy buena para los primeros auxilios. ¿Quieres que...?

—Se curará.

—Es profunda. Tendrían que darte unos puntos.

—Te juro que sanará sola. Tengo un metabolismo muy rápido.

—Por lo menos dime que estás al día con el suero antitetánico.

Rurik le cogió la mano y se la llevó al corazón.

El latido firme y poderoso le calentó la palma.

Pero no podía ignorar la prueba, que ahora tenía delante de los ojos, de que Rurik estaba dispuesto a arriesgar su vida por ella.

—Primero la explosión y ahora casi te matan. No tendría que haberte arrastrado a esto.

—Siéntate. —La obligó a sentarse—. Relájate —Llenó la copa de vino tinto resplandeciente y se la dio—. Tú no me has arrastrado a nada. ¿No se te ha ocurrido pensar que los Varinski quieren destruir el icono y que por ese mismo motivo dinamitaron la excavación?

—Es verdad. —Bebió un sorbo, y la profundidad y la riqueza de la uva madura la hicieron entrar en calor—. Pero en ese caso, su misión ya estaría cumplida. ¿Por qué continúan persiguiéndonos? Tendrías que dejarme seguir sola.

—No pienso dejarte.

Al oír eso, el corazón de Tasya —su estúpido corazón— pareció querer salírsele del pecho en un rapto de placer.

—Era mi yacimiento arqueológico. Y es mi icono —agregó Rurik, retirando las tapas de los platos—. El camarero dijo que es *spaetzle* con queso... sea lo que sea eso. Huele estupendamente. —Cogió el tenedor y lo hundió en su porción.

Tasya se quedó mirándolo.

No le creía. No creía que ningún ser humano estuviera dispuesto a arriesgar la vida por lo que Rurik humorísticamente llamaba una barra de Golden Grahams.

Lo estaba haciendo por ella. Para protegerla.

Tenía que decirle la verdad.

Estaba en deuda con él, y la única manera de pagar esa deuda era decirle la verdad.

19

Tasya comió su ración. Terminó su copa de vino. Esperó a que Rurik terminara la suya.

Entonces dijo:

—Los Varinski mataron a mis padres.

Rurik oyó esas palabras... y las rechazó de plano. Era imposible. Una tragedia demasiado infernal para poder siquiera imaginarla.

Pero Tasya parecía ignorar su horror. Relataba los acontecimientos con serenidad como si el narcótico del tiempo la hubiera vuelto inmune al dolor.

—Llegaron por la noche. Mi madre me hizo levantar de la cama. Me llevó con miss Landau, mi gobernanta. Me dio un beso de despedida. Vi a mi padre coger sus armas. Él también me dio un beso, rápido, mientras le entregaba un rifle a mi madre. —Tasya respiró hondo—. Fue la última vez que los vi.

Rurik tenía tantas preguntas que hacerle... Pero primero quería sacudir los puños al cielo y bramar de furia.

Ahora comprendía, lo comprendía todo demasiado bien. Ahora sabía por qué ella era tan fuerte, tan resistente y tan admirable en todas las maneras que a ojos de Rurik eran importantes.

Ahora entendía por qué jamás podrían estar juntos.

—Los Varinski... por supuesto. Tuvieron que ser los Varinski. —Soltó una risa corta, sin el menor atisbo de humor—. Esos rufianes.

¿Qué destino atroz los había reunido? La noche en que le había hecho el amor a Tasya había sido la primera noche, después de cinco años, en que volvió a ser feliz.

—Rufianes, claro. Rufianes durante generaciones. —Tasya miró a Rurik por encima de la mesa y le espetó con sorna feroz—: Hombres que se transforman en bestias de presa. ¡Oh, por favor! He visitado Ucrania y te juro que se lo han hecho creer a todo el mundo.

—¿Has visitado Ucrania? ¿Es que te has vuelto loca? —No tendría que haber gritado. No volvería a gritar—. Si hubieran descubierto que estabas viva y que habías escapado de ellos...

—Ya lo sé. Lo sé. —Hizo un ademán desdeñoso—. Pero entonces no comprendía el peligro que corría.

—Nada habría podido salvarte. —Y él nunca la habría conocido.

—Estoy absolutamente segura de que no saben que estoy viva, o de lo contrario miss Landau no habría podido huir conmigo en primer lugar.

—Es cierto. —Se apoyó en la silla—. Tienes razón.

—En Ucrania, no importa lo que hagan los Varinski (matar, secuestrar, torturar, violar), nadie los toca. Nunca van a la cárcel. Jamás los llevan a juicio. Viven en ese complejo apartado de todo... Es el paraíso de los hombres.

—Has ido a su complejo. —Rurik cerró los ojos, tratando de no imaginar lo que a ciencia cierta sabía que podría haberle ocurrido.

—Solía ir.

—¿Cuán a menudo?

—Lo suficiente para tomar algunas fotos.

—Te detuviste a tomar fotos. —Rurik apenas podía creer la profundidad de su estupidez... o la inmensidad de su suerte.

—Soy fotógrafa. —Tasya actuaba como si aquello fuera lo más normal del mundo—. Están los coches que arreglan, todos desparramados y con los capós abiertos; y están los que han abandonado, todos cubiertos de herrumbre. El pasto crece cada verano y nadie lo corta. La casa está sin pintar. Cuando necesitan una habitación extra, simplemente le adosan un cobertizo de aspecto ridículo. ¿Y a que no sabes qué tienen junto a la verja?

—Un lugar para que las mujeres que han sido preñadas por un Varinski dejen a sus hijos varones. Tocan la campana y salen corriendo, y los Varinski llevan al bebé adentro y celebran el nacimiento de un nuevo demonio.

—Sabes mucho acerca de los Varinski.

—Sí. Bastante. —«Tú no tienes la menor idea de cuánto.»

—Entonces dime una cosa. ¿Cómo se las han ingeniado para perpetuar esta atmósfera de terror durante tanto tiempo?

—Manipulan con puño firme la imaginación local. —No podía seguir allí sentado, mirándola a los ojos. Se levantó, llamó al camarero y se puso a apilar los platos sobre la bandeja.

—Son extorsionadores. Son asesinos. Son secuestradores —La voz de Tasya destilaba una furia fría—. Son una afrenta a la civilización y ya es hora de detenerlos.

—Estoy de acuerdo contigo. Y pretendo hacer todo lo que esté en mi poder para detenerlos. —Y por más razones de las que Tasya conocía—. Pero ahora mismo no puedo hacer nada y tengo algunas preguntas. —Retiró el mantel y plegó la mesa contra la pared—. Los Varinski no matan gratis. ¿Quiénes eran tus padres? ¿Quién los quería muertos?

—¿Cómo puedo saberlo? Solo tenía cuatro años cuando aquello ocurrió. —Tasya se encogió de hombros.

—Eres periodista. Has investigado los archivos. ¿Qué dijo la policía acerca del ataque? ¿A quién le echaron la culpa?

—El informe policial incriminó a mis padres. Dijeron que fue un asesinato-suicidio y que mi padre incendió la casa antes de matarse.

—Es una versión estándar bastante popular. Los Varinski suelen abusar de ella. ¿Y tu gobernanta? ¿Dónde está ahora?

—No lo sé. Perdóname si no muestro interés por encontrar a miss Landau. —Tasya se levantó, quizá deseosa de caminar de un lado a otro. Pero se dio cuenta de que no había lugar suficiente y de inmediato volvió a sentarse—. Ella me llevó consigo. Me puso al cuidado de extraños. Y desapareció de la escena. Supongo que haber sido abandonada provoca amargura.

Golpearon a la puerta. Rurik miró por la mirilla y dejó pasar al camarero. El muchacho levantó la bandeja. Rurik le dio una propina, cerró la puerta y echó el cerrojo. Y volvió a concentrar toda su atención en Tasya.

—No fuiste abandonada. Tu gobernanta te llevó a un lugar seguro y por alguna razón —probablemente por miedo a los Varinski, pero tal vez por miedo a que fueras más fácil de rastrear si estabas con ella— te entregó al cuidado de manos extrañas. Si te hubiese dejado en la puerta de tu casa para que los Varinski te encontraran y te mataran, entonces sí tendrías sobrados motivos para estar enfadada.

—Dile a una niña de cuatro años que ha perdido a sus padres y su hogar, que ha perdido a la gobernanta que conoce de toda la vida, y a la que han puesto al cuidado de personas que regularmente alojan y atienden por lo menos a diez niños a la vez, dile a esa niña que no ha sido abandonada. Dudo que te preste atención.

—Tú ya no eres una niña. —Su insistencia en guardarle rencor preocupaba a Rurik... sobre todo porque le daba todavía más razones para odiarlo.

—Cuando necesito una motivación para hacer lo que hay que hacer...

—Es decir, cuando quieres meterte temerariamente en la refriega...

—Da igual. —Lo hizo callar con un gesto desdeñoso, como quien espanta a un ave de corral—. Cada vez que necesito superar el miedo o la furia, recuerdo a mis padres y a los Varinski y planeo mi venganza. Por eso escribí un libro que sin lugar a dudas fascinará a los lectores interesados en la religión y la leyenda, en el asesinato y la opresión. Por eso estoy dispuesta a recorrer el mundo y enfrentarme a los Varinski para obtener el icono. Si puedo llevar pruebas a la National Antiquities, hacer que verifiquen la autenticidad del icono y den fe de la leyenda Varinski, lograré captar la atención del mundo. Entonces todos los fotos apuntarán a los Varinski y los gobernantes de Sereminia se verán forzados a condenarlos.

—¿Y qué se logrará con eso?

—Los Varinski ganan millones cada año cometiendo asesinatos. Tienen un prestigio mitológico entre los criminales del mundo. Será el comienzo del fin para ellos, y yo seré la persona que apretó el gatillo. —Su sonrisa era una sinfonía de dientes blancos y satisfacción vengadora.

—Tú serás el blanco móvil. —No sabía por qué insistía tanto. Era Tasya Hunnicutt. No le prestaría atención. Ella haría lo que creyera correcto. Y cuando descubriera quién era él... quiénes eran sus padres, cuál había sido el apellido familiar antes de Wilder... Cuando se enterara de que él era un Varinski, que vivía sujeto a un pacto con el diablo cada día de su vida y que le arrebataría el icono para liberar a su padre... jamás lo perdonaría. Jamás.

Y no obstante, la amaba. Ella era su mujer, la que estaba destinada a encontrar el icono.

Rurik lo sabía, y la tragedia de su vida era que jamás podría dejar de ser quien era y lo que era.

Y quien era ella, y lo que era, jamás lo aceptaría... cuando se enterara.

Pero aún no lo sabía.

Su pensamiento debía de traslucirse en su cara, porque Tasya lo increpó:

—¿Por qué me estás mirando así?

Quizá, si hacía los movimientos correctos, si decía las palabras correctas, si le mostraba lo que sentía, ella lo recordaría luego y comprendería por qué había hecho lo que iba a hacer.

—Pronto vendrá el camarero a preparar la cama. —Rurik

se puso en pie—. Estás cansada. Adelante. Duerme un poco. Estamos llegando a una estación. Necesito algunas cosas y quiero pensar.

—De acuerdo —dijo Tasya lentamente—. ¿Te encuentras bien? Estás raro.

—Estoy bien.

—¿Estás seguro? ¿Te molesta la herida? —Apoyó la mano sobre el pecho de Rurik y la dejó allí unos segundos. Estaba preocupada por él. Confiaba en él.

La lanza de la culpa se clavó en su costado.

Tasya no confiaba en nadie, y tenía sobradas razones.

Fingió tener prisa para no decirle la verdad.

—Echa el cerrojo cuando me vaya. Tengo la llave.

Esperó junto a la puerta hasta oír cómo giraba el picaporte y se dirigió hacia el extremo del vagón. Esperó que el tren se detuviera. Bajó y compró todo lo que necesitaba en la hilera de vendedores que ofrecían vituallas y artículos varios. Escogió con sumo cuidado lo que deseaba y volvió al tren con una bolsa en la mano.

Por lo menos, cuando terminara con ella esa noche, jamás lo olvidaría.

20

Rurik estaba de pie en el vagón panorámico, mirando cómo subían los pasajeros. Cuando el tren se alejó de la estación, hizo un rápido examen de los vagones, observando disimuladamente a cada persona para asegurarse de que, una vez más, Tasya y él estaban a salvo.

Esa noche necesitaba saber que estarían a salvo.

Esa noche se concentraría en Tasya. Solo en Tasya.

Concluyó el recorrido y regresó al camarote.

Tasya estaba profundamente dormida. Yacía boca abajo sobre las mantas, completamente vestida y roncando un poco. Rurik sonrió al verla tan relajada... y echó el cerrojo a la puerta, tomando precauciones para asegurarse de que nadie —ni un enemigo mortal, ni un amigable camarero— pudiera entrar.

Tasya había dejado la cortina abierta y las luces de los pueblos que iban dejando atrás entraban por la ventana y trazaban sobre la pared efímeros reflejos rojos, azules y blancos.

Rurik cerró la cortina para que no penetrara ni un rayo de luz. Tapó con el felpudo el resplandor que entraba por debajo de la puerta. Dentro del camarote, la oscuridad era absoluta. Ningún ojo humano podía ver... nada.

Con cuidado de no despertarla, le quitó la ropa. Le frotó la espalda, los muslos y los tobillos con los aceites que había comprado. Se tomó su tiempo —era generoso en sus atenciones— y aprovechó la oportunidad para acariciar cada parte de su cuerpo, para aprendérselo como Tasya jamás se lo permitiría de estar despierta. Le frotó los lóbulos de las orejas, las plantas de los pies, los huesos de las manos. Masajeó sus pechos, sondeó su ombligo, abrió sus piernas y exploró los pliegues de su sexo, excitándola levemente pero sin buscar respuesta.

Una respuesta que pediría más tarde.

Tasya seguía dormida, pero gimoteaba y se desperezaba como un bebé en manos de alguien en quien confiaba.

—Sí —le susurró Rurik al oído, apartándole el cabello de la cara—. Duerme.

Se quitó la ropa y subió a la cama. El aroma a madera de sándalo y azahar que emanaba de su cuerpo inerte provocó sus sentidos... y los de Tasya. O quizá fueron sus manos, que masajeaban sus músculos, las que la hicieron despertar. La oyó contener el aliento al darse de cuenta de que estaba en la oscuridad, acostada boca abajo, y que había un hombre encima de ella.

—Shhh —dijo—. Soy Rurik.

Tasya intentó incoporarse.

Rurik se lo impidió apoyando todo el peso de su cuerpo sobre sus muslos. Deslizó las manos por sus caderas, su cintura y sus brazos y luego la aferró por las muñecas, que levantó por encima de su cabeza.

—Sabías que no me quedaría esperando eternamente.

—¡No!

—Confía en mí —murmuró Rurik. Con una larga y lenta ondulación se colocó encima de ella y le apretó las piernas entre sus rodillas. Luego, muy lentamente, apoyó el pecho sobre su espalda y deslizó el pene entre sus glúteos.

Tasya luchaba para desasirse. Decía «No...», pero su voz era apenas un susurro.

Rurik frotó su cuerpo contra el de Tasya, aprovechando los aceites para atenuar la fricción, deleitándose en el roce de las pieles. Aquel cuerpo había sido creado para contenerlo, para complacerlo. Deslizó la polla entre sus piernas buscando los pliegues sedosos, la piel ardiente, la gloria dentro de ella.

—No. —Era más un jadeo que una palabra.

—¿Sabes lo que siento cuando estoy dentro de ti? —Usaba la polla como los cuernos de un carnero, embistiendo contra las vallas de su cuerpo. Y el aceite lo ayudaba a abrirlas. Solo un poco. Solo lo suficiente para casi penetrar en ella.

Luego se deslizó un poco más abajo y rozó con su parte más sensible la parte más sensible de ella.

Tasya contuvo la respiración.

Rurik murmuró algo ininteligible.

—No puedes hacer esto. —Volvía la cabeza de un lado a otro, intentando levantarse de la cama.

Aunque Rurik no tenía ninguna intención de lastimarla, gozaba dominándola. Tenía que dejar algo en claro.

—Confía en mí. —El olor de Tasya era más rotundo en la nuca. Rurik lo respiró y besó la piel tierna—. Amo tu sabor. ¿Sabes que desde aquella noche en que hicimos el amor lo único que necesito es detenerme cerca de ti para volver a saborearte?

—No puedes.

Rurik aferró las muñecas de Tasya con una mano, y deslizó la otra entre sus costillas y el colchón para acariciarle un seno.

—Antes, cuando te frotaba el pezón con aceite, gemías dormida.

—Imagino que sí. —Sonaba altanera: más Tasya, menos vulnerable.

Pero su pezón se había erguido en la palma de Rurik. Tasya podía no querer desear todo aquello: la oscuridad, o él. Pero su cuerpo revelaba a las claras su miedo y su deseo.

—Maldito seas. ¡Vete! —Intentó darse vuelta.

Suavemente, Rurik pellizcó el pequeño pezón. Una vez. Otra. Y otra. Aquel ritmo lento y constante enloquecería sus sentidos.

La resistencia de Tasya y ese ritmo inexorable obraron su magia. Tasya jadeaba y se le había formado una capa de sudor sobre la piel. Los olores de su cuerpo eran cada vez más fuertes y se mezclaban con los perfumes reinantes. Sus movimientos le daban la medida de su fuerza y de su debilidad, la promesa de su feminidad.

Y él podía verla.

La oscuridad no era sombría para Rurik.

Veía la mezcla de furia y miedo en su rostro, el despertar de la pasión, la fuerza que hacía para contenerse.

Sí. Estaba haciendo las cosas bien. Porque ella no desaprovecharía la oportunidad.

Con un movimiento rápido, la soltó un momento para ponerse el condón.

Pero Tasya no titubeó y arremetió en busca de su libertad.

Rurik la atrapó, volvió a ponerla como y donde quería, y retomó su estrategia. La acariciaba, la besaba, la olfateaba, la excitaba...

Esta vez Tasya cedió más fácilmente, olvidando por largos segundos la oscuridad y su rebelión. Cada vez que Rurik tocaba un lugar nuevo y la llevaba hacia un nuevo placer, Tasya reemprendía la lucha. Pero su resistencia era cada vez menor, hasta que por fin se rindió y se relajó sobre el colchón a esperar la próxima caricia.

Nuevamente la hizo juntar las piernas y deslizó la polla entre sus muslos y un poco más arriba, hasta encontrar la entrada a su cuerpo.

—Cuando estoy aquí, cuando tu cuerpo comienza a entregarse, el placer está solo en la punta... Y no obstante es tan fuerte y concentrado que quiero aullar. Entonces empujo un poco —dicho y hecho— y tú me aceptas, me recibes, me absorbes prometiendo el paraíso.

—Por favor. Está oscuro.

—Y tú le tienes miedo a la oscuridad.

—No, no tengo miedo. Yo no le tengo miedo a nada.

Le besó la oreja, le mordió el lóbulo y saboreó su piel.

—Estoy a medio camino, estoy entrando, y te aflojas. Me das la bienvenida.

—Eso no es la bienvenida.

—¿Ah, no? Permíteme convencerte. —Deslizó una mano

bien aceitada bajo su cuerpo, por el vientre y entre las piernas. En uno de los dedos había colocado un vibrador diminuto. Lo encendió y la llevó a un éxtasis instantáneo e involuntario... mientras la penetraba de golpe y hasta el fondo.

Tasya se retorcía debajo de él. Se agitaba desesperada. Clavaba las uñas en las sábanas.

Dentro de ella, su clímax lo atrapaba, envolviéndolo.

—Cuando... cuando estoy dentro de ti tanto como puedo estarlo, sigues siendo tan estrecha. —Tendría que haberle abierto las piernas... ese éxtasis era demasiado doloroso—. Tan estrecha y tan ardiente... Dentro, eres tan caliente... y los pliegues de tu sexo me estrujan, me suplican que me corra. Que te llene... —Estaba perdiendo la habilidad de formar palabras. Sus espasmos lo transportaban al paraíso con ella, pero la bestia primitiva que acechaba en su interior pugnaba por salir. Rurik embestía más rápido, cada vez más rápido, desesperado por liberarse, decidido a reclamarla, a mostrarle qué clase de hombre era y a hacerle saber que era suya.

El orgasmo compartido llegó a un *crescendo* y luego, poco a poco, se desvaneció.

Rurik apagó el vibrador, lo dejó caer al suelo y escuchó a Tasya sollozar al correrse por última vez.

Estaba exhausta. Podía sentirlo en el temblor de sus músculos, en su manera de abandonarse, aquiescente, bajo su cuerpo.

Bien. Gracias a eso, el resto de la noche sería más fácil.

Se levantó, hizo que se diera vuelta, se inclinó entre sus piernas y la besó... allí.

Tasya jadeaba y trataba de liberarse.

Rurik apoyó una mano sobre su vientre.

—Quiero que olvides la oscuridad. Quiero que olvides hacia dónde vamos. Quiero que olvides quién eres. Solo quiero que sepas qué es el placer... y quién te está dando ese placer. —La saboreó, y fue una larga y lenta degustación de los sabores de la mujer excitada y del hombre satisfecho.

Tasya no podía creer que Rurik quisiera continuar como si

jamás se hubiera corrido. Como si no la hubiera poseído y forzado a un orgasmo tras otro hasta que sus piernas temblaron.

—No puedes... no puedes follarme otra vez. No tan pronto.

Sin decir palabra, Rurik subió encima de ella. Cogiéndole la mano, la hizo empuñar su pene erecto.

Por imposible que fuera, estaba tan cachondo y tan duro como la primera vez.

Aquella primera noche había sido igual. Era un hombre de apetitos incontenibles, fuertemente encadenados.

Pero esa noche dejaría que sus apetitos rompieran las cadenas. Era un animal, extraño a la civilización... y la convertía, también a ella, en un animal.

Le puso un pequeño paquete envuelto en nailon en la mano y dijo:

—Pónmelo.

—¡No lo haré!

No podía verlo. No podía ver nada, solo una negrura tan completa que empujaba contra sus globos oculares y amenazaba con quebrar su voluntad. Pero podía olerlo cuando se acercaba a su oído. Y cuando él hablaba, sentía su aliento en el cuello.

—Me gustaría sembrar en ti, Tasya. Quiero verte con un hijo mío en el vientre, y saber que das de mamar de tu pecho. Si pudiera, te haría una docena de hijos y mi placer aumentaría cien veces si te llenara con mi semen una y otra vez... y otra vez más todavía. Eres tú quien decide, Tasya Hunnicutt. ¿Con o sin condón?

Temía la oscuridad tanto como siempre... pero Rurik hacía que se olvidara de todo... excepto de él, y de la furia y el placer que despertaba en ella.

Sus manos temblaron al desgarrar el envoltorio. Cogió el pequeño rollo de látex, lo deslizó sobre la punta del pene y lo fue desenrrollando hasta la base.

Rurik no se movió. Estaba tan quieto que parecía una estatua.

Cuando terminó de colocarle el condón, aún lo tenía en sus manos. Pensó en las numerosas tácticas de defensa propia que conocía. Ya las había usado antes, y sin vacilar... Una mujer que iba sola por el mundo muchas veces se encontraba en situaciones peligrosas.

Pero ese era Rurik. No había dudado de su relato sobre el asesinato de sus padres y la había acompañado en cada paso del viaje.

Sin prisa y sin pausa, le acarició el muslo.

Sentía que él la había visto ceder y rendirse. Estaba segura de que Rurik sabía que había ganado.

Rurik deslizó sus brazos por la espalda de Tasya y la alzó.

Tasya protestó, sabiendo lo que estaba a punto de ocurrir.

—Confía en mí —murmuró mientras la penetraba—. Confía en mí ahora. Confía en mí para siempre.

Cuando por fin Rurik levantó la cortina, la mañana estaba bien avanzada y Tasya recordaba vagamente cómo era no tenerlo dentro de ella. Había besado sus labios, penetrándola con la lengua. La había poseído con la boca, con el pene, con los dedos. Se había arrodillado junto a la cama, sosteniéndola sobre sus rodillas, y la había penetrado. La había follado tantas veces... Y cada vez era fuerte y pleno, más portentoso que cualquier hombre que hubiera imaginado... Incansable, decidido, un hombre con una misión.

«Confía en mí.»

Lo había dicho y repetido hasta el cansancio.

¿Confiar en él? Tasya tenía la política de no confiar jamás en nadie, y su política la había mantenido en buena forma.

Entonces ¿por qué sentía la tentación de tirar por la borda toda una vida de duro aprendizaje? ¿Por qué le parecía que, por fin, podría sumergirse hasta el fondo de su alma y regresar a la superficie con emociones que creía desterradas para siempre de su ser?

Amor y confianza... qué brillantes y radiantes parecían esas emociones aquella mañana.

Se sentó despacio, apartándose el cabello de la frente. Miró a Rurik, estirado junto a ella, todavía desnudo, todavía mirándola como si jamás pudiera dejar de desearla.

No sabía qué responder, qué decir, cómo ser esa mujer que Rurik adoraba.

Miró por la ventana.

Habían llegado a Ruyshvania.

Reconoció las montañas escarpadas, moteadas de pedruscos, sombrías.

Reconoció los valles atravesados por ríos torrentosos y, de trecho en trecho, algún caserío de agricultores.

Reconoció las ruinas de los castillos medievales y los dólmenes de la Edad de Bronce que coronaban las cimas.

Reconocía ese lugar porque, por primera vez en veinticinco años, estaba en casa.

En su casa.

Miró hacia abajo y también reconoció a Rurik. Lo reconoció de los días de viaje, de la noche que había pasado entrelazada con él mientras el tren rodaba por las vías. Santo Dios, jamás podría olvidarlo ahora, aunque casi deseaba poder hacerlo.

Si solamente... si solamente Rurik no pareciera estar dispuesto a arriesgar su vida por ella y por su misión.

Estaba empezando a cobrar las dimensiones de un héroe.

Rurik la estaba mirando, con los ojos encendidos por alguna emoción intensa... Esa clase de emoción que la hacía sentir demasiado incómoda.

Rurik le cogió la cara entre sus manos y la besó suavemente en los labios.

—Confía en mí, Tasya —volvió a decir—. Confía en mí para siempre. Jamás te haré daño. Nunca te traicionaré. Lo juro por el alma inmortal de mi padre. Confía en mí.

21

—Y después hablan de lugares muy pintorescos. —Acababan de salir de la antigua estación de tren y Rurik estaba mirando a su alrededor.

El tiempo había dejado atrás Capraru. Los desmoronados restos de sus muros medievales todavía serpenteaban en distintos sectores de la ciudad. No muy lejos de allí, una rotunda torre de reloj dominaba, sombría, la plaza. Volutas de estilo bávaro decoraban los edificios de dos y tres plantas, y toscos adoquines cubrían las calles angostas. Había pocos coches, pero era un lujo ver tantos modelos bien conservados de los sesenta, los setenta y los ochenta abriéndose paso entre los peatones que atestaban las calles.

—Ruyshvania vivió bajo la hoz y el martillo hasta la caída de la Unión Soviética. Entonces el líder títere, Czajkowski, tomó el poder y lo mantuvo hasta nueve años atrás. Después de un cruel gobierno, fue depuesto y ejecutado, y desde entonces el pueblo ha luchado por entrar en el siglo veintiuno. En última instancia, el arcaísmo ha resultado propicio: a los estadounidenses les gustan las calles limpias y la hospitalidad pasada de moda, y el turismo funciona bien. —Tasya parecía una guía turística, tranquila y bien informada, y su rostro no podía ser más inexpresivo.

Eso no dejaba de sorprender a Rurik. En cada parada del tren, Tasya había mostrado entusiasmo por todo lo que los rodeaba, independientemente de las numerosas veces que había estado allí.

Era probable que la tensión por buscar el icono y el temor a fracasar la estuvieran afectando. O quizá, después de la noche pasada, se sentía rara intentando imaginar qué era lo que Rurik quería.

Y él se lo había dicho tantas, tantas veces... «Confía en mí».

—Veamos si podemos encontrar a alguien que nos lleve hasta el convento. —Rurik apoyó una mano en el nacimiento de su cintura.

Tasya ajustó las correas de su mochila, moviendo los hombros como si no lograra encontrar una posición cómoda.

Bien. Tal vez la noche pasada la había dejado exhausta... le había dejado dolorido cada tendón y cada músculo. Quizá, cada vez que se moviera y sus huesos protestaran, pensaría en él y en la dedicación con que había buscado darle placer. «Confía en mí.»

—Déjame llevar esa mochila. —Extendió la mano para cogerla.

Pero Tasya se apartó de un brinco.

—No, quiero llevarla yo misma.

Y tal vez le había salido el tiro por la culata. La noche anterior Tasya se había aferrado a él, se había rendido a él, le había permitido poseerla más allá del miedo, en un arrebato de loca pasión. Quizá su irritante y compulsiva independencia la hacía entrar en pánico... Pero en realidad no tenía importancia. Tasya no podía escapar. Antes tenía que encontrar un icono.

—Me agrada el aspecto de las personas. Me gusta cómo se comportan. —Casi todos los que andaban por la calle tenían el cabello negro y los rasgos fuertes y se movían con resolución, como si tuvieran sus destinos en sus propias manos—. Me recuerdan a mi madre.

Tasya contuvo el aliento, como si aquella declaración la hubiera sorprendido.

—También a mí me recuerdan a mi madre.

¿Su madre? ¿Tasya estaba hablando de su madre? Quizá había empezado a confiar en él, después de todo.

Rurik prestó atención al dialecto. Sonaba similar al ruso que le habían enseñado sus padres, bastante parecido al portugués y al español... No podía entenderlo del todo, por mucho que se esforzara.

—¿Conoces el idioma?

—¡No! ¿Por qué habría de conocerlo?

—No lo sé. Te he oído hablar francés...

—¡Pésimamente!

—... alemán y japonés con los turistas...

—Pero eso no quiere decir que conozca todos los idiomas que existen. ¿Vale? Soy solo una reportera gráfica, no la Torre de Babel.

—¡Está bien! Pensé que podrías conocer una o dos palabras de ruyshvaniano. —Demonios, sí que era arisca y beligerante. Cuando su madre y su hermana se ponían de aquel modo, Rurik y su hermano sabían que no había que azuzarlas... por nada del mundo. El SPM no era asunto de broma... Bah, excepto cuando Rurik y sus hermanos decían que era la sigla secreta de Salgo Para Mejor y lo usaban como excusa para irse a las montañas. Allí acampaban y pescaban y sentían lástima del padre encerrado en la casa con dos mujeres locas de remate.

Pero Rurik no podía escapar de Tasya. Si la dejaba sola, no estaría a salvo y además... no deseaba hacerlo.

Tal vez por eso su padre se quedaba en casa en vez de salir a divertirse con los hijos varones. Más allá del estado de ánimo de su esposa, Konstantine siempre quería estar disponible para Zorana.

No era para sorprenderse, entonces, que el saber popular dijera que el amor es tres partes de gloria y una parte de sufrimiento.

—¿Quieres que probemos en el centro de visitantes? —se burló Rurik.

Tasya se relajó un poco y sonrió. Apenas, pero sonrió.

Rurik encontró a un policía que hablaba inglés, y este les recomendó ir al hotel frente a la plaza.

Cuando empezaron a andar, Tasya miró por encima del hombro.

Rurik la imitó.

El policía los estaba observando. La estaba observando a ella.

Tasya volvió a mirar al frente. Parecía... incómoda.

—Está bien —dijo Rurik—. Eres una chica bonita. Los hombres se quedan embobados contigo todo el tiempo. ¿No te has dado cuenta?

—Tienes razón, soy una chica bonita. —Aferró las correas de su mochila—. Este lugar es siniestro, eso es todo.

Rurik miró a su alrededor.

—Veinte mil habitantes, bonito y limpio, con montones de restaurantes para elegir. ¿Qué tiene de siniestro?

—Nada.

Rurik la miró, enarcando las cejas.

—En serio. ¡Nada!

Sostuvo la puerta del hotel para que Tasya pasara y entró después de ella. Era un lugar amable. Pequeño, limpio. Había una mujer detrás del mostrador.

Tendría la misma edad que su madre y le sonrió como sonríen las mujeres cuando ven a un hombre que les gusta.

Bravo. Darle caza a Tasya había sido tan difícil —y luego ella había escapado con tanta decisión— que la genuina admiración de aquella mujer fue un bálsamo para su ego herido.

—Te estás pavoneando —dijo Tasya por lo bajo.

—Y lo hago muy bien. —Miró la placa con el nombre de la mujer, se acodó sobre el mostrador y, dedicándole su sonrisa más encantadora, preguntó—: Bela, ¿puedo contratar a un guía aquí?

—Pues habéis venido al lugar indicado. —Bela cogió un formulario, lo colocó sobre una tablilla y preparó su lápiz—. ¿Os apetece ir a algún lugar en especial o bien os gustaría hacer un recorrido por nuestra hermosa campiña?

—Queremos ir al convento de Santa María —dijo Rurik.

El lápiz rasgó el papel.

—¿Al convento? Oh, pero si allí no hay nada. Para empezar, no era un convento rico, y Czajkowski lo despojó de todo lo que había de valor. La campiña de los alrededores tampoco es demasiado atractiva. Las reliquias han desaparecido hace mucho tiempo, al igual que los objetos sagrados más bellos. ¿Puedo convenceros de ir a Horvat?

—No —insistió Rurik—. Queremos ir al convento.

La sonrisa de Bela se esfumó. Bajó el lápiz y se apoyó sobre el mostrador.

—No puedo conseguiros a un guía para ir allí.

—¿Por qué no? —quiso saber Rurik.

Bela salió de detrás del mostrador y los condujo hasta la ventana.

—¿Veis aquel cerro?

A Rurik le parecía más bien una montaña que dominaba la ciudad, escarpada y tapizada de bosques que ascendían hacia el sol, acariciando las nubes bajas que pasaban en suaves remolinos.

—La gente dice que ese cerro trae mala suerte. No lo digo yo, por supuesto; lo dice la gente. Dicen que hay fantasmas. Dicen que no es lugar para estar de noche, y dado que el camino está en pésimas condiciones, es prácticamente imposible ir y volver en un mismo día. El convento está en esa montaña. El convento y... —Bela tuvo un escalofrío—. Esa montaña no es un buen lugar.

—Tenemos que llegar allí. —Aparentemente, Tasya no podía soportar seguir callada.

Bela pareció advertir su presencia por primera vez.

Entrecerrando los ojos, la midió de arriba abajo y asintió como si, por primera vez, comprendiera la decisión de ambos.

—Por supuesto. Todas esas historias no son más que supersticiones, pero estamos en Ruyshvania. La superstición es algo difícil de superar en estas tierras. Espero que sepas comprenderlo.

—Sí —dijo Tasya—. Sí, lo comprendo.

—¿Me permitís sugeriros alquilar un coche y conseguir un buen mapa? —Bela se ocupaba de orientar a los turistas, pero cumplía también las funciones de agente de viajes y alquiler de vehículos. Sacó otro formulario, diferente, lo colocó sobre la misma tablilla y se lo pasó a Rurik—. Todavía queda una monja viva, pero he oído decir que está un poco chiflada.

—¿Una monja?

—La hermana María Helvig. —Bela sacudió la cabeza—. Rehúsa a bajar y vivir en la ciudad. Pues claro, si ha vivido allá arriba desde que tenía dieciocho años y ha visto morir a todas las hermanas... Bah, las ha visto morir o ser... Bueno, el caso es que están muertas y ella está más sola que un hongo allí arriba.

—Eso es más que suficiente para volver loco a cualquiera —admitió Rurik

—Es inofensiva —les aseguró Bela—. Y la montaña también es inofensiva, de eso estoy segura.

Cuando Rurik le entregó el formulario completo, Bela sonrió con una ancha sonrisa que dejó vislumbrar el brillo de un diente de oro.

—Por lo menos —agregó Bela como al pasar—, nada te lastimará a ti allá arriba.

Lo más raro de todo fue que solo le había hablado a Tasya.

22

Una hora más tarde, el coche que habían alquilado Tasya y Rurik ascendía por una cuesta escarpada y sinuosa. Cada vez que miraba por el espejo retrovisor, Rurik veía aparecer y desaparecer la antigua Capraru detrás de las curvas.

El embrague estaba flojo, la caja de cinco velocidades se trababa cada vez que introducía un cambio, y el asiento del conductor estaba en el lado equivocado. Pero Rurik había conducido en caminos de montaña toda su vida y este no tenía sorpresas para él.

Entonces ¿por qué diablos Tasya daba un respingo cada vez que tomaban una curva? ¿La habría asustado su manera de conducir durante el trayecto de Alemania a Viena? Se había comportado como un loco al volante, pero a bordo de un Mercedes, en una carretera que no era ni más ni menos que la autopista, y ni siquiera había pinchado un neumático.

Tenía dos alternativas: regañarla —como hacía su padre cuando su madre se aferraba al tablero— o distraerla.

—Parece que Ruyshvania —dijo— se ha recuperado bien de la dictadura.

—Sí. —A Tasya le rechinaron los dientes cuando el coche no pudo esquivar un bache.

—Lo siento —dijo Rurik—. Bela tenía razón. El camino es un desastre. Pero Capraru es una ciudad próspera... bien podrían arreglarlo.

—¿Para qué van a arreglar el camino si tienen miedo de subir aquí?

Tomaron una curva y se toparon con una bifurcación. Uno de los caminos, el de la derecha, estaba asfaltado. El otro era de tierra. Los dos parecían difíciles y poco transitados.

Rurik dirigió el coche hacia el camino que estaba asfaltado.

Pero Tasya lo interrumpió diciendo:

—Toma el camino de la izquierda.

Rurik no frenó, pero el coche parecía gatear de tan lento como avanzaba.

—Bela dijo...

—Hacia la izquierda.

—El otro camino está asfaltado.

—Estoy mirando el mapa. Es el camino más corto.

Rurik volvió la cabeza para mirarla.

Era evidente que Tasya habría querido estar en cualquier parte, menos allí. ¿Acaso porque él le había puesto los pelos de punta la noche pasada con sus promesas de lealtad y sus peticiones de confianza?

¿O acaso percibía algo en el lugar? ¿Una malevolencia similar al frío de muerte que había sentido en la tumba de Clovus?

—De acuerdo, lo haremos a tu manera. —Rurik deslizó la mano sobre la rodilla de Tasya.

Ella titubeó un momento y luego apoyó su mano sobre la de Rurik.

—Sí. Por favor. Hagámoslo a mi manera.

Tal vez estuviera empezando a ablandarse, después de todo. Rurik accionó el cambio de marchas y tomó el camino de la izquierda.

Para su sorpresa, Tasya tenía razón. Recorrieron unos quince kilómetros de camino en mal estado, tomaron una curva... y entraron por las puertas del convento de Santa María.

Aparcó el coche y bajaron. El convento era antiguo y hermoso, y tendría que haber atrapado por completo su atención.

¡Pero qué vista! Rurik había pasado casi toda su vida en las Cascades, en Washington. En el transcurso de sus viajes como piloto y arqueólogo había quedado absorto y maravillado ante más de un panorama de los que quitaban el aliento.

Pero las montañas de Ruyshvania se percibían... antiquísimas. En los picos alternaban la luz y la sombra. Esas montañas hablaban, en un murmullo casi inaudible, de traición y devoción. Y allá a lo lejos... otra montaña arañaba el cielo, y otra, y otra más, hasta que el pálido azul se esfumaba en la línea del horizonte.

Cuando por fin pudo apartar la mirada de aquel paisaje portentoso, vio los mismos contrastes entre suavidad y dureza en la montaña donde se encontraban. Tempestuosos salientes de piedra asomaban entre los pastos ondulantes color esmeralda. Aquí y allá, los riscos dividían los bosques de coníferas en mitades. Tupidas malezas cubrían de un plácido verde la escarpada montaña, pero debajo del verde se dejaban entrever las ramas duras y las largas espinas que repelían a los invasores.

Rurik se dio la vuelta y miró el convento.

Los muros habían sido construidos piedra por piedra, y los artesanos habían agregado filigranas y gárgolas. En lo más alto del claustro, las cruces parecían sondear el cielo azul claro. La capilla era antigua, la construcción más vieja y más pequeña en las inmediaciones, con ventanucos de coloridos vitrales y una hermosa puerta tallada con imágenes de santos. Si la montaña era primitiva, el convento exhalaba santidad.

Ese lugar tenía contradicciones y escondía secretos. Rurik no abrigaba duda alguna al respecto.

Una mujer menuda, vestida de negro y blanco, salió del claustro.

La hermana María Helvig.

Un par de gafas gruesas como el culo de una botella aumentaban sus desvaídos ojos azules enmarcados por escasas y rubias pestañas. Una pulcra toca envolvía su mentón cuadrado, cuya piel, surcada de finas arrugas, colgaba floja sobre el borde rígido. Una sonrisa iluminó su cara al verlos, y avanzó presurosa en dirección a Tasya con las manos extendidas.

Tasya se apartó, con un movimiento tan rápido que solo Rurik pudo advertir su rechazo. Pero luego sonrió y aceptó la bienvenida de la monja.

La hermana María Helvig estrechó las manos de Tasya, las besó con entusiasmo y, en un inglés de fuerte acento extranjero, dijo:

—¡Os estaba esperando!

Rurik estaba inmóvil, de brazos cruzados, mirando a la monja. La hermana María Helvig fue hacia él con los brazos extendidos... pero Rurik se llevó las manos a la espalda y se limitó a saludarla con una cortés reverencia.

—Es un honor conocerla, hermana.

La hermana María Helvig se detuvo en seco.

—Por supuesto. —Sonrió—. ¡Tendría que haberte reconocido! Él me habló de ti.

—¿Quién le habló de mí? —preguntó Rurik sin rodeos.

La hermana María Helvig señaló el cielo.

—Él —murmuró.

La cara de Rurik se suavizó. Sonrió y, como un niño de parvulario en una escuela católica, se miró las puntas de los pies.

—¿Y acaso Él le dijo cómo acabaría todo esto?

—No lo sabe. Pero espera que tomes las decisiones correctas.

Rurik levantó la vista. Ya no sonreía.

—Yo también lo espero.

La hermana María Helvig trazó una cruz en el aire, sobre la cabeza de Rurik.

—Me siento tan sola aquí desde que han fallecido las otras hermanas. Me alegra tanto que hayáis venido a visitarme... ¿Tenéis la llave?

Tasya miró azorada a la hermana.

—¿Si tenemos la llave? ¿La llave de qué?

—Lo siento. —La hermana parecía confundida—. Dijeron que alguien vendría a buscar el icono.

Al unísono, Rurik y Tasya se pusieron rígidos y la miraron.

—¿El icono? ¿Usted sabe dónde está el icono?

—No, pero está aquí. Eso dice la leyenda.

—¿Qué leyenda?

La hermana María Helvig escondió sus manos en las mangas del hábito monjil.

—Hace casi mil años, un gran rey del oeste recibió un tributo de un caudillo al que había conquistado. El obsequio otorgaba poder a su portador... O eso decía, al menos, aquel guerrero. Pero el caudillo odiaba al rey que lo había conquistado y el obsequio fue en realidad una trampa cruel. Porque era un objeto sagrado, una pintura de la Virgen y su hijo. Y si el hombre que poseía el icono no tenía el bien en su corazón, la mala suerte lo perseguiría allí adonde fuera.

El corazón de Rurik comenzó a latir desbocado al escuchar aquel relato. Estaban donde debían estar. Ya no tenía dudas.

—El caudillo enfermó y murió —prosiguió la hermana María Helvig—, riendo a carcajadas de la trampa que le había tendido al monarca que lo había derrotado. Y muy pronto el poder del rey comenzó a menguar. Estaba indefenso contra sus enemigos... y no tenía amigos. Envió el icono aquí, para que lo guardáramos. Y aquí lo hemos tenido desde entonces.

—¿Qué aspecto tiene? —preguntó Rurik.

—No lo sé. Jamás lo he visto. —La monja sonrió con dulzura.

—¿Dónde lo tienen guardado? —preguntó Tasya.

—No lo sé. Nadie lo sabe.

—Entonces ¿usted no sabe si tiene el icono? —Rurik intentaba disimular su frustración bajo una capa de lógica.

La hermana María Helvig sonrió. La suya era una sonrisa ligera tintineante, y no coincidía en nada con su complexión rolliza.

—Por supuesto que lo tenemos. ¿No es cierto, hermanas?

—La monja volvió la cabeza y clavó los ojos en la puerta de la iglesia.

Rurik también se dio la vuelta, esperando ver a... alguien. A más de una persona. No a nadie. No el aire vacío.

La hermana María Helvig asintió, como si las hermanas invisibles estuvieran de acuerdo con ella.

—¿Dónde más podría estar? Este es el lugar más sagrado de Ruyshvania, quizá de todo el imperio.

—¿Imperio? —Rurik se frotó la frente.

—Creo que alude al Sacro Imperio Romano —dijo Tasya.

—Por supuesto. Por favor, acompañadme, que quiero mostraros algo. —La hermana María Helvig parecía vieja, pero tenía el andar de una mujer mucho más joven... y cuesta arriba.

Rurik y Tasya se apresuraron a seguirla por el angosto sendero. Atravesaron un tupido bosquecillo y, cuando por fin salieron a la luz del sol, estaban frente a un acantilado que se erguía sobre ellos y se hundía a sus espaldas cortando la montaña en dos... o quizá uniendo dos picos en uno.

Con una despreocupación digna de encomio, la hermana María Helvig comenzó a avanzar por la estrecha vereda del acantilado.

Tasya se detuvo ante el precipicio. Espió por encima del borde. Una caída de unos tres mil metros sobre piedras dentadas, filosas. Retrocedió espantada.

—Rurik, no tengo miedo a las alturas. Me encanta volar. Tú lo sabes.

Rurik sonrió al ver su espalda rígida.

—Claro que lo sé.

—Soy capaz de llegar a cualquier parte con mi ultraligero. —Señaló hacia arriba y luego hacia abajo—. Pero un paso en falso en ese acantilado y, en vez de volar... me precipitaré abajo.

—Tienes razón.

—Pero ¿qué se supone que debo hacer si una monja anciana recoge su falda y avanza decidida? ¿Decirle que tengo miedo?

—Es una mujer muy dulce. Estoy seguro de que comprenderá. —Rurik no necesitaba esperar para saber qué haría Tasya. Y eso fue, precisamente, lo que hizo.

—No seas estúpido —dijo. Y acto seguido, dio el primer paso sobre el acantilado.

Rurik la siguió.

—No puedo evitarlo. Está en mi naturaleza. Eso dice mi madre.

El sendero parecía haber sido abierto por el dedo de Dios entre las rocas, y, a lo lejos y hacía tiempo, había sido plano y recto. Años de heladas y deshielos, de lluvias copiosas y montones de nieve lo habían desgastado como una cinta vieja. La roca se desmoronaba bajo sus pies y de vez en cuando un barranco cortaba el camino por completo y tenían que saltar al siguiente nivel.

La hermana María Helvig avanzaba a saltos delante de ellos. Como una cabra montañesa, iba trepando de peñasco en peñasco y los llamaba.

—¡Daos prisa! Si sois tan lentos, nos quedaremos allí varados cuando anochezca.

—¿Allí dónde? —preguntó Rurik.

Tasya no respondió. Se limitó a cruzar de un salto el siguiente abismo... y quedó petrificada cuando una capa de rocas se desmoronó cuesta abajo tras su salto. Apoyó la espalda contra el acantilado y miró a Rurik.

—¿Podrás lograrlo?

Rurik pegó un salto y aterrizó junto a ella.

—No te preocupes por mí. Si tengo que hacerlo, puedo volar. —Se apoyó contra ella, contra su cuerpo, y la besó—. No tengas miedo —susurró—. Después de todo lo que hemos pasado, no creo que nuestro destino sea caer de cabeza y morir.

Tasya aferró a Rurik por la camisa y lo miró con sus cálidos ojos azules.

—Quizá a Dios no le agrade un hombre tan astuto.

—Si no le agrado a Dios, es por un motivo mucho mejor que ese. —La tomó de la mano—. Vamos. Déjame guiarte.

Pensó que el hecho de que le permitiera guiarla era otra señal de lo incómoda que se sentía. Cada vez que llegaban a un lugar donde el sendero se había desmoronado, Rurik saltaba primero y luego la sostenía de la mano para que ella saltara, y se reía de sí mismo por sentirse tan fuerte y protector cuando sabía muy bien que, si la dejaba sola, Tasya cruzaría los abismos sin hacerse un rasguño.

Cuando por fin llegaron al otro lado, encontraron a la hermana María Helvig contemplando el paisaje.

Era espectacular. Aquella parte de la montaña ofrecía una vista diferente, que se extendía kilómetros y kilómetros en tres direcciones. Daba a la confluencia de dos ríos, el cruce de dos caminos y una serie de cerros que se iban haciendo cada vez más bajos, hasta casi rozar el horizonte.

—No tenía idea de que este país fuera tan bello —dijo Rurik.

La hermana María Helvig sonrió.

—Este punto fue el primer lugar destinado a ser sagrado en Ruyshvania. Pero los paganos veneraban aquí a sus dioses. —Señaló el cerro con un ademán. Y allí estaba: un altar de piedra, de granito tallado, de dos metros y medio de ancho por un metro de profundidad, sobre unos pilares bajos que separaban el monumento de la tierra y lo ofrecían al cielo.

Rurik reconoció la piedra. Tenía relación con los menhires y dólmenes distribuidos por toda la Europa continental y Gran Bretaña, piedras colocadas hacía más de cuatro mil años, verdaderos milagros de ingeniería del hombre primitivo.

—La Iglesia llegó muy pronto a Ruyshvania —dijo la hermana María Helvig—, por lo menos en el siglo tres, pero por mucho que se esforzaron no pudieron desalojar esta piedra. Entonces se adueñaron de la otra mitad de la montaña. Siempre ha habido una casa consagrada a nuestro Señor en la otra mitad de la montaña, mientras que en este lugar se venera silenciosamente la naturaleza, y juntos hemos vivido en armonía.

—No me asombra que los paganos hayan decidido que este lugar era sagrado —dijo Rurik.

—Esa es solo la mitad del motivo.

La hermana María Helvig lo cogió de la manga, solo de la manga, sin tocarle el brazo, y lo condujo a un montón de piedras señalado por el tronco caído y quemado de un árbol enorme y viejo.

En medio del montón de rocas Rurik divisó un agujero, negro e impenetrable.

Tasya no los había acompañado. Rurik la llamó.

—Mira. ¡Una cueva!

Pero Tasya estaba concentrada mirando la cima de la montaña e hizo un gesto negativo con la cabeza.

—Una entrada al submundo. Se dice que es el camino al infierno. —Como si alguien la hubiera empujado, la hermana María Helvig trastabilló hacia un lado—. ¡Oh, está bien, hermana Teresa! Les contaré la otra historia. No hay necesidad de ponerse tan irritable. —Y acto seguido agregó con un suspiro de mártir—: También se dice que es una vía secreta de escape que la familia real de Ruyshvania utilizaba en caso de emergencia. Dicen que pasa por debajo de la montaña y termina en el otro lado, en Hungría. Pero la historia del camino al infierno es más colorida, ¿no te parece?

A Rurik le gustaba la hermana María Helvig. Le agradaba su exuberancia infantil, su rechazo a juzgar y condenar a los paganos que habían venerado allí a sus dioses tanto tiempo atrás.

—Es muy excitante, hermana —dijo—. ¿Y dónde vive la familia real?

—Los Dimitru están todos muertos ahora. O eso dice la gente. Pero solían vivir allá arriba. —La hermana María Helvig señaló la cima de la montaña.

El instinto de Rurik entró en estado de alerta.

—¿Y qué les ocurrió?

—Fueron asesinados. Hace veinticinco años, la noche parecía brillar por el fuego del incendio y aullar con los alaridos de las víctimas.

Escrutó a la hermana María Helvig, que hablaba con voz suave, recordando.

Escrutó a Tasya. Continuaba contemplando la montaña, y su rostro que siempre estaba animado ahora carecía por completo de expresión.

—Las hermanas dicen que te diga... que este árbol era antiguo, alto, verde, el símbolo de la familia real. Pero también lo quemaron, y esa noche toda Ruyshvania lloró. —La hermana María Helvig se persignó y rezó en silencio.

Tasya la había escuchado. Volvió la cabeza.

—Es mejor que nos vayamos —dijo.

Pero Rurik necesitaba estar seguro.

—Quiero que veas esa cueva, Tasya. Cuando hayamos terminado, me gustaría hacer un mapa. ¿Estás de acuerdo?

Tasya miró de reojo aquel agujero en la tierra. Luego, como si algo la hubiera capturado, siguió mirando sin parpadear.

—Esa cueva conduce al infierno y no pienso seguir ese camino, no importa cuál sea el peligro... o la recompensa. —Miró a Rurik, con el mentón firme y los ojos tan azules que parecían salidos de un cielo invernal—. Ya estuve en esa cueva antes. Soy parte de la familia real. Yo escapé por esa cueva. Soy la última Dimitru superviviente en la tierra y ahora conoces todos mis secretos... y tienes mi vida en tus manos.

23

—Las hermanas sugieren que quizá os apetecería hacer un recorrido por el convento. —La hermana María Helvig se detuvo frente al claustro, briosa como siempre, como si los tres no hubieran hecho un largo viaje de ida y vuelta hacia viejos y malos recuerdos.

—Por supuesto. Si el icono está aquí, debe haber alguna manera de averiguar dónde. —Rurik sonaba absolutamente confiado, como solo podía hacerlo alguien que jamás hubiera oído alaridos ni olido carne quemada, alguien que pensara que el infierno estaba en el más allá.

La hermana María Helvig levantó una mano e inclinó un poco la cabeza, como si estuviera escuchando.

—Tenemos poco tiempo —dijo.

Tasya miró el sol. Ya había girado hacia el oeste y ella no quería estar en esa montaña cuando oscureciera.

—Las hermanas sugieren que tú, joven, eches un vistazo a los alrededores y a las otras construcciones. —La hermana María Helvig tomó a Tasya de la mano—. Esta joven y yo recorreremos la capilla.

Rurik puso una expresión rara, como si se sintiera aliviado y no del todo sorprendido.

—Me parece un buen plan —dijo.

Tasya se alegró de verle la espalda. En ese momento estaba extremadamente resentida con él y con su familia en Washington y su conciencia clara y su seguridad en sí mismo que apenas soportaba mirarlo.

Las dos mujeres se detuvieron en el umbral de la capilla. Era angosta y alta, con ventanas de vidrios coloreados en la parte superior de las paredes, y varios reclinatorios desvencijados entre los que aún se sostenían en pie. Una miríada de telarañas festoneaban el techo y colgaban de la lámpara central; pero el altar tenía un aspecto inmaculado y su mantel, bordado con hilo de oro, era limpio, blanco y finísimo... y muy viejo.

La hermana María Helvig se persignó con el agua bendita de la pila; luego volvió a sumergir los dedos y dibujó una cruz sobre la frente de Tasya.

—Es mejor que lo haga yo —dijo—. Tú estás demasiado enojada con Dios para poder hacerlo.

Era cierto... pero ¿cómo lo sabía la hermana María Helvig?

—Siempre he creído que el icono debía de estar aquí dentro. —Condujo a Tasya por el corredor hacia el frente—. Los varones siempre son los que más se divierten, y creo que sería bueno que una de nosotras, una chica, se divirtiera un poco para variar. Por ello, esta vez serás tú quien encuentre el icono.

—¿Tiene alguna idea de dónde debo buscar?

—¡Tengo ideas a montones! —La hermana María Helvig juntó las manos con regocijo—. He pensado... ¿qué? —Miró a una de las hermanas invisibles a su lado.

—¿Qué? —preguntó Tasya.

La hermana María Helvig suspiró hondo.

—La hermana Catherine insiste en que no puedo ayudarte.

Tasya se mordió el labio. No era el momento ni el lugar adecuado para decir «Al diablo con eso», ni tampoco la hermana María Helvig era la persona apropiada a quien decírselo.

Pero Tasya quería hacerlo.

Bajo la mirada vigilante de la hermana María Helvig, avanzó hacia el altar y observó el suelo, las paredes, el techo. Recorrió primero una nave y luego la otra. La capilla era de piedra vieja y madera crujiente, y si alguna vez había habido una flecha y un cartel que decía ¡AQUÍ HAY ICONO! habían desaparecido hacía tiempo.

—Quizá si te sentaras y pensaras un poco... —sugirió la monja.

Tasya sospechaba que la sugerencia no era sino un intento de hacer que dedicara tiempo a la contemplación religiosa, pero de todos modos no había logrado llegar a ninguna parte por sus propios medios. Las enseñanzas de la infancia tampoco podían negarse así como así: hizo una genuflexión y se dejó caer en el reclinatorio más cercano al altar.

—Llámame si me necesitas. —La hermana María Helvig se retiró hacia el fondo de la capilla, con la gruesa tela de su hábito susurrando en el silencio.

Tasya suspiró y miró a su alrededor. Había estado allí antes, había sido una niña pequeña que miraba, entre asombrada y curiosa, las hileras de monjas... Bajó los párpados, casi hasta cerrar los ojos.

Comenzó a fluctuar en ese estado indefinido entre la vigilia y el sueño, cuando nada tiene sentido... y todo es posible. Su mente flotaba, liberada de su cuerpo. Se vio a sí misma, pobrecilla, una criatura exhausta acurrucada en un banco de iglesia. Las manos apoyadas sobre el regazo, con las palmas hacia arriba. El mentón apretado contra el pecho. Los ojos cerrados.

Vio un árbol, sus ramas casi rozaban el cielo, su follaje era verde, fresco y prometedor. Oyó la voz de un hombre... *Tasya, niña, mientras tú vivas, este roble nunca morirá.*

Pero el roble había muerto. De una muerte feroz.

Y ella seguía viva. Vivía para vengarse. Y, para que su venganza fuera completa, necesitaba el icono.

Estaba cerca, tan cerca...

La luz de su conciencia se propagó en todas direcciones, en busca de la llave y de la cerradura a la que pertenecía.

Una fuerza orientó esa luz hacia el altar.

Tenía sentido. Pero Tasya ya había examinado toda la capilla... No obstante la luz penetraba cada vez más en el suelo y en las grietas entre las piedras donde la argamasa, en otros tiempos firme y dura, se había reducido a polvo.

Había alguien enterrado bajo el altar.

Por supuesto. La aventura de Rurik y Tasya había comenzado en una tumba en Escocia. Y terminaría en otra tumba, en Ruyshvania.

La luz encontró el cofre de un tesoro, hermano gemelo del de Escocia.

Y se quedó allí, sobrevolando. A la espera.

«¡No tengo la llave! —Tasya flotaba en la capilla con los brazos extendidos—. ¡No puedo usar aquello que no tengo!»

Y, de golpe, estaba completamente despierta y de pie.

Y tenía la llave.

Buscó su mochila, segura de lo que estaba haciendo por primera vez en todo el viaje. La levantó del suelo, donde reposaba junto a sus pies. La puso sobre el reclinatorio.

Abrió el cierre del compartimiento principal.

La llave no estaba.

No estaba en el compartimiento lateral.

No estaba en el estúpido compartimiento pequeño para el móvil, ni en el otro, más estúpido todavía, para las tarjetas de crédito, ni mucho menos en el bolsillo de velcro destinado a los bolígrafos. No estaba en la bolsa donde guardaba la ropa para cambiarse cada noche, ni tampoco en el compartimiento acolchado del ordenador.

Frustrada, se apartó el cabello de la frente.

Se la habían robado.

—No —susurró.

Tenía que estar ahí. Siempre perdía cosas en medio de aquel desorden.

Hurgó en el fondo de la mochila. Después en los costados... y encontró la forma que buscaba en el bolsillo donde se guardaba la botella de agua. La forma de una larga hoja de acero manchada de herrumbre.

Pero, por desgracia, no era una hoja de acero.

Durante todo el recorrido por Europa la llave había estado resonando en aquel bolsillo, en la parte exterior de la mochila. La había golpeado contra los marcos de las puertas, dejado caer al suelo, guardado en compartimientos abarrotados bajo pilas de equipajes. Cuando abrió el cierre del bolsillo, los filamentos oxidados, grandes y pequeños, crujieron; y cuando rebuscó dentro, su mano salió roja debido a la herrumbre, aferrando una llave.

Sus dientes eran claramente visibles bajo la costra formada por los mil años que había pasado oculta bajo la tierra de la isla de Roi.

—¿La has encontrado?

Se dio la vuelta de golpe y vio a la hermana María Helvig sentada en un reclinatorio a sus espaldas. La anciana monja sonreía, como de costumbre, y asentía.

—Sí. La he tenido conmigo todo el tiempo. —Tasya le mostró la llave.

—Por supuesto que la tenías.

—Y ya sé dónde está el icono.

La hermana María Helvig clavó los ojos en el suelo de piedra del altar.

Era evidente que la hermana siempre había conocido el paradero del icono.

—¿Te llevarás el icono? —le preguntó.

—¡Por supuesto! Eso es lo que he venido a hacer aquí. —Tasya estaba a punto de levantarse del reclinatorio.

—¿Para tu venganza?

Tasya se detuvo en seco.

—¿Cómo sabía eso?

—Mis hermanas me rodean. Las estoy viendo. Están esperando a que me reúna con ellas.

Sonaba tan convencida que Tasya se dio la vuelta esperando ver una hilera de monjas de hábito negro y blanco, sentadas o arrodilladas en los reclinatorios de la capilla.

—Pero no estoy chiflada. —La hermana María Helvig miró hacia un lado y habló con... nadie—. ¿O sí lo estoy?

Tal vez no estuviera loca ni senil. Quizá pudiera ver cosas que nadie más veía y no obstante allí estaban. Tal vez supiera cosas que nadie más sabía... Tasya fue hacia el reclinatorio donde estaba la monja y aferró con fuerza el remate.

—¿Usted cree que voy a triunfar?

La hermana María Helvig se acomodó las gafas sobre el puente de la nariz y miró solemnemente a Tasya.

—Tú no entiendes nada de nada. Estás metida en una gran batalla. El bien y el mal están en la balanza y los actos de cada persona, sin importar lo pequeños que sean, marcarán toda la diferencia.

Tasya se quedó esperando algo más. Más esclarecimiento, más especificaciones, más cualquier cosa.

Pero la monja escondió las manos en las mangas del hábito e inclinó la cabeza. Tasya no habría podido decir si estaba rezando o dormitando.

—Está bien, entonces. —Tasya volvió al altar. Con sumo cuidado, apoyó la llave sobre la baranda y se arrodilló sobre el granito.

Y, como en su visión, la argamasa había desaparecido hacía ya mucho tiempo. Las piedras estaban flojas. Eran piedras grandes, del largo y el ancho de su antebrazo, colocadas cuidadosamente por los artesanos albañiles y pulidas por los pasos de generaciones de fieles. Tasya levantó la primera piedra con la punta de los dedos.

Tierra... y huesos humanos. Huesos que el tiempo había limpiado.

Había llegado a donde debía llegar.

Levantó otra piedra, y luego otra más. Se le rompió una uña y tuvo que reprimir un insulto.

Allí no. Mucho menos si la hermana María Helvig estaba escuchando.

Los huesos eran viejísimos, y estaban cubiertos por los restos de una mortaja de lana originalmente blanca pero que ahora era marrón por su prolongado contacto con la tierra. El difunto había sido un hombre alto y de complexión ancha.

El fémur era largo y grueso; los huesos de la cadera, fuertes. Le habían cruzado las manos sobre el pecho. Los huesos de los dedos estaban desparramados sobre las costillas, y una de las falanges todavía llevaba puesto un anillo de oro forjado.

Tasya hizo una pausa, decepcionada y jadeante. Estaba convencida de que el muerto sostendría entre sus manos el cofre del tesoro.

—Sigue buscando. —La voz de la hermana María Helvig llegó flotando, apagada, desde los reclinatorios. Y luego, tan débilmente que Tasya apenas podía oírla, susurró—: Ya no queda tiempo.

Tasya miró a su alrededor.

—¿No queda tiempo para qué?

La monja no respondió. Siguió allí sentada, con la cabeza gacha.

La piedra que estaba sobre la cabeza del rey tenía unos cinco centímetros de espesor, medía la mitad de la estatura de Tasya y probablemente pesaba media tonelada. Por un instante consideró la posibilidad de pedirle ayuda a Rurik, pero se había mostrado renuente a entrar en la capilla.

Decidió no llamarlo, ni tampoco suplicar la ayuda de un dios en el que había perdido la fe tantos años atrás. En cambio, haría lo que siempre había hecho, y solo dependía de sí misma.

—Sosténgase bien, hermana, esto hará mucho ruido —dijo Tasya.

Acto seguido apoyó con fuerza los pies en las rocas situadas a ambos lados de la tumba. Deslizó las manos bajo los bordes de la inmensa lápida y se las ingenió para levantar un extremo. El otro permanecía clavado a la tierra. Los músculos de sus brazos y su abdomen se resintieron por el esfuerzo, pero, muy lentamente comenzó a levantar el monumento. Casi logró llevarlo hasta la mitad del camino... Ya casi estaba... Iba a dejarlo caer. Tendría que dejarlo caer. ¡Tendría que hacerlo!

Miró los restos del cadáver con la esperanza de ver el cofre del tesoro.

La calavera del rey le sonrió, burlándose de sus esfuerzos.

En un arrebato de furia, Tasya dejó caer la pesada losa, que se estrelló con estrépito contra la gastada y ancha superficie del suelo y se partió en dos.

A pesar de estar jadeando por el esfuerzo realizado, Tasya no apartaba los ojos de aquel cráneo de sonrisa imbécil.

—Cómete esa —le dijo.

Un rectángulo dorado resplandeció sobre la cabeza coronada.

El cofre.

—Está aquí —anunció—. ¡Hermana, el cofre está aquí!

Para no modificar involuntariamente la disposición de los huesos, se arrodilló y limpió la tierra que cubría el cofre con sumo cuidado. Sí. El trabajo de la tapa era idéntico al del cofre de Escocia. Parecía imposible, pero de algún modo ese cofre había viajado a través de una isla, de un mar y de un continente para terminar allí, en la tumba de un rey, en un viejo y respetable convento.

Miró a su alrededor en busca de algo con que cavar, pero el altar estaba desnudo. Además, si bien era cierto que no había perdonado a Dios por permitir que sus padres murieran, eso no significaba que fuera capaz de usar cualquier elemento o utensilio de la iglesia a manera de pala.

—¿Está segura de que el icono está aquí dentro, hermana? —preguntó.

La hermana María Helvig no respondió, pero su silencio no sorprendió a Tasya. La monja era aficionada a los comentarios crípticos. ¿Por qué habría de darle a Tasya, justamente ahora, las respuestas que buscaba?

Con una celeridad que no daba lugar al miedo ni al fastidio, Tasya excavó la tierra que rodeaba al cofre con sus propias manos.

Una sola vez miró anhelante la llave que esperaba en la baranda... pero no. No se atrevía a usarla con toda aquella tierra apelmazada. Si Tasya rompía la llave después de mil años —pues seguramente la herrumbre habría debilitado el eje—, lo habría echado todo a perder. La sola idea le daba escalofríos.

Por lo menos había logrado mover un poco el cofre, y poco a poco se las ingenió para levantarlo y sacarlo de aquel agujero. Lo sostuvo entre sus manos, maravillada por la artesanía. Quería sacudir el cofre, como una niña que recibe un regalo de cumpleaños, para adivinar, por el sonido y el peso, si su deseo se había cumplido.

Se preguntó qué habría dentro. Por un momento cerró los ojos y acunó la caja de oro forjado entre sus brazos. ¿El icono estaría allí dentro? ¿Ella habría encontrado, por fin, la prueba que necesitaba? ¿Su venganza estaría a solo una vuelta de llave?

Cogió la llave. Se le cayó de las manos y se estrelló contra el suelo, haciendo un espantoso ruido a metal.

El corazón de Tasya comenzó a latir con fuerza.

No se atrevía a mirar. Cuando por fin lo hizo, vio pequeñas motas de herrumbre dispersas por el suelo. Pero la llave estaba íntegra.

—No se preocupe, hermana —anunció—. No se ha roto nada.

Limpió la llave con el borde de su camisa, sobre todo los dientes, aun sabiendo que entre la tierra acumulada en la cerradura y la corrupción del metal se necesitaría un equipo de expertos para abrir el cofre... y eso solo si su visión era acertada y esa llave abría la cerradura. No tenía la menor probabilidad de triunfar... pero no obstante debía intentarlo.

Apoyó el cofre en el suelo e introdujo la llave en la cerradura. De inmediato, la llave chocó con algo. Tasya sacó la llave de la cerradura, volvió a limpiarla —las manchas de óxido jamás saldrían, pero sacrificó alegremente su costosa camisa— y lo intentó una vez más.

Continuaba trabada.

Levantó el cofre y le dio la vuelta, con la cerradura mirando hacia abajo. Respiró hondo y golpeó el cofre del tesoro, suavemente, con la palma de la mano.

Un guijarro pequeño y dentado rebotó contra el suelo.

Esa segunda vez, la llave entró sin dificultad. Tasya la hizo girar.

La cerradura cedió.

El corazón parecía querer salírsele del pecho. Jadeaba como si hubiera estado corriendo.

Abrió la tapa del cofre.

Por primera vez en casi mil años, un par de ojos humanos contemplaron el icono de la Virgen María.

Y la Virgen María los contempló.

El color cereza de su capa era tan rico, tan profundo y brillante que resplandecía; la aureola dorada que rodeaba su cabeza vibraba bajo la débil luz. Su rostro era pálido y sereno; sus ojos negros, grandes y llenos de pena. Una lágrima rodaba por su mejilla. Porque esa Madonna sostenía entre sus brazos a Jesús crucificado.

A Tasya se le llenaron los ojos de lágrimas, y su llanto cayó sobre el icono. Tasya lo secó rápidamente, intentando convencerse de que en realidad lloraba porque aquel momento de triunfo significaba mucho para ella.

Pero no pudo convencerse.

Los ojos tristes y tiernos de la imagen contaban la historia. Esa Virgen era una mujer que había perdido a su hijo. Una mujer que había anticipado sufrimientos indecibles. Y Tasya había visto, en el rostro de la Virgen, el de su propia madre.

Recordó las llamas que ascendían implacables, devorando cortinas y paredes. Recordó los gritos de los sirvientes. Vio, una vez más, el rostro atormentado de su madre al darle aquel beso de despedida.

Tasya había pataleado y llorado, como lo habría hecho cualquier niño en su lugar, pero no había comprendido.

Ahora comprendía, y las profundidades de su angustia se volvían todavía más hondas.

Su madre la había dejado ir, sin saber si la pequeña escaparía con vida o no, pero segura de que había llegado su hora... y de que jamás volverían a verse.

El dolor de aquel momento, cuando el lazo entre madre e hija había sido brutalmente cortado, jamás podría calmarse.

Tasya sollozó; un solo gemido brutalmente agudo y áspero que reverberó en la capilla. Tenía más sollozos en el pecho, tantos que no podía contarlos, pero los reprimió.

No podía llorar. Nunca lloraba. No tenía tiempo.

La hermana María Helvig había dicho que les quedaba poco tiempo y Tasya sabía que era cierto. Cuanto más tiempo se quedaran Rurik y ella en un mismo lugar, más probabilidades habría de que los Varinski los encontraran. Si quería llevar aquel icono a la National Antiquities tendrían que partir antes de que cayera la noche, mientras todavía hubiera luz suficiente para bajar por el camino y llegar a Capraru y tomar un tren que los sacara de allí.

Se puso en pie y se sacudió la ropa.

—Ya lo tengo, hermana —anunció—. Siempre estuvo aquí.

El sol, que entraba por las ventanas del oeste, bañaba la silueta inmóvil de la hermana María Helvig.

—¿Le apetecería verlo? —Tasya corrió por la nave, hacia donde estaba la monja—. Es hermoso, hermana, y tan viejo y tan triste. El artista que lo hizo era un maestro y... —Se interrumpió de golpe—. ¿Hermana?

La hermana María Helvig osciló hacia delante y hacia un lado.

—¡Hermana! —Tasya deslizó el icono en el bolsillo delantero de sus vaqueros. Arrodillándose junto a la anciana, le miró la cara.

Tenía los ojos cerrados y la expresión serena.

La hermana María Helvig estaba muerta.

24

Rurik iba de un extremo a otro de la capilla. Ya había cambiado su mochila varias veces de hombro. Desabotonó su abrigo y se aseguró de tener la pistola en un costado de la cintura, el cuchillo en el otro y la navaja escondida en la manga. Miró su reloj.

Eran las tres de la tarde.

Ya había esperado más de lo que, humanamente, podía esperar. Había recorrido toda el área y escrutado los alrededores, el cementerio e incluso el claustro, sin encontrar señal alguna del icono. O no estaba allí... o estaba en la capilla.

¿Acaso no tenía sentido? La capilla era el único lugar al que Rurik no se atrevía a ir.

Ni Tasya ni la hermana María Helvig daban señales de vida y Rurik se sentía cada vez más ansioso. Tasya y él —y la hermana María Helvig, si lograba convencerla— necesitaban localizar el icono o abandonar el convento, o ambas cosas a la vez. Ya habían pasado demasiado tiempo allí.

Apenas puso el pie en el umbral de la capilla, sintió el olor de la muerte. Comprendió la escena en un instante: la vieja monja caída en el reclinatorio y Tasya arrodillada en la nave junto a ella, con la cabeza gacha.

—Tasya. —Rurik no se movió de donde estaba. No se atrevía a entrar.

Tasya levantó la vista.

Rurik esperaba que estuviera llorando.

Pero el rostro de Tasya estaba pálido, compuesto y sin rastro de lágrimas... No obstante, trasuntaba tanto dolor que Rurik empezó a avanzar por la nave hacia ella.

Apenas había dado tres pasos cuando el silencio lo impactó.

La capilla estaba esperando.

Rurik se detuvo y también esperó.

Pero no ocurrió nada. El aire no le quemó los pulmones; el suelo no ardió bajo sus pies. Continuaba siendo un hombre, no una hoguera.

Siguió avanzando.

—Está muerta. —Tasya volvió a colocar la mano de la hermana María Helvig sobre su regazo—. Deberíamos acostarla y llamar al sepulturero para que se ocupe de amortajarla y enterrarla.

—En otras circunstancias deberíamos llamar al sepulturero, por supuesto, pero la hermana estaba preparada para este desenlace. Encontré el cementerio. Su tumba está recién cavada. Su ataúd está esperando. Y tenemos que enterrarla ahora mismo. —Con cautela, tocó la mano de la monja.

Nada. Ni siquiera un hormigueo.

—No ha recibido la extremaunción. Es necesario lavar su cuerpo. ¡Debe tener una ceremonia apropiada!

—Luego podrán exhumarla y hacer todo lo que sea necesario, pero no podemos dejar su cuerpo para que lo encuentren las bestias salvajes.

—¿Qué quieres decir con eso?

Rurik levantó en brazos a la monja y se dirigió hacia la puerta.

—Los Varinski nos están pisando los talones. Tenemos que salir de aquí.

Una vez más, tuvo que darle crédito a Tasya. No le preguntó cómo lo sabía. No discutió. Se limitó a seguirlo por la nave a grandes zancadas, acompañando el cuerpo sin vida de la hermana María Helvig. Salieron de la capilla y doblaron a la derecha, y luego otra vez a la derecha, y entraron en un cementerio emplazado a la sombra de un viejo y frondoso árbol.

Rurik depositó a la hermana María Helvig en el austero y sencillo ataúd de madera que la esperaba. Tasya le cruzó las manos sobre el pecho, le acomodó la toca, la cogulla y el hábito, y apoyó el crucifijo sobre su corazón.

La tumba estaba recién cavada; el ataúd, limpio y seco, yacía apoyado sobre unas sogas, y había una pala esperando a un lado. La hermana María Helvig conocía la hora de su muerte. Rurik sospechaba que también sabía quién era él, y lo que les esperaba a ambos a partir de aquel momento.

Esa era la verdadera razón por la que quería enterrarla fuera del alcance de las bestias. Si pudieran, los Varinski profanarían su cuerpo.

—Adelante. —Tasya retrocedió y lo ayudó a colocar la tapa sobre el ataúd.

Cogieron las sogas al unísono. El ataúd era pesado, pero, una vez más, la fortaleza y la firme determinación de Tasya cuando llegaba la hora de hacer lo que había que hacer impresionaron a Rurik. Afirmó los pies y lo ayudó a bajar, muy despacio, el ataúd de la hermana María Helvig a las entrañas de la tierra.

Rurik cogió la pala.

Tasya se quedó de pie a un lado, con los brazos en jarra y la respiración agitada.

—Di todas las oraciones que desees decir. —Todo sus instintos estaban alertas—. En cuanto acabe con esto, saldremos de aquí.

Tasya asintió y bajó la cabeza.

Rurik echaba tierra sin quitarle los ojos de encima.

Detrás de ella, el sol se estaba poniendo en el oeste. Los débiles rayos bañaban su cabello negro y decolorado con su luz dorada, formando un halo alrededor de su cabeza. Su piel relucía como porcelana fina. Y así, con los ojos cerrados, sus largas y tupidas pestañas oscuras parecían acariciar sus mejillas. Era una ilusión, por supuesto; Tasya no era ningún ángel. Pero era una buena mujer que siempre intentaba hacer lo mejor que podía y ayudaba a los necesitados.

Rurik no la merecía. Pero la necesitaba y se sentía morir cuando pensaba que el final estaba cerca.

Miró a su alrededor.

Demasiado cerca.

Terminó de apisonar la tierra sobre la tumba.

Tasya levantó la vista.

Una de las cruces de piedra de la verja del cementerio se había roto y estaba caída en el suelo.

—Colócala sobre la tumba —dijo Rurik, señalando la cruz.

Tasya fue a recogerla. La sintió pesada y fría en sus manos. Sin titubear, la hundió en la tierra que cubría a la hermana María Helvig.

—Bien. Vayámonos de una vez. —Rurik recogió su mochila y tomó a Tasya del brazo.

Ella se dejó llevar sin protestar. Tenía una oprimente sensación de peligro. Quizá Rurik le había transmitido su tensión... o tal vez estaba percibiendo la proximidad de un Varinski. ¿Estarían cerca? ¿Estarían allí?

Todavía tenía el icono en el bolsillo.

Debía trasladarlo a un lugar seguro.

—¿Has visto señales de ellos? —Su incomodidad iba en aumento.

—No. —Rurik escrutó las copas de los árboles y se detuvo a escuchar—. No. Pero su oficio es rastrear personas, el factor sorpresa es su mayor baza y hace demasiado tiempo que nosotros estamos aquí. —Sosteniéndole el brazo con firmeza, comenzó a avanzar a largas y despiadadas zancadas, indiferente al desasosiego de Tasya.

Su corazón se había acelerado, no solo por el ritmo de la marcha sino por ver a Rurik tan preocupado y taciturno. Bordearon la capilla, doblaron la esquina... y se encontraron con cuatro hombres apoyados contra su coche.

Uno de ellos estaba apoyado, como con descuido, sobre el capot, y agitaba un manojo de llaves.

Otro estaba recostado sobre el baúl, observándolos.

Había otro más lejos. Sonreía y tenía los brazos cruzados, apoyados sobre el techo del vehículo.

West Side Story protagonizada por cosacos.

Tasya los había reconocido en cualquier parte. Había visto sus fotos. Los habría visto pasar horas ociosas en su patio. Recordaba la horrible sensación, como de vómito, que provocaban en sus entrañas.

«Varinskis.»

Dos de ellos tenían el cabello negro. Uno era fornido. Ambos eran jóvenes, de aspecto tosco y rostro malhumorado.

El que agitaba las llaves era rubio, mayor que los otros, de unos cuarenta o cincuenta años, y claramente era el jefe de la banda.

Pero todos eran altos, musculosos, de cara ancha, pómulos marcados y mentón fuerte.

De hecho, todos se parecían a Rurik.

Tasya contuvo el aliento. Miró a los Varinski y miró al hombre que la tenía cogida de la mano. El hombre que la había llevado al éxtasis. El hombre en quien confiaba.

Rurik... Rurik era uno de ellos.

Rurik era un Varinski.

25

Rurik no se detuvo. Ni una sola vez.

Tironeó del brazo de Tasya y la arrojó hacia delante, hacia sus parientes.

Hacia los Varinski.

Azorada y víctima de aquel impulso, Tasya tropezó y cayó al suelo sobre sus manos y sus rodillas. Por encima del zumbido de sus oídos y de la sorpresa y del dolor que casi la había hecho desmayar, oyó decir a Rurik:

—Aquí está. Esta es la pieza que os faltaba.

Tasya respiró hondo y miró a los rufianes.

El que agitaba las llaves dejó de jugar con ellas. Se enderezó.

—¿De qué diablos estás hablando?

—¿El nombre Dimitru no significa nada para vosotros, pedazos de imbéciles? —preguntó Rurik.

Tasya cerró los ojos. Dejó caer la cabeza. Podía luchar contra el dolor, pero no podía ocultarse la verdad.

Rurik había roto su confianza. No, no solamente su confianza... también su corazón.

—Yo trabajé en el caso Dimitru. —Era el hombre-llave quien así hablaba.

Rurik la había cortejado. La había seducido con palabras dulces y actos galantes. Había trabajado, y muy duramente, para convencerla de que él era precisamente aquello en lo que

Tasya ya no creía: un ser humano en quien podía confiar, de quien podía depender.

Y había triunfado.

—Eso que está en el suelo... —Rurik sonaba frío e indiferente—. Es la hija de los Dimitru.

Ella le había contado su secreto más profundo. En toda su vida, jamás había hablado de su familia con nadie.

Le había dado su confianza a Rurik. Diablos, le había entregado su corazón.

Y todo para aquello. Para que él la traicionara y la entregara a sus parientes para... ¿para qué?

—Imposible —dijo el hombre-llave—. Matamos a todos los niños. Incendiamos la casa.

—La gobernanta se la llevó —le informó Rurik.

—Está mintiendo. —Era uno de los jóvenes el que hablaba; pero mientras la voz del hombre-llave estaba casi desprovista de acento, la del chico era profunda y muy rusa.

—Una mujer y una niña de cuatro años lograron escapar de los grandes y malvados Varinski. El mundo entero reiría a carcajadas si lo supiera.

Tasya nunca se había dado cuenta de que Rurik era capaz de escarnecer a alguien de esa manera. Casi sentía lástima por el hombre-llave.

Hasta el momento en que este se acercó a ella y la cogió por el mentón.

Tasya dio un respingo.

Él la aferró por el cabello y la mantuvo en su lugar. Escrutó su cara... y Tasya escrutó la suya.

Debía de tener por lo menos cincuenta años si había participado en el ataque contra los Dimitru; no obstante era vital y vivaz, con un cabello tan rubio que parecía platino y unos ojos del color de la crema de guisantes.

El hombre-llave le tironeó del cabello, obligándola a girar la cabeza de un lado a otro. La miró a los ojos. Después, lo que fue mucho más insultante todavía, empujó su cabeza hacia un lado y acercó la cara a su cuello. Primero olió su piel y después la recorrió con la lengua, en un prolongado y lento lametón que comenzó en la tráquea y terminó detrás de la oreja.

Luego se enderezó y retrocedió un paso.

—Tiene razón —dijo, en un tono que no denotaba emoción alguna—. Es una Dimitru.

Tasya se limpió la saliva con una mueca de disgusto.

El hombre-llave soltó una carcajada y comenzó a pegar lengüetazos al aire, como un perro desquiciado por la rabia.

A Tasya no le importó. De todos modos, iba a morir.

—Muy pronto te gustaré —le aseguró. Y luego dirigió su atención a Rurik—. ¿Qué te debemos por habernos entregado esto? ¿Dinero? ¿Joyas? —Volvió a agitar las llaves—. O quizá tengas suficiente con seguir vivo.

Tasya se acurrucó. Debía prestar atención a lo que estaba ocurriendo. Debía escuchar los planes que esos monstruos tenían para ella. Y, si Rurik no los convencía de que la mataran allí mismo y de inmediato, tendría que encontrar una manera de escapar.

—Tú no vas a matarme —dijo Rurik—. Soy el único que tiene la información que necesitas. ¿O lo has olvidado?

—¿Qué coño de información es esa? —Era el chico del cabello negro y la piel pálida el que hablaba.

Rurik enarcó las cejas, como esperando una señal del hombre-llave.

El hombre-llave negó con la cabeza.

—¿Qué? —preguntó el chico—. ¿Nos estás ocultando algo?

El hombre-llave se dio la vuelta para mirar al chico y Tasya habría jurado que gruñó como un perro de verdad.

Buen truco.

—No me saques de quicio, Ilya —advirtió—. O me guardaré este rico coño para mí solito.

—Ese coño es mío —dijo Rurik—, y me lo quedaré hasta que me canse de sobarlo.

—Los Varinski comparten —dijo Ilya.

—Yo no soy un Varinski —contestó Rurik.

—Pero actúas como uno. Vas a la caza de tesoros. Has traído a esta mujer para negociar con nosotros y ganarte nuestra buena voluntad y tu liberación. Y, para rematar —el hombrellave miró a Tasya de arriba abajo—, jamás le dijiste quién eres. Está ahí quieta y todavía no sabe qué pensar. ¿O me equivoco?

—Ella sabe muy bien qué pensar —dijo Rurik.

Tasya habría deseado no saberlo. En aquel momento, la ignorancia habría sido una bendición.

—¿Eso es lo que pasa? —El chico del cabello castaño oscuro sonaba incrédulo—. ¿Le has mentido para ocultarle que eres uno de nosotros?

Los Varinski soltaron una carcajada al unísono, los tres juntos, los rufianes y asesinos.

—Yo nunca mentí al respecto. Ya os lo he dicho. No soy uno de vosotros. —Rurik sonaba calmo y controlando la situación.

Tasya no retrocedió cuando él empezó a acercarse.

—Conservaré a esta mujer hasta que me harte de ella, y conservaré el tesoro cuando lo encuentre.

El tesoro. El icono, estaba hablando del icono. El icono que aún llevaba en su bolsillo... El icono que Rurik no sabía que ya había sido encontrado.

Rurik la cogió por la muñeca.

—Me das asco. —Tasya se retorció, en un vano intento de liberarse.

Rurik dio media vuelta y echó a andar.

Tasya clavó los talones en el suelo.

Rurik la llevó a rastras; era más fuerte y más corpulento que ella y sus berrinches lo dejaban indiferente.

Entonces, de golpe, la empujó hacia un lado.

Tasya dio unos tumbos y oyó tres golpes contundentes. Y, cuando por fin se dio la vuelta para ver qué ocurría, Rurik tenía a uno de los jóvenes Varinski aplastado boca abajo contra el suelo, con el brazo doblado detrás de la espalda y la muñeca dislocada.

Tasya no se había dado cuenta... Bueno, sabía que Rurik

era capaz de ganar una pelea. Incauta como era, había dependido de él en cuestiones de seguridad. Pero no se había dado cuenta de lo mortífero que era.

Había trabajado con él, peleado con él, viajado con él, dormido con él... y no conocía en absoluto a Rurik Wilder.

Con cautela, deslizó la mano sobre el bolsillo delantero de sus vaqueros.

El icono todavía estaba allí.

Gracias a Dios. Gracias a Dios —y a la hermana María Helvig— que no se le había ocurrido decirle a Rurik que había encontrado el icono.

Ahora debía imaginar alguna forma de ocultarlo... o al menos ponerlo en un lugar un poco menos obvio.

Rurik plantó su pie, calzado en una portentosa bota, en mitad de la espalda del chico.

—¿Cómo te llamas?

—Sergei.

Tasya miró a su alrededor. Todos estaban vigilando a Rurik.

—¿Nadie te ha enseñado nunca la maniobra cazagilipollas? —le preguntó Rurik.

—Sí.

Rurik le retorció la muñeca un poco más.

—¿Cómo has dicho?

—Sí, señor. Los Varinski enseñan la maniobra cazagilipollas.

Deslizándola poco a poco, Tasya se quitó la mochila de la espalda.

—¿Y qué es la maniobra cazagilipollas? —Rurik ladraba como un sargento instructor.

Y Sergei respondió como un recluta.

—Es cuando alguien te da la espalda para incitarte al ataque, pero cuando tú lo atacas, está preparado y te derriba de un golpe.

Sin hacer ruido, Tasya abrió el cierre de la mochila.

—¿Y, según los Varinski, qué se les debe hacer a los gilipollas? —Era obvio que Rurik conocía las respuestas.

Sergei hizo una larga, larguísima pausa.

—Eso queda a discreción del ganador.

Tasya sacó el icono de su bolsillo y lo arrojó al fondo de la mochila, envolviéndolo como si fuera una oruga en un capullo.

—Mi padre decía que hay que liberar a los gilipollas de su miseria. —Rurik estaba jugando con el chico—. Ahora bien, la pregunta es... ¿debo matarte ahora o darte una segunda oportunidad?

Tasya ajustó el cierre de la mochila. No era un buen escondite, pero por el momento era la mejor opción que tenía.

—Una segunda oportunidad —dijo Sergei.

—¿Cómo dices? —Rurik retorció el brazo de Sergei con tanta fuerza que Tasya oyó que algo se quebraba.

Parpadeó. Sentía ganas de vomitar.

—Una segunda oportunidad, señor. —La voz de Sergei era un graznido—. Por favor, señor.

Rurik lo soltó y retrocedió un paso.

—O mi padre estaba mintiendo, o el entrenamiento de los Varinski ha caído en picado desde los buenos tiempos.

El rubio no se había inmutado. Había observado todo el procedimiento sin mostrar el menor interés.

—Todavía se está entrenando —masculló.

—¿A qué edad? ¿A los dieciocho años?

—Tengo veinte años. —Sergei se incorporó, frotándose la muñeca con resentimiento.

¿Se habría equivocado acaso? ¿Rurik no le había roto un hueso? ¿O esos hombres estaban tan acostumbrados al dolor que les resultaba indiferente?

—Un ave, ¿verdad? —tentó Rurik.

—Un búho —dijo Sergei con orgullo—. Me trajeron para cazarte de noche.

El hombre-llave murmuró alguna palabra soez en ruso.

—Entonces tu visión diurna no es demasiado buena. Gracias por avisarme. —Rurik sacudió la cabeza con disgusto—. Tendrás que mejorar la puntería, pues de lo contrario terminarás muerto a la primera de cambio.

—*Poyesh' govna pechyonovo* —dijo Sergei con rudeza.

El hombre-llave e Ilya se adelantaron, cada uno desde una dirección distinta.

—Sí, es un joven tonto y habla de más —admitió el hombre-llave—, pero tú, astuto muchachito Wilder, tú has mostrado demasiado.

Tasya se dio cuenta de que iban a atacar a Rurik. Esos dos asesinos profesionales iban a matarlo... y por mucho que ella intentara ponerse una coraza de acero, le importaba. Porque pensaba que Rurik la protegería, al menos un poco... pero también porque él le importaba. Maldita fuera, no quería que le importara, pero le importaba.

Rurik estaba de pie, en actitud de espera, mientras los otros lo iban rodeando.

Tasya observaba conteniendo el aliento, esperando el primer golpe.

Pero Ilya desapareció dejando sus ropas en el suelo, y, con un remolino de plumas, un enorme pájaro blanco y negro ocupó su lugar. Abriendo sus alas de gran envergadura, el águila alzó el vuelo.

Tasya no sabía qué hacer con las manos. Qué hacer con los pies. Si gritar o rezar.

Entonces Rurik pareció explotar en un torbellino de plumas y ascendió al aire transformado en halcón.

—No —murmuró—. ¡No!

Había presenciado lo imposible.

Alguien la aferró por la espalda.

—Sí —susurró Sergei detrás de su oreja—. Es verdad. Estás viviendo tu peor pesadilla.

Después, ya no supo lo que hacía. Sabía cuáles habían sido sus movimientos: le había pegado un codazo en el estómago, clavado las uñas en el empeine y retorcido la muñeca lastimada. Era un Varinski, pero Tasya debía de haberle hecho algo, porque había quedado tendido en el suelo boca arriba.

Tal vez no fuera completamente impermeable al dolor.

Tasya contempló la pila de ropa y armas —las armas y la ropa de Rurik— que había quedado en el suelo. Contempló el cielo, donde las dos poderosas aves de presa volaban en círculo y se atacaban.

Sus garras eran como hoces afiladas.

El halcón era más pequeño y más veloz; embestía, atacaba, se retiraba, volvía a embestir.

Pero el águila hacía valer cada embestida suya, lastimando profundamente al halcón. Ya le había herido el ala, el pecho... El halcón descendió en espiral.

Tasya creyó que había gritado.

El águila se zambulló en picado para consumar la matanza... pero, justo antes de chocar contra la tierra, el halcón se transformó en un hombre que atrapó al águila y rodó con ella, aplastándola contra el suelo con todo su peso.

El águila agitó las alas y se quedó inmóvil.

Rurik había ganado, pero le había costado caro.

Pálido como un muerto, jadeaba sin poder recuperar el aliento. Estaba desnudo. Estaba indefenso.

El rubio lo estaba mirando, y sus ojos se transformaron en llamas. Se quitó la ropa —Dios santo, era mucho más corpulento y musculoso de lo que parecía— y Tasya vio iniciarse su transformación.

Un lobo. Era un lobo. Le creció el hocico, sus dientes aumentaron de tamaño y el cabello de la cabeza se propagó, como un reguero de pólvora, por su cara, su cuello y su espalda.

Había usado al águila para dejar exhausto a Rurik. Ahora pretendía acabar con él.

Tasya agitó su mochila en el aire y se la estampó en la cara al lobo.

Debían de haber sido las botas de suela pesada que colgaban de una correa las que lo aturdieron. O tal vez la cantimplora, medio llena de agua. Durante unos breves pero vitales segundos, el lobo cayó al suelo y no se movió.

Cuando lo hizo, Rurik estaba de pie encima de él. Su tatuaje ascendía por el brazo y descendía por el pecho, y sus colores azul cielo y rojo sangre parecían relucir amenazantes.

—Pronto caerá la noche. ¿Dónde está el campamento? Espero, por la gloria del infierno, que hayáis tenido el buen tino de acampar bien lejos del suelo sagrado.

El rubio, aplastado contra la tierra, gruñó y volvió la cabeza.

—Hacia allí —señaló Sergei. Y en su voz vibró una nota de respeto que Tasya no le había oído antes—. Bajad por el sendero y luego tomad un atajo hacia arriba, entre los pedruscos.

Rurik recogió su ropa, sus cuchillos y sus pistolas y se los entregó a Tasya.

—Sostén esto.

Ella miró las cosas y luego lo miró a él; quería ver su reacción cuando las arrojara al suelo.

Hasta que Rurik dijo:

—A menos que prefieras que me quede desnudo.

Tasya no quería mirarlo, en realidad no quería mirarlo; pero sus palabras eran un desafío... y ahora él era lo único que ella podía ver. El sol poniente hacía relucir los músculos de su pecho, todavía jadeante por el esfuerzo, y la herida de cuchillo que, ahora se daba cuenta, no era de cuchillo sino de garra o diente. De los cortes que le había infligido el águila manaba sangre. Rurik estaba malherido. La firmeza de su abdomen y sus muslos macizos daban testimonio de toda una vida a base de ejercicios con pesas y carreras de larga distancia, de prepararse constantemente para la pelea que en cualquier momento podía presentarse. Y que ahora se había presentado.

Bajo la mirada de Tasya, los genitales de Rurik despertaron a la vida. Por supuesto.

Era un Varinski.

—Te odio tanto —dijo entre dientes. Jamás había dicho algo con tanta intensidad.

—Pero igualmente llevarás mi ropa.

Sí. Había ganado todas las batallas, utilizando todas las tácticas arteras conocidas por el hombre.

Y ella se había enamorado de todo aquello.

Rurik cogió su mochila con una mano, el brazo de Tasya con la otra, e inició la marcha hacia el campamento.

El hombre rubio, que ya no era un lobo, se tambaleó un poco al ponerse en pie.

—Esa ramera necesita que le den una lección —dijo.

Rurik se encaró con él.

—¿Cómo te llamas?

—Yo soy Kassian.

—Bueno, Kassian, yo diría que ya la ha recibido. No puede matar a un Varinski, pero puede dejarlo inconsciente con un golpe rápido en la cabeza. —Rurik dio media vuelta y arrastró a Tasya cuesta abajo.

Pero Tasya había aprendido, también, otra lección.

Que los monstruos andaban por la tierra y que, gracias a su estupidez, ella se había convertido en su presa.

26

—Suéltame el brazo. —Tasya iba tiesa como una tabla al lado de Rurik, que bajaba la cuesta a grandes zancadas rumbo al campamento.

—Tengo varias cosas que decirte y no tengo tiempo para hacerlo.

Tasya trató de soltarse.

Rurik aumentó la presión del puño.

—No te despegues de mí. Los Varinski tienen la misión de matarte. Si te alejas, cumplirán su misión.

—Me estás ofreciendo una opción maravillosa.

—Más vale pájaro en mano que ciento volando.

—Soy tonta, sí. Pero no tanto. —Lo miró, intentando ver en él al hombre que había conocido tan bien.

Un Varinski. Dios santo. El hombre con quien había trabajado, el hombre con quien se había acostado, el hombre en quien había confiado... era un Varinski.

Ella lo había visto transformarse en halcón. Lo había visto. No obstante, no podía comprender lo que había visto. Y tampoco podía quedarse callada.

—Pero quédate tranquilo, tú me has demostrado que soy tonta. De todas las maneras posibles. Me has engañado de todas las maneras posibles.

Rurik la obligó a detenerse.

—Muy bien. Primero... cuando te conocí, no sabía que

tuvieras un problema con los Varinski. De modo que no intentes convencerte de que te engañé porque me pareció divertido. Te engañé porque te deseaba. Todavía te deseo, y voy a hacer todo lo que esté a mi maldito alcance para asegurarme de que salgas viva de esto.

—Sí, claro. —Rurik la mareaba cuando posaba su mirada sobre ella y hablaba con tanta resolución. Casi estaba a punto de creerle—. Por eso les has dicho quién soy. —Apretó la mano contra su mochila.

Necesitaba concentrarse. Ella tenía el icono. Rurik no lo sabía. Y ella quería que las cosas siguieran así.

—Te usé como moneda de cambio para que me aceptaran. —Retomó la marcha, arrastrando a Tasya consigo—. Por si no te has dado cuenta, existe cierta tensión entre los Varinski rusos y los Wilder estadounidenses, y yo no te serviré para nada si estás muerta.

—Nunca me dijiste que eras un Varinski.

—No soy un Varinski. Soy un Wilder. Soy el hijo de mi padre. El hijo de mi madre. —Se detuvieron en un valle cubierto de hierba junto a una pila de enseres y ropas... y de rifles y pistolas semiautomáticas de los Varinski. Rurik escrutó el área y dejó caer su mochila cerca de un montón de piedras. Cogió su camiseta de manos de Tasya y se la puso por la cabeza—. Y cuando tú me contaste tu historia, ya estábamos metidos hasta el cuello en esto.

—No tenías por qué quedarte conmigo. —Observó cómo se ponía los calzoncillos, acomodaba los cuchillos en su cintura y se subía los pantalones—. Toda esa mierda de «Confía en mí, Tasya. No voy a traicionarte, Tasya. Lo juro por el alma de mi padre». El alma de tu padre ha de estar tan manchada por tu falso juramento que irá directo al infierno.

Rurik la miró. Solo la miró. Y, por un instante, Tasya pudo ver la profundidad de su dolor.

Reconoció esa profundidad. Había vivido en esa profundidad.

Enderezó la espalda.

No sentiría empatía por él. Por un Varinski.

Dejó caer al suelo el resto de sus ropas, y también sus zapatos, y se limpió las manos.

—¿Por qué tengo que ir cargando tus cosas?

Rurik se apoyó contra las piedras para ponerse los calcetines y los zapatos; luego rebuscó en la pila de armas de los Varinski y eligió una pistola semiautomática. Cargó un cartucho en la culata.

—Vámonos de aquí.

—Me parece buena idea. —Tasya se agachó para coger una pistola.

Rurik le sostuvo la mano.

—¿Sabes disparar?

—Me han enseñado a hacerlo.

—Me parece muy bien. —Su voz sonaba triste y a la vez divertida—. Aunque me encantaría saber que puedes defenderte tú solita de los Varinski, me temo que tendré que inclinar la balanza hacia conservar mi propia vida.

Era precavido. Bien.

—Según vosotros, los Varinski, yo no puedo mataros.

—Es verdad. Pero si me disparas podrías retrasarme.

—Es bueno saberlo. —Clavó sus ojos en los de Rurik.

—Retrasarme y hacerme enfadar. —La miró sin más rodeos—. ¿Qué te parece si hacemos un trato? Primero te explico las cosas y luego te doy la pistola.

—Parece un buen trato. —No quería ser la primera en romper el contacto visual, pero la manera que Rurik tenía de mirarla, tan penetrante, tan decidida, la hizo desviar la mirada.

Seguramente pensaba que dado que la había seducido una vez —bueno, más de una vez—, podría convencerla con palabras dulces de volver a creer en sus mentiras.

¿Y por qué no habría de pensarlo? Todo el tiempo se había comportado como una absoluta gilipollas.

—Vamos. —Rurik intentó coger la mochila de Tasya.

Tasya retrocedió. Cerró los dedos sobre el asa con el corazón palpitante, alarmado.

Rurik era algo sobrenatural. ¿Acaso habría sentido que el icono estaba allí dentro?

—¿Qué haces?

—Dejaremos algunas cosas aquí para que crean que vamos a regresar. —Volvió a tironear de la mochila—. Allí adonde vamos no necesitarás tu mochila.

No. No sabía nada del icono.

«Afronta la verdad, Tasya, si supiera que tienes el icono, se apoderaría de él y saldría corriendo (no, volando) y te dejaría abandonada a los Varinski.»

La amargura de esa verdad hizo que Tasya levantara orgullosamente el mentón y lo mirara directamente a los ojos.

—Entonces la llevaré conmigo. Es que... tengo mi cámara en la mochila.

Rurik desvió la mirada, tan furioso y tan hostil como ella.

¡Como si tuviera derecho!

—De acuerdo. —Arrojó su abrigo de cuero junto al resto de sus cosas y volvió a tomarla del brazo.

Tasya intentó desasirse.

—Todavía puedo caminar sola.

—Bueno. —La soltó y empezó a subir la cuesta.

Tasya se calzó la mochila y, llevada por la furia, se apresuró a alcanzarlo.

—¿Adónde estamos yendo?

—Al otro lado de la montaña, a un lugar donde podamos hablar en paz.

Al otro lado del angosto sendero de piedra que atravesaba el acantilado, en realidad. No la tentaba para nada la idea de hacer aquel camino dos veces en un mismo día. En realidad, no quería volver a hacerlo nunca.

—¿Cómo se te ocurre? Por lo menos uno de esos Varinski es un pájaro. Si quieren volar encima de nosotros y cagarnos encima, lo harán. Son Varinski. Pueden hacer lo que les venga en gana. —Tuvo un escalofrío—. Y tú también puedes.

—No. Yo no puedo.

—Yo te vi.

—Me viste transformarme en halcón por primera vez en cinco años. Rompí mi juramento porque... —Respiró hondo y ordenó sus pensamientos—. Los dos jóvenes Varinski están heridos. Tendrán necesidad de recuperarse... cosa que harán, y rápido, porque eso es parte del pacto con el diablo. Tú has humillado a Kassian y le llevará más tiempo recobrarse, porque tendrá que restablecer su autoridad sobre los chicos. Tenemos un par de horas hasta que vengan a buscarnos.

—Porque saben que, ahora que nos han encontrado, no podremos huir. —Parecía que el icono volvía más pesada la mochila.

—Eso es, justamente, lo que pretendo que hagamos.

—O quizá ellos no nos encontraron. Quizá tú me trajiste hasta aquí para entregarme a los Varinski. —Las palabras dolían como brasas.

—Si eso fuera verdad, ¿por qué me tomaría el trabajo de mentirte ahora? —Y encima tenía el coraje de refutarla.

—No lo sé. —Hervía de frustración—. No comprendo por qué diablos has hecho todo lo que has hecho... Excavar la tumba, seguirme por toda Europa...

—Lo hice por mi familia. Lo hice por mi padre.

—¡Vaya! ¿No es conmovedor? ¡Yo también lo hice por mi familia! Solo que yo quiero llevar el icono a la National Antiquities Society ¿y tú quieres llevarlo a...? —Tasya lo miró, enarcando las cejas.

—Quiero llevárselo a mis padres, en el estado de Washington —dijo. Y agregó con amargura—: Pero ¿qué sentido tiene pelear ahora por eso? Aún no hemos encontrado el icono.

Tasya tropezó.

Rurik la cogió del brazo.

Había estado a punto de traicionarse. Casi se le había escapado que ella había encontrado el icono, que lo tenía en su poder y que, si podía, lo llevaría consigo.

—Entonces ¿todo esto (la excavación de la tumba, la alocada carrera por Europa tras una barra de Golden Grahams) estaba relacionado con tu familia y con tu padre?

—La leyenda es verdad. El diablo dividió los iconos. Los arrojó a los cuatro confines de la tierra. —Rurik abrió los brazos como si fuera el diablo... Y en aquel momento, en opinión de Tasya, ese nombre le sentaba muy bien—. Mi familia tiene que reunirlos para poder romper el pacto con el diablo.

—Muy conmovedor.

Llegaron al borde que ascendía precariamente al acantilado.

Rurik le ofreció la mano para ayudarla.

—¿Quieres escucharme o no?

Quería. Necesitaba alguna clase de explicación.

—Por supuesto. Es increíble andar de ronda con los Varinski. —Avanzó sin temor. ¿Cómo habría de temer una caída al vacío cuando había dormido con su peor enemigo?

Rurik la seguía de cerca, casi pisándole los talones por el sendero de piedra.

Tasya no podía reprimir —no quería reprimir— el sarcasmo que manaba de ella como de una fuente.

—Oh, espera. Lo había olvidado. Tú eres un Varinski.

Rurik la cogió del brazo y la obligó a detenerse allí mismo, en el sendero angosto. No hizo nada. Simplemente esperó.

No miraría hacia abajo. No miraría hacia abajo. No miraría... Miró hacia abajo. Todo el trayecto, hasta las rocas dentadas y puntiagudas que asomaban abajo.

Apartó los ojos y volvió a mirar a Rurik.

Estaba claro como el agua que el muy hijo de puta podía pasarse todo el día allí quieto. Sí, porque si se caía, podía volar.

Tasya depuso las armas.

—Por favor, cuéntame tu historia. Es increíble... —No. Ya basta de sarcasmos y de burlas—. Cuéntamela.

Rurik la soltó. Y volvió a seguirla mientras ella avanzaba por el borde, esta vez con más cautela.

—Mi padre es uno de los descendientes de Konstantine, fue el líder de los Varinski de su generación... y el primer Varinski que se enamoró.

—¿De tu madre?

—De mi madre. Cuando huyeron para casarse, la familia de mi padre y la tribu de mi madre los persiguieron. Para no ahondar en detalles, solo te diré que ninguno de los grupos aprobaba esa unión. En el fragor de la pelea, Konstantine mató a su hermano. Sabiendo que los Varinski jamás lo perdonarían, Konstantine y Zorana escaparon a Estados Unidos, adoptaron el apellido Wilder y fundaron su hogar en las montañas de Washington. Tuvieron tres hijos. —Su voz denotaba respeto al narrar la historia de sus padres—. Y entonces ocurrió el milagro. Mi madre dio a luz a la primera niña en mil años.

Era obvio que Rurik adoraba a su hermana. Por desgracia, tanto afecto fraternal no contribuía sino a herir todavía más los sentimientos de Tasya.

—Siento como si hubiera entrado por error en Barrio Sésamo —dijo. Pero cuando llegaron al final del sendero, a tierra firme y segura, sintió que su enojo comenzaba a enfriarse.

Y eso era justamente lo que Rurik esperaba, porque seguía andando a su lado a grandes zancadas, confiado y relajado.

—Mis padres esperaban que el pacto se hubiera roto, pero cuando Jasha llegó a la pubertad se transformó en lobo. Adrik se convirtió en pantera. Firebird... bueno, mi hermana, Firebird, no se transforma en ningún animal, pero es fuerte e inteligente, y todos la adoramos.

—Y tú eres un halcón. —Tasya no quería acercarse a la boca de la cueva. Por lo tanto, se dirigió hacia la cima de la montaña.

Rurik la siguió.

—Cuando los varones éramos adolescentes, era una sensación fantástica. Por supuesto que no podíamos decírselo a nadie, pero nos escapábamos de casa para salir corriendo a cuatro patas o volando y nos creíamos los tíos más estupendos del mundo. Yo soy el único hijo varón que puede controlar la transformación. Mi padre dice que soy el único macho que ha podido hacerlo. Puedo transformar un brazo en ala, o un pie en garra, o modificar mis ojos para poder ver con la agudeza y la distancia de un halcón predador.

—Estás alardeando de tus poderes. —Y lo estaba. Alardeaba recordando la juventud pasada, la juventud vivida con una libertad y un poder que Tasya jamás habría podido imaginar.

—Sí. Yo era un tío como pocos. Mi padre sostenía que cada transformación nos acercaba un poco más al foso del infierno, pero yo estaba seguro de poder sacar provecho del cambio de forma. —Sin dejar de hablar, modificó infinitesimalmente el paso—. Ocurrieron cosas malas. Cuando Adrik tenía diecisiete años se metió en problemas y... desapareció. Lo buscamos hasta Asia, pero... nada. No obstante, yo continuaba pensando que podía manejar ese asunto del halcón sin sufrir repercusiones. ¡Volar era tan magnífico!

Tasya lo miró y supo que sus recuerdos tenían un sabor amargo.

—Y por eso te hiciste piloto.

—Y todo el mundo sabía que yo era el mejor piloto de las Fuerzas Aéreas, el que pilotaba los aviones experimentales y entrenaba a los mejores reclutas.

Tasya percibió un dejo de nostalgia en su voz. Pero se dijo que no le importaba. No obstante, se oyó preguntar:

—¿Y qué ocurrió después?

—Utilicé mi vista de halcón durante un vuelo de reconocimiento y asusté tanto a mi OSIA que se eyectó en territorio enemigo. Antes de que pudiéramos rescatarlo, los enemigos lo capturaron y lo torturaron hasta que falleció. —Hablaba con una intensidad tan profunda que Tasya se vio obligada a mirarlo, a mirarlo de verdad.

La culpa lo envolvía como un traje de luto. El remordimiento lo asfixiaba como un lazo corredizo.

Tasya sentía... casi sentía pena por él.

—Mi padre tenía razón. Un don otorgado por el diablo no puede usarse para hacer el bien, y que yo aprendiera esa lección costó la vida de un hombre. Entonces juré que jamás volvería a transformarme.

Tasya no quería sentir pena por él y se negaba a sentir gratitud por el hecho de que hubiera roto su juramento para salvarle la vida.

—¿Y ese vuelo fatídico tuvo algo de bueno?

—Confirmé la existencia de una central nuclear enemiga y la eliminamos.

De repente, Rurik le pareció tan estúpido que ya no pudo soportarlo.

—Entonces has salvado... ¿cuántas vidas? ¿Nunca se te ocurrió pensar que el diablo manipulaba las circunstancias para impedir que usaras tu don para hacer el bien? —le espetó—. Vamos, Rurik, no seas idiota. Si vas a luchar contra los demonios del infierno, necesitarás todas las armas de tu arsenal. Solo debes tener cuidado y no cambiar de forma cuando algún idiota anda cerca, eso es todo.

—Matt Clark no era ningún idiota.

—Un hombre que se eyecta de un avión en perfectas condiciones sobre territorio enemigo, por el motivo que sea, es un idiota.

Rurik rió. Fue una carcajada corta, violenta.

—Eso mismo dijo mi hermana cuando se enteró.

—¿Y por qué no le hiciste caso a tu hermana?

—Porque ella tenía diecisiete años y yo... yo estaba destrozado. —Se frotó la frente—. Pero es probable que ella tuviera razón.

—Es probable.

Tasya se detuvo junto al altar de piedra y miró la extensa llanura de su país. Su país. Sentía la imperiosa necesidad de ver las montañas, los valles. De ver todo lo que pudiera.

Pero aún quedaba un cabo suelto en la historia de Rurik.

—Tienes la habilidad de transformarte en halcón. Puedes volar cuando y a donde te plazca. Tus hermanos varones también pueden convertirse en animales. Entonces ¿por qué quieres romper el pacto?

—Si no lo hago (si no lo hacemos), mi padre estará condenado a arder en el infierno por toda la eternidad.

Rurik también contemplaba las vastas extensiones.

—¿Estás viendo más lejos de lo normal ahora? —le preguntó Tasya.

—No. Cuando cambio, mis ojos son diferentes. Visiblemente distintos. —Se dio la vuelta para mirarla, y sus ojos eran los del Rurik de siempre. Los del hombre que amaba.

¿Cómo era posible? ¿Cómo podía amar a un Varinski? ¿Cómo podía estar allí pisando la tierra de sus ancestros, traicionando a su padre y a su madre, olvidando sus muertes y abandonando su venganza?

No. No. No lo haría. Había llegado demasiado lejos para cambiar ahora de rumbo.

La idea del icono oculto en su mochila le quemaba el cerebro. Si de algún modo lograba sobrevivir a ese encuentro con los Varinski, desbarataría los planes de Rurik. Pero si la historia que él le había contado era cierta... Su mente se distrajo antes de que se formara el pensamiento.

—¿Y quién te ha dicho que la reunión de los iconos romperá el pacto con el diablo?

—Mi madre tuvo una visión.

—Tu madre tuvo una visión —repitió Tasya, impávida—. ¿Y creemos en su visión porque...?

—Porque yo estaba allí. Porque algo habló a través de ella y yo lo vi con mis propios ojos. Y lo oí.

—¿Tu madre suele tener visiones? —Puso una voz lógica, como la que ponía el presentador de The History Channel cuando explicaba un simple acontecimiento por centésima vez.

Rurik respondió con un fulgor rojizo en los ojos. Tasya se estaba burlando de su madre y eso hacía que se enojara.

Bien.

—Jamás la he visto tener antes una visión y, además las dos primeras partes de su profecía se hicieron realidad de inmediato. Mi padre cayó enfermo, como un roble talado. Y la mujer de mi hermano encontró el primer icono.

Aquello sí que la impactó, pero ocultó su emoción tras un velo de sorna.

—Eso sí que habrá sido frustrante para ti, que una simple mujer haya encontrado uno de los iconos.

Rurik la miró con frialdad.

—Mi madre había dicho: «Solo su amor puede conseguir que las piezas sagradas vuelvan a casa».

—¿Y qué diablos significa eso?

—Creo que significa que quizá yo pueda encontrar el icono, pero que la tarea de llevárselo a mi familia recaerá sobre ti.

Lo primero que Tasya sintió fue pánico. Y el corazón empezó a latirle demasiado rápido.

—¡Yo no soy tu amor!

Los labios de Rurik dibujaron una suave curva.

Después sintió resentimiento, un golpe bajo directo en el abdomen.

—Pero si tú crees que lo soy, eso ciertamente explica por qué andas detrás de mí como un perro en lugar de buscar el icono por tu propia cuenta —le espetó.

Gracias a Dios que lo había encontrado. Gracias a Dios que lo tenía en su poder. Y, si el relato de Rurik la había hecho titubear, lo que acababa de decirle hizo que su resolución adquiriera la dureza de un diamante.

—Estás decidida a encontrar problemas allí donde no existen. Si la profecía es cierta, si un poder más grande obra a través de mi madre y a favor del bien, ¿acaso crees que ese poder se dejaría engañar si yo fingiera amor por ti? —Rurik la miró a los ojos, exigiendo un poco de lógica cuando lo único que deseaba Tasya era volver a su viejo y conocido enojo.

El enojo era más fácil. Mucho más fácil.

—No sé. No sé por qué tendría que creerte. Lo único que sé es lo que he visto, oído y sentido. —Hizo una pausa—. Mi padre solía alzarme en brazos y llevarme al árbol que estaba al pie de la montaña, el símbolo de la familia Dimitru. Trepaba conmigo hasta las ramas más altas. Señalaba el paisaje que nos rodeaba, prácticamente la misma vista que tenemos desde aquí, y decía: «Este árbol ha crecido en nuestra montaña desde el principio de los tiempos. Simboliza la sangre real de los

Dimitru, y mientras este árbol continúe creciendo y floreciendo, los Dimitru crecerán y florecerán también».

Rurik intentó abrazarla.

Tasya lo rechazó con un leve empujón.

—¿Sabes qué fue lo que ocurrió? El dictador Czajkowski contrató a los Varinski para que mataran a mi familia, para que nos mataran a todos, y dio instrucciones especiales de quemar el árbol hasta la raíz para que todos en Ruyshvania supieran que la familia real jamás regresaría.

Rurik la tomó en sus brazos, y esta vez no le permitió desasirse.

—Tasya, cariño, ¿por qué no lloras?

—¿Crees que no me gustaría poder llorar y desahogarme? —Odiaba todo aquello. No quería sentir ese desgarramiento, esa angustia lacerante en el estómago. Y, si debía sentirlos, decididamente no quería que él la viera—. Todavía puedo oír los gritos. Todavía veo las llamas. Sueño con mis padres quemándose vivos, en agonía; sueño con las torturas a las que sometieron a mi padre; sueño con la gente que murió por nosotros, y mi corazón sangra por todos los ruyshvanianos que han perdido a un hijo o a un padre. Ellos maldicen nuestro nombre y yo lo sé muy bien, y quiero hacer algo para devolverles la paz. Quiero destruir a los Varinski por ellos.

Quería ser tan fuerte como pretendía, no una chiquilla frágil que no se atrevía a mirar los restos de su vida por miedo a quebrarse.

Lo peor de todo era que el abrazo de Rurik la tranquilizaba, aunque Tasya no sabía por qué.

Y esa era otra manera, una más, de traicionar a sus padres. Una traición mucho más dolorosa.

—Tu familia podrá hacerse llamar Wilder todo lo que quiera —murmuró en un arrebato de dolor y de furia—, pero si ahondas un poco, son Varinski. Siempre supiste lo que yo estaba buscando, y me ocultaste la verdad. Jamás te perdonaré por haberme mentido. Por haberme usado. Nunca podré perdonarte.

27

Rurik miró largamente a Tasya.

Los huesos de su cara parecían tallados en granito. Sus ojos tenían el color del centeno, pero ardían iluminados por llamas rojas. La curva de su boca era cruel. Y su cuerpo estaba tan tenso e inmóvil como el de un predador que espera el momento de matar.

Tasya se dio cuenta de algo... Comprendió que, en realidad, nunca le había tenido miedo.

Pero ahora sí le tenía miedo.

—¿Qué es tu mezquina y maldita venganza comparada con romper un pacto con el diablo? —preguntó Rurik, con una voz más fría que el hielo.

Tasya apenas podía contener la sensación de furia... y terror.

—¿Mezquina?

—Si te las ingenias para encontrar el icono, y si te las ingenias para llevarlo a la National Antiquities Society, y si ellos se las ingenian para documentarlo fehacientemente y de tal modo que se pruebe que tu teoría sobre los Varinski es verdad, entonces aparecerás en todos los programas matutinos y tendrás muchísima publicidad. Publicarán tu libro y tal vez, si logras captar la atención del mundo durante más de quince minutos y si los Varinski no amenazan o sobornan al jurado, Yerik y Fdoror Varinski irán a la cárcel. —Rurik cerró lentamente las manos sobre los brazos de Tasya, bajó la cabeza hasta alcanzar el nivel de sus ojos y la miró tan fijamente que ella no se atrevió a parpadear siquiera—. Donde vivirán como reyes y de donde saldrán seis meses más tarde, como mucho, por buena conducta.

—Pero la publicidad negativa...

—¿De qué servirá? ¿Recibirán un golpe menor, un ojo morado, en el negocio del crimen? ¿Y, a cambio, atraerán la atención del mundo entero? Un mundo que indudablemente quedará fascinado ante tanta maldad. —Hizo un ademán hacia el este, en dirección a Ucrania y la casa de los Varinski—. *60 Minutos* enviará a algún viejo y renombrado periodista a entrevistar a Boris. La editorial en la que has puesto todas tus esperanzas se apresurará a ofrecerles un contrato, y un escritor fantasma divulgará su historia con raudales de sensacionalismo. Antes de que te des cuenta, habrán filmado una película y creado una miniserie de televisión sobre los Varinski. Pero nada de eso te afectará.

Tasya enderezó la espalda.

—¿Por qué no?

—Porque no vivirás para verlo.

—No tengo miedo de morir.

—Entonces eres una tonta, porque los Varinski son como miembros adolescentes de la pandilla más exitosa de la historia. No tienen conciencia. Les fascina atormentar a los indefensos. Y te molerán a palos y te matarán lentamente, y te violarán varias veces mientras te matan.

—¿Como hicieron con mi madre? —atacó Tasya, pero sabía que estaba perdiendo terreno.

—Como hicieron con tu madre —admitió Rurik—. Pero mejor hablemos de los defectos de tu plan. La National Antiquities no cuenta con la seguridad necesaria para mantener a salvo el icono.

—¡Tienen un excelente sistema de seguridad!

—La prueba desaparecerá antes de que el primer experto pueda posar sus ojos en ella. De modo que el resto de tu plan es un fracaso. Bueno, salvo la parte donde tú mueres. Porque ellos te matarán.

Tasya levantó la barbilla.

—De todos modos van a matarme. Soy la única Dimitru que logró escapar, y los Varinski nunca dejan supervivientes.

—Es verdad. —Rurik se puso rígido—. Pero si consigues llegar hasta mi familia en Washington, ellos podrán protegerte.

—¿Y cómo haría yo para llegar allí sin que me siguieran los Varinski?

—Yo te diré cómo llegar. Y yo distraeré a los Varinski.

—¡Al diablo con eso!

—Nos hemos quedado sin opciones. Uno de nosotros debe quedar vivo para encontrar el icono.

—Tú eres el único que tiene alguna probabilidad de sobrevivir.

—También soy el único que puede pelear con los Varinski. Escúchame bien. Si logras encontrar el icono y se lo llevas a mi familia, tendremos la posibilidad de derrotar al diablo. —La tomó de los hombros y la sacudió suavemente—. Piénsalo. Si podemos poner fin al pacto, los Varinski no serán más que un grupo de seres humanos patéticos que no sabrán cómo conducirse en el mundo real. Nadie les tendrá miedo. Serán vulnerables a los procesamientos. Lo habrán perdido todo. ¡Piensa en esto, Tasya! ¡Allí está tu venganza!

La tenía arrinconada. Peor aún, la estaba obligando a enfrentarse a los hechos.

Su plan jamás habría podido triunfar.

Por lo menos uno de ellos iba a morir.

Y ese era el fracaso definitivo.

La frustración se apoderó de ella.

—No quiero estar aquí. No quiero estar arrinconada. Quiero...

—¿Qué quieres?

«Te quiero a ti.

»Quiero a Rurik y quiero volver a la creencia ingenua en

242

que, si logro poner las manos sobre ese icono, podré derrotar a los Varinski y encontrar la paz por la muerte de mis padres.

»Quiero a Rurik y quiero algo parecido a la tranquilidad que me dio en el tren.»

A Rurik y a la vaga sensación de que era un hombre al que podía amar.

Pero lo había visto transformarse en predador... Había visto con sus propios ojos la evidencia del diablo y de sus obras.

Todos sus sueños estaban rotos... y era Rurik quien los había destrozado.

Con un gruñido, dejó caer la mochila —y con ella la carga del icono— y la empujó detrás del altar.

Lo golpeó en el pecho. Lo golpeó con todas sus fuerzas.

Rurik apenas se movió.

Era inmutable: fuerte, alto... recto.

Golpearlo que hacía que se sintiera bien. Volvió a hacerlo. Una vez más.

Y Rurik, que hasta entonces había sido un pilar de calma y de razón, la levantó en brazos, la estrechó contra él y la besó.

No fue un beso como los del tren. No fue la amable, lenta y tranquilizadora seducción de una boca con otra, sino un beso de pasión, de furia, de frustración.

Aplastó los labios de Tasya con los suyos, los entreabrió con la lengua y tomó sin pedir.

Tasya deseaba eso. Por unos pocos, preciosos instantes deseó que aquel fuego quemara las verdades dolorosas y le concediera el olvido.

Respondió a sus besos con la misma pasión desenfrenada, sosteniendo la cabeza de Rurik entre sus manos, explorándolo con su lengua, haciéndolo gemir.

Rurik deslizó las manos bajo el trasero de Tasya y la hizo levantar las piernas, frotando su pene erecto contra la costura de sus pantalones.

Tasya interrumpió el beso y arqueó la espalda, poseída por un orgasmo rápido e imprevisto.

Rurik no cesaba en sus embestidas, prolongando el placer; pero, cuando la pasión alcanzó el clímax, empujó a Tasya contra el altar de piedra y le quitó la camisa por encima de la cabeza. En menos de un segundo, le desabrochó el sostén con una mano y el cinturón con la otra.

—Hijo de puta. —¿Acaso pensaba que podía desnudarla así, sin más, y follársela?

No, si antes no se desnudaba él también.

Tasya le aflojó el cinturón y abrió la cremallera de sus pantalones, con tal violencia que lo hizo musitar:

—¡Ten cuidado!

Rurik le bajó las bragas hasta los tobillos.

Tasya se descalzó los zapatos y empujó todo —Levi's y bragas— a un lado, y empezó a bajarle los pantalones a Rurik. Con un grácil movimiento, se deslizó con los pantalones hasta quedar de rodillas frente a él.

—¡Cuidado! —Era más un gruñido que una palabra.

No necesitaba tener cuidado. Sabía perfectamente lo que estaba haciendo.

Tomó el pene erecto en su boca y, con un movimiento largo y deliberado, humedeció la piel sedosa. La punta se sentía como terciopelo caliente, y Tasya saboreó la primera gota de semen.

Durante las fogosas noches que habían pasado juntos, Rurik la había poseído, le había dado placer, la había mimado y dado todos los gustos.

Ahora, allí, al fin y por fin, Tasya tenía el control de la situación.

Le chupó la polla, metiéndola en la boca hasta el fondo y soltándola lentamente.

Las caderas de Rurik pegaban saltos leves, como si no pudiera estarse quieto. Su polla se meneaba en la boca de Tasya. Maldecía, con una larga sarta de insultos que mezclaban palabras desesperadas en idiomas desconocidos.

Dios, la venganza era dulce.

Rurik debía de haber visto su sonrisa. ¿O quién sabía? Tal

vez la estuviera sintiendo. Porque se quitó la camiseta, sacó los pies de los pantalones, se agachó y la levantó por las axilas.

Alzándola en brazos, la depositó sobre el altar, la hizo abrir las piernas y continuó hacia arriba.

Sentía la piedra rugosa y caliente bajo la espalda. Rurik se disponía a embestir sobre ella, con su polla fuertemente apretada contra el cuerpo de Tasya, de nuevo próximo al orgasmo.

—No —dijo Tasya.

Rurik se detuvo. Sus brazos temblaron cuando cambió de posición. Sus ojos eran brasas ardientes, y en sus profundidades brillaban llamas rojizas.

—¿No?

¿Se detendría si ella se lo pedía?

Difícil.

Lo aferró de los brazos.

—Tú irás abajo.

Rurik lanzó un hondo suspiro y apretó los dientes. Miró cuesta abajo, hacia los Varinski, y volvió a mirar a Tasya.

—Mujer, estás tirando demasiado de la soga.

Pero hizo lo que Tasya mandaba. Rodó con ella.

—Perfecto. —Tasya se sentó encima de él, ingle con ingle. Allí, sobre el altar de piedra, podía ver a kilómetros de distancia... Veía el valle más abajo, la cadena de montañas, y el horizonte cuyo único límite era la eternidad. Allí arriba estaban en la cima del mundo... y ella estaba encima de él.

La brisa fresca hizo erguir sus pezones... o tal vez fuera la mirada de Rurik lo que la ponía cachonda.

Los contornos de su poderoso pecho y sus brazos resplandecían bajo el sol, y una leve capa de vello oscuro destacaba la definición de cada músculo. Ese tatuaje, ese tatuaje salvaje, primitivo, recorría su piel en un trazado brillante, arcaico. Rurik bajó los párpados mientras ella lo observaba, ocultando a medias sus ojos. Pero Tasya vio la verdad. En lo más hondo de sus pupilas, las llamas rojizas brillaban implacables, vigorosas.

Era un predador. Era feroz. Era salvaje.

Y, al menos por ese momento, ella le había arrebatado el poder.

Extendió los brazos por encima de su cabeza, con una perversa carcajada de triunfo.

Rurik intentó atraparla.

Tasya le cogió las muñecas con sus manos.

Por un instante, él se resistió. Luego permitió que Tasya colocara sus brazos por encima y por detrás de su cabeza.

Se estiró sobre él, con el vello de su pecho acariciando suavemente sus senos. Le sonrió, mirándolo a la cara.

—No te tengo miedo.

—Deberías tenerme miedo.

Tasya volvió a reír, y deslizó la lengua entre los labios de Rurik.

Las lenguas de ambos parecían batirse a duelo, húmedas y calientes.

Rurik dejaba que ella lo mantuviera cautivo.

Pero se movía incansable entre sus piernas, aumentando sus sensaciones, tentándola...

Pero Tasya era fuerte. No dejó que la penetrara. En cambio, cabalgó sobre su pene erecto en suaves oleadas, dándose placer pero sin darle nada a él... Excepto, tal vez, la satisfacción de saber que el solo recuerdo y la promesa de su polla llegando a lo más hondo de su cuerpo bastaban para que ella lo deseara con locura.

Tasya quería encenderlo, también, hasta la locura.

Y quizá lo estaba haciendo. Pero eran dos jugando al mismo juego, y mientras ella provocaba, él la colmaba de sensaciones. Cogió sus senos entre las manos, frotando suavemente los pezones contra el vello áspero de su pecho. Apartó la boca de los labios de Tasya y deslizó los suyos por el borde del mentón hasta la oreja, y luego descendió por el cuello en una prolongada, lenta y húmeda caricia.

Su corazón latía cada vez con más fuerza. Estaba viva como nunca lo había estado... quizá porque la muerte acechaba tan cerca.

Temblorosa de deseo, Tasya se apartó de la adictiva intensidad de sus labios.

Volvió a sentarse a horcajadas sobre Rurik, pero ya no se reía. Ciega de anhelo, deslizó a tientas la mano entre los cuerpos de ambos, cogió la polla en el puño y la sostuvo y la apretó, sabiendo que podía hacer que él se corriera solo con el vaivén de su mano, tratando de convencerse de que podía vivir sin Rurik dentro de su cuerpo.

Pero no podía. Quizá fuera, probablemente sería, la última vez que estuvieran juntos de esa manera. Aunque ambos salieran con vida, ¿podría seguir acostándose con el enemigo?

No. No. Esa sería la última vez.

—Hazlo —le pidió, Rurik observándola. Los músculos de su cara estaban tensos de deseo, y Tasya habría jurado que él podía adivinar cada pensamiento que se le pasaba por la cabeza—. Ya me has atormentado bastante. Hazlo ahora.

Colocó su polla enhiesta en la entrada de su cuerpo y Tasya empujó hacia abajo para recibirla. Estaba empapada de deseo, pero sus tejidos se rendían lentamente, envolviéndolo poco a poco, y Rurik gemía como si estuviera agonizando.

Sí. Si ese sexo, ese dilema, ese placer, quebraba su voluntad y la dejaba sin aliento... era justo que se tratara de un hacha de doble filo.

Aquella noche en el tren, le había parecido que Rurik la había penetrado de todas las maneras posibles, y que juntos habían explorado cada sentido, cada sensación.

Pero no, esta vez todo era nuevo, diferente. Ella estaba arriba, al mando. Ella marcaba el compás, imponía el ritmo. La piedra del altar le raspaba las rodillas cada vez que subía y bajaba. El sol brillaba sobre su cabeza, sobre sus hombros. El aroma a pino, a aire fresco y a Rurik llenaba sus pulmones. Veía a Rurik, magnífico, musculoso, empapado en sudor, debajo de ella.

Estaba tenso, su rostro áspero transformado por la luz del sol y la oscura obsesión. Una pasión feroz le teñía los ojos. Rurik le cogió los muslos con las manos y flexionó los dedos, levantándola y acariciándola una y otra vez, como si nunca se cansara de tocarla. Tasya casi podía ver las restricciones que se autoimponía: estaba a un segundo, a un movimiento, a una respiración de tomar el control del día... y de ella.

Rurik tenía el poder, y cuanto más se reprimía, su poder más crecía.

Ella lo contenía —grande, fuerte y vital— dentro de su cuerpo. Rurik empujaba con las caderas y Tasya respondía rítmicamente a sus embestidas. Juntos recorrían un sendero tan antiguo como la piedra que yacía debajo de ellos. Y tan nuevo como el amanecer.

El aliento de Tasya le raspaba el cuello.

El orgasmo iba creciendo, palpitante, una ola poderosa y febril que esperaba romperse en ella. Perdió el registro del tiempo, del lugar. Solo estaban Rurik y Tasya, un solo ser, unido por el encantamiento.

Entonces llegó: un largo, único espasmo de alegría la transportó a las nubes. Mientras la gloria más antigua del mundo cantaba en sus oídos, Tasya clavó las uñas en los hombros de Rurik. Él embistió por última vez y se corrió, y Tasya le dio la bienvenida y lo recibió, y vivió aquel momento como jamás lo había vivido antes... y como jamás volvería a vivirlo.

La lujuria ciega los envolvía.

Tasya gritó su placer a los cielos.

Rurik exhaló un gemido profundo, naufragando en el placer.

Un relámpago nació de la tierra, rasgándola, y atravesó el altar de piedra y atravesó a Rurik y también a Tasya. Aquella sensación de fuego e impacto profundo era algo que Tasya jamás había experimentado. Bramó de pasión y éxtasis. El temblor se adueñó del mutuo orgasmo y los llevó más allá de los límites del mundo, uniéndolos y conduciéndolos a un espasmo glorioso, dichoso, definitivo.

—¿Qué...? —Tasya apoyó los brazos en el pecho de Rurik y lo miró tal como estaba en aquel momento: exhausto, saciado y tan guapo que la hacía llorar—. ¿Qué ha sido eso?

Rurik esbozó una sonrisa indómita.

—La fusión.

Se vistieron en silencio, pero Tasya sabía que Rurik la estaba mirando.

Fingió no advertirlo. Mejor no pensar en lo que había ocurrido en aquel altar pagano de piedra, en su propio país, con el sol brillando sobre ellos como una bendición.

Mientras se ataba los cordones de los zapatos, Rurik le puso algo debajo de la nariz.

La pistola semiautomática.

Tasya se quedó mirándola largo rato.

—Cógela. La necesitarás para escapar. —Con rápidos y precisos detalles, le explicó cómo encontrar a sus padres.

Ella cerró la palma de la mano sobre la culata.

—No quiero...

—Lo que tú quieres y lo que yo quiero no tiene importancia. Uno de nosotros debe derrotar al diablo y por lo menos, querida mía, hemos podido compartir un largo adiós.

Tasya lo miró.

Rurik le sonrió con esa intensidad que en un principio tanto la había llamado la atención y la había hecho pensar que era un hombre en quien podía confiar.

—Créeme, Tasya, todo hombre sueña con vivir la mejor de sus noches en brazos de la mujer amada antes de morir en la batalla.

—De la mujer ama... tú... —Ya se lo había dicho antes, pero ella no le había creído. ¿Cómo no creerle ahora?

—Por supuesto que te amo. —Se arrodilló a sus pies y terminó de atarle los cordones del zapato.

—No me amas.

—Tasya, tengo treinta y tres años. Quizá no haya amado nunca antes, pero reconozco el sentimiento.

Ella no sabía qué decir ni cómo decirlo. Rurik había conseguido que confiara en él, había hecho añicos sus sueños de venganza con una dosis salvaje de verdad, y luego había ofrecido morir por ella. Y era un Varinski. Su enemigo, maldita fuera.

Pero, de algún modo, esa palabra ya no significaba nada.

—Está bien. —Rurik la ayudó a levantarse y después la ayudó a ocultar la pistola en la cintura—. Sé que tú no me amas. Pero si tuviera tiempo podría hacerte cambiar de opinión, y eso también me hace feliz.

—Tal vez —murmuró Tasya—. Claro. —Fue detrás del altar y cogió su mochila.

Rurik la ayudó a ajustarse las correas.

La mochila parecía cada vez más pesada, como si, con cada declaración de amor de Rurik, el peso del icono aumentara.

El icono no era más que un objeto sagrado. No tenía ninguna preferencia sobre su destino físico ni tampoco podía elegir a quién servir. Tasya necesitaba agarrarse de algo, y pronto, pues de lo contrario balbucearía la verdad ante Rurik... y quizá sería eso lo que, en última instancia, haría de todos modos.

—Vamos. —Comenzó a bajar la cuesta para alejarse de la idea.

Rurik empezó a seguirla, pero de inmediato tomó la delantera... y fue directamente hacia la entrada de la cueva.

Se detuvo junto al siniestro agujero negro abierto en la tierra.

—¿Qué? —preguntó Tasya. Pero ya lo sabía.

—Quiero que te vayas por la cueva.

—No.

—Ya lo has hecho antes. Puedes encontrar la salida.

—¡No!

—Dos de los Varinski son aves. No pueden entrar aquí. Entonces, si logro eliminar a Kassian, podrás escapar.

—Mira. No pienso bajar allí nunca más en mi vida. —Respiró hondo—. Y no pienso dejarte para que mueras. Correré el riesgo contigo.

Rurik consideró la propuesta. No sabía cuál era el principal motivo: si el miedo a la oscuridad y la cueva o su coraje mal entendido. Pero tampoco podía meterla por la fuerza en aquel agujero, y si Tasya no tuviera ese valor no sería la Tasya que él amaba.

De modo que asintió.

—De acuerdo. Ven conmigo. Tenemos que darnos prisa.

Salió corriendo, con Tasya jadeando a sus espaldas. Había estudiado el terreno e imaginado una vía de escape.

Su padre lo había entrenado para hacerlo.

Tomó un atajo bordeando la montaña y luego comenzó a subir a la cima.

Podía pelear con los jóvenes Varinski y ganarles.

Pero Kassian era otra cosa. Era un asesino experimentado, letal y ya había demostrado que estaba dispuesto a sacrificar a los más jóvenes para debilitar las defensas de Rurik.

Era el Varinski perfecto en todos los aspectos.

Rodearon un grupo de árboles, corrieron hacia un claro salpicado de piedras y siguieron hasta otro grupo de árboles.

Y entonces Rurik oyó los sonidos que había estado esperando.

Batir de alas. El suave golpe de las patas de un lobo contra el suelo.

Kassian debía de haber restablecido rápidamente su dominio.

—Ya vienen. —La voz de Tasya estaba teñida de ansiedad y terror.

Rurik dejó de correr y comenzó a andar. Ya no había necesidad de apresurarse.

Hizo que Tasya tomara la delantera y le dijo:

—Recuerda: tienes que usar la cabeza. Debes mantenerte siempre fuera de su alcance. Cuando vea la oportunidad, atacaré. Y tú saldrás corriendo con toda la fuerza de tus pies. No te detengas y mantente con vida, hagas lo que hagas.

—Oye, tengo que decirte algo. —Se dio la vuelta para mirarlo.

Rurik miró hacia arriba.

—¡No hay tiempo! —Y la empujó fuera del camino.

En un remolino de plumas grises, Sergei cortó el aire con las garras extendidas. Ascendió ligeramente y aterrizó sobre una piedra enorme. Y cambió de forma. Miró hacia abajo y soltó una estruendosa carcajada: un enorme, estúpido y perfecto compendio de músculos y malicia.

Un sonriente Ilya salió del grupo de árboles que estaba frente a ellos.

Kassian apareció desde atrás, transformándose de lobo en hombre. Los colmillos se le acortaron, el hocico se le estrechó, pero todavía le colgaba espuma de los labios.

Kassian no sonreía. Estaba furioso.

Sí. Iba a ser una larga y durísima pelea.

Ilya y Kassian avanzaron hacia ellos.

Sergei saltó lo más fuerte que pudo y se lanzó a perseguir a Tasya.

Ella giró sobre sus talones y le estrelló el codo en las costillas. Pero Sergei le arrebató la mochila.

De un salto, Tasya arremetió contra Sergei y aterrizó sobre su espalda para recuperarla.

—¡Devuélvemela!

Rurik podría haberla matado con sus propias manos.

Tendría que haber salido corriendo. En cambio, parecía una caprichosa chica de colegio secundario y actuaba como una idiota.

Por supuesto que Sergei respondió con toda la madurez de que era capaz. Tiró a Tasya al suelo para sacársela de encima, y acto seguido aferró la mochila por las dos esquinas inferiores y la hizo girar en remolino sobre su cabeza.

—¡No! ¡Basta! —gritaba Tasya, desesperada.

El contenido de la mochila cayó al suelo y se desparramó. El estuche de las gafas golpeó contra el lado de una piedra. El envoltorio de las aplastadas barras energéticas emitía destellos plateados bajo la luz del sol. Sus ropas quedaron dispersas en la tierra, y la camiseta que llevaba de recambio se desdobló. Algo cuadrado, que relucía como oro antiguo, voló por el aire y aterrizó entre las rocas con el característico sonido de la cerámica horneada.

El icono.

Tasya había encontrado el icono.

28

Tasya se detuvo en seco.

A Rurik le bastó una sola mirada a su rostro culpable para saber todo lo que necesitaba saber. Tasya no se había olvidado de contarle que había encontrado el icono. Había decidido guardarse la información para conseguir la publicidad que tanto deseaba, para poder publicar su maldito libro y cumplir su venganza... y atraer la venganza de los Varinski sobre su estúpida cabeza.

Estaba furioso. Se sentía traicionado. Estaba herido.

Y la amaba. Le había contado sus más profundos secretos, se había entregado a su misericordia, le había suplicado comprensión.

La había amado.

La amaba.

Y ella le había mentido.

Solo quedaba una cosa por hacer.

—¡Maldita seas! —gritó. Aferrándola por los hombros, la empujó contra la piedra—. ¡Ramera del diablo, me has traicionado! —Alzó el puño en alto y susurró—: Desplómate con todo tu peso.

Vio brillar un rayo de entendimiento en sus ojos.

Asestó el puñetazo.

Tasya dejó que el puño de Rurik le golpeara la mejilla. Dio un salto y cayó de lado en la tierra. Cuando él la aferró por los hombros y la obligó a pararse, gritó como si la estuvieran asesinando.

—Así se hacen las cosas —oyó decir a Kassian.

«Pues sí, cerdo miserable, tú sí que sabes golpear a una mujer, ¿no es cierto?»

—Id a buscar el icono —les gritó a sus primos condenados al infierno.

Rurik no paraba de sacudir a Tasya.

Ella temblaba como una muñeca de trapo, sacudiendo el cuello como un látigo hacia delante y hacia atrás.

Sí, esa era su Tasya. Una gran actriz. Lo había engañado. Rurik no tenía la menor idea de que había encontrado el icono.

Algo de su verdadera furia debió de traslucirse en su cara, porque Tasya dio un respingo y Rurik vio algo —¿arrepentimiento? — en sus ojos.

Demasiado tarde para arrepentirse.

Se dio la vuelta justo a tiempo para ver a Sergei esbozar esa estúpida y codiciosa sonrisa suya mientras se agachaba a recoger el icono. El muy imbécil abrió los ojos, redondos como platos, presa del pánico y la sorpresa. Con un alarido, arrojó el icono por el aire.

El icono aterrizó sobre la hierba.

Sergei volvió a gritar.

—¿Qué diablos le ocurre a ese papanatas? —preguntó Rurik. Como si no lo supiera. Ningún Varinski macho podía coger el icono con sus manos. La Madonna jamás se dejaría poseer por un demonio.

—Hacedlo callar —dijo Rurik—. Ha resultado ser un quejica.

—Cierra el pico, pedazo de idiota. —Kassian empujó a Sergei.

Sergei continuó gritando hasta que Ilya le asestó un puñetazo demoledor en medio del pecho. Entonces cayó de rodillas y se puso a lloriquear.

—Eso está mucho mejor. —Rurik cogió a Tasya por el

cabello, la obligó a echar la cabeza hacia atrás y la besó con fuerza.

El beso del adiós.

Al principio, Tasya intentó rechazarlo. Luego lo cogió por el cuello y le devolvió el beso con la misma intensidad.

Rurik se apartó y le dijo:

—No intentes salvarme. No intentes salvar a nadie. Sálvate a ti misma.

En su mente, quizá todavía luchara contra lo inevitable; pero su beso le había dicho la verdad. Tasya sabía lo que debía hacer.

—No esperes que permita que mueras por mí.

—Tenemos una opción. Podemos morir juntos, luchando contra ellos, o tú puedes apoderarte del icono y salir corriendo.

—Yo no salgo corriendo.

—Entonces mueres, y el diablo se apodera del icono una vez más y los Varinski ganan la partida.

Tasya sacudió la cabeza. Una y otra vez, y otra vez más.

—Sí, Tasya.

Lentamente, por fin, asintió.

Interponiéndose entre Tasya y los Varinski, Rurik murmuró:

—Haz que parezca real.

—Sí.

—Confía en mí.

—Sí.

La miró.

Los ojos azules de Tasya eran feroces y ardientes.

—Confío en ti.

—Todavía no es amor, pero ya es algo.

Esta vez, cuando Rurik la abofeteó, Tasya retrocedió y gritó entre sollozos:

—¡Basta, basta por favor! —Juntos hacían el sonido de la carne golpeando contra la carne.

A sus espaldas, Sergei continuaba gimiendo y quejándose.

Como si ya estuviera harto de tantas dilaciones, Rurik se dio la vuelta y gritó a los otros:

—¡Por todos los demonios, recoged de una vez ese maldito icono! —Esta vez no miró cómo lo hacían. Volvió a fingir que golpeaba a Tasya.

Y sonrió al oír el alarido de otro Varinski.

Tasya también sonrió; tenía el rostro enrojecido por el esfuerzo.

Rurik dio media vuelta para mirar a sus primos y vio el icono nuevamente en tierra. Ilya tenía la mano extendida y la sostenía por la muñeca. Miraba la quemadura, gritaba y volvía a mirar.

Kassian era el único del grupo con un poco de inteligencia y astucia. Comprendió lo que estaba ocurriendo.

—No podemos coger con las manos esa maldita cosa. —Señaló a Tasya—. Haz que ella la recoja.

—Por fin se te ha encendido la bombilla. —Rurik empujó a Tasya en dirección al icono.

Ella lo detuvo, cogiéndole la muñeca con la mano.

—Tendría que tener sangre en la cara y algunos cardenales —dijo en voz baja.

Rurik quedó petrificado. A pesar de todas sus peleas de taberna en las Fuerzas Aéreas y de todas las refriegas de gatos con sus hermanos, jamás en su vida había golpeado a una mujer. Golpear a Tasya sería equivalente a golpear a su madre o a su vieja maestra solterona, la señorita Joyce.

—Vamos —dijo Tasya—. He vivido en varias casas de acogida; en algunas me trataron bien, pero en otras lo pasé fatal. Más de una vez he recibido una buena zurra.

Rurik levantó la mano... y la dejó caer al costado de su cuerpo.

Los ojos azules de Tasya eran salvajes y brillantes como un carbón caliente.

—Si no lo haces tú, tendré que golpearme la cabeza contra la roca y entonces sí que me haré daño.

—De acuerdo. Lo haré yo.

Tuvo que endurecerse. Tuvo que cerrar los ojos. Fingir que Tasya era uno de sus hermanos. La golpeó con suficiente fuerza como para partirle el labio y dejarle un moretón en la mejilla.

—¡Mierda, eso sí que duele! —Tasya levantó el puño para devolverle el golpe, pero enseguida lo dejó caer.

Incluso en ese momento, su primer instinto era defenderse.

—Nada de eso. —Rurik la aferró del brazo y la empujó hacia el icono—. Recógelo —le ordenó con voz tonante—. Guárdalo en tu mochila. ¡Tú serás la encargada de llevarlo!

Tasya cayó hacia delante y avanzó a gatas hasta el icono. Con mirada desolada, lo levantó en sus manos. Cuando lo hizo, el oro de la aureola de la Madonna reflejó la luz del sol.

Rurik esperaba que fuera un presagio, una señal de esperanza de que su sacrificio no sería en vano.

Tasya deslizó el icono en su mochila y empezó a recoger su ropa, sus barras energéticas, el estuche de sus gafas... siempre a rastras, moviéndose como una anciana que intenta reunir sus escasas y preciosas posesiones.

En eso estaba cuando entró dentro del radio de alcance de Kassian.

Él dio un paso adelante y le pateó las costillas.

Tasya rodó cuesta abajo, con la mochila pegada al estómago, y se estrelló contra una roca.

Kassian era un hombre corpulento, de hombros anchos, malvado y rápido.

A Rurik no le importó. Hacía mucho tiempo que esperaba aquello.

Cruzó la distancia que los separaba, cogió a Kassian del cuello y miró con fijeza los ojos sanguinolentos del Varinski.

—No te dije que le pegaras una patada.

—Tú no eres quien manda. —El aliento caliente de Kassian olía a ajo y azufre.

—¡Ahora lo soy! —Rurik le dio un puñetazo entre las piernas.

Kassian se dobló en dos y arremetió con un cabezazo contra el vientre de Rurik.

Rurik cayó de espaldas, levantó una pierna y, antes de que Kassian pudiera erguirse, le dio un puntapié bajo el mentón.

Kassian se tambaleó hacia atrás.

Sergei e Ilya saltaron al unísono sobre Rurik.

Tasya llenó sus pulmones de aire, tratando de despejar la niebla oscura que flotaba ante sus ojos.

Apoyó una mano sobre la piedra contra la que había chocado y, aferrando su mochila con la otra, se puso de pie y empezó a pensar.

Tenía que concentrarse. Tenía que salir de allí.

Estaban matando a Rurik.

Sergei e Ilya golpeaban despiadadamente a Rurik, y eran golpeados a su vez. Rurik le había asegurado que podía pelear con los Varinski. Y daba muestras de hacerlo. Daba patadas feroces y puñetazos arteros, saltaba en el aire y se movía tan velozmente que Tasya no podía seguirlo con la mirada.

Era *Tigre y Dragón*, pero sin subtítulos.

Un brillo metálico capturó su mirada. Enfocó... y allí estaba. El arsenal de los Varinski. Un rifle con mira. Otra pistola semiautomática. Un revólver. Y todas las municiones.

Descubrió que nada podía curar tan rápido una costilla posiblemente rota como ver las armas de fuego de los Varinski desprotegidas, al alcance de su mano.

Arrojó la pistola y el revólver al arroyo. Revisó el rifle para comprobar si estaba cargado. Estaba cargado, y se lo metió bajo el brazo. Desparramó las municiones por el suelo.

Volvió a concentrarse en la pelea, justo a tiempo para ver a Kassian embestir y cambiar la dinámica.

Rurik estaba perdiendo. Todavía golpeaba a los más jóvenes con los puños y los pies, pero cada vez recibía más golpes en la cara, el pecho y las piernas.

Entonces sucedió.

Con un movimiento tan rápido que Tasya no pudo seguirlo con la vista, cambió de forma. Rurik desapareció y en su lugar surgió un halcón que salió volando hacia arriba en línea recta.

Rurik.

Tasya alzó el puño en señal de triunfo. ¡Bravo por él!

Vio el resplandor de sus ojos cuando la miró desde el aire.

Le había dado ventaja. Y quería que la usara.

Tasya se echó la mochila al hombro y corrió cuesta arriba hacia el convento... y hacia la fuga.

La patada que le había dado Kassian no facilitaba las cosas y tenía problemas para respirar. El fastidioso rifle también la hacía ir más despacio por su peso. Pero no pensaba deshacerse de él. Podría necesitarlo.

Tasya miraba por encima de su hombro a medida que avanzaba, desesperada por ver la batalla de Rurik.

Un águila blanca y negra, enorme, perseguía velozmente al halcón.

Ilya.

Tasya siguió corriendo... y volvió a mirar.

Las aves se debatían en una batalla aérea, atacando y gritando. Las alas de Ilya golpeaban duramente a Rurik, pero Rurik era más pequeño y más veloz y arremetía con encono, desgarrando al águila con el pico y las garras.

Era un hermoso combate, a muerte.

—Vamos, Rurik —susurró Tasya—. Vamos. Tú puedes ganar.

Por primera vez desde que había salido de la capilla y caído en brazos de los Varinski, la esperanza renacía en su corazón. Quizá los dos pudieran sobrevivir al ataque. Tal vez Rurik la perdonara por haber escondido el icono. Quizá... quizá podría vivir con un Varinski, siempre y cuando su nombre fuera Rurik. Quizá nada de todo aquello importaba. Tal vez lo único que importaba era sobrevivir...

Miró. Hizo un alto. Se dio la vuelta.

Estaba en la cima de la montaña y contempló la maraña de rocas y bosquecillos que componían el paisaje. Las aves de presa todavía embestían y peleaban, pero el águila estaba exhausta y débil.

No podía ver a Sergei.

Pero sí podía ver a Kassian. De pie sobre una roca, sostenía un arco y una flecha... y estaba apuntando a Rurik.

29

La flecha salió volando, no a cámara lenta como en las películas, sino tan velozmente que Tasya ni siquiera tuvo tiempo de gritar para advertir a Rurik. Atravesó al halcón en pleno vuelo, impidiéndole continuar. Y, por un segundo aterrador, Tasya vio la llama roja que ardía en sus ojos. Luego, la llama se extinguió.

El halcón cayó en picado al suelo y desapareció entre un grupo de árboles.

Tasya aulló con todas sus fuerzas, gritó toda su angustia, toda su emoción, protestando contra la vida que la había conducido inexorablemente a aquello... a ese destino.

Kassian Varinski la oyó gritar. Dio media vuelta para mirarla. Sonrió, y sus dientes brillaron. Juntó los labios simulando un beso que prometía humillación, violación y muerte.

La vieja y conocida furia contra el destino se adueñó de ella. Dio un paso hacia él.

Pero no. Si se lanzaba de cabeza a salvar a Rurik, todo —el icono, la familia de Rurik, la humanidad misma— estaría perdido.

Y además no podía salvarlo. Había visto su vida extinguirse en un abrir y cerrar de ojos.

Ahora lo sabía. Había sido una estúpida y perseguido el sueño equivocado. El sueño más amargo. La venganza de su familia, aun cuando fuera posible, sería una victoria incompleta.

Pero aún podía salvar a los Wilder. Eran la familia de Rurik, las personas que lo habían traído al mundo, las que lo habían criado para ser el hombre que había dado su vida por ella y por el icono.

Su sacrificio no sería en vano.

Obedecería las órdenes de Rurik. Por arduo que fuera el camino, llevaría el icono a Washington.

Pero, si bien no podía matar a un Varinski, Tasya sabía que podía herirlo. Herirlo de gravedad.

Sin remordimiento ni piedad, apoyó el rifle sobre su hombro.

Kassian la vio apuntar y corrió cuesta abajo, hacia el lugar donde había aterrizado Rurik.

Tasya disparó y falló.

Kassian desapareció de su vista.

—¡Cobarde! ¡Eres un cobarde hijo de puta!

Quería matarlo. Oh, cómo anhelaba matarlo...

El águila dio un grito de triunfo, cerró las alas y se zambulló en picado...

La ardiente furia de Tasya se fundió en un odio helado. Esta vez apuntó desapasionadamente y disparó.

La bala se hundió en el pecho del águila.

El ave explotó en un remolino de plumas blancas y negras y su zambullida se transformó en caída libre.

«Toma esa, idiota.»

Aunque le habría apetecido mucho saborear su triunfo, le quedaba poco tiempo para escapar.

Rurik tenía razón. Solo había una ruta posible.

Desanduvo el camino por donde habían venido, buscando los restos del árbol ennegrecido y derribado que indicaba la entrada a la cueva.

Allí estaba.

Dejó caer la mochila y el rifle a través de la pequeña grieta en la tierra. Se introdujo sin dificultad y se deslizó hasta que sus pies quedaron colgando en el vacío.

Su misión era clara como el cristal. Escapar por el túnel.

Llevar el icono a un lugar donde estuviera sano y salvo.

Lo único que debía hacer era soltarse.

Soltarse y desaparecer en la oscuridad infinita donde no había vida alguna, ni siquiera un poco de aire...

Pero, en última instancia, ¿qué importancia tenía ahora su antiguo miedo?

Había ocurrido lo peor que podía ocurrir.

Rurik estaba muerto.

Ella debía seguir adelante.

Y eso hizo.

Aterrizó sobre el suelo blando y respiró el aire frío y húmedo. Un rayo de sol, que llegaba desde arriba, le rozó la cabeza. El túnel se abría frente a ella, hacia una penumbra tan negra que le lastimaba los ojos. Al final, Tasya lo sabía, estaba la seguridad, otro país... una vida diferente.

Ya había renacido una vez desde ese túnel. Ahora tendría que atravesar el doloroso proceso una vez más.

Pero esta vez no era una niña. La decisión estaba en sus manos.

Levantó su mochila, buscó en el fondo y encontró su linterna.

El plástico estaba rajado.

Por supuesto. No tendría luz en ese viaje.

Apoyó los dedos sobre el pequeño borde de roca y empezó a avanzar.

Si al menos no estuviera sola...

Rechazó el pensamiento antes de que se apoderara de su mente.

No pensaría en Rurik, en la llama de su vida apagándose.

Se concentraría en escapar. Había herido de gravedad a un Varinski, pero los otros dos estaban vivos. ¿Irían a cazarla de inmediato? No lo creía. Antes tendrían que ocuparse de su hermano, y tendrían que hacer algo con el cuerpo de Rurik... algo...

No importaba lo que hicieran con el cuerpo de Rurik. Lo único que importaba era escapar.

Se internó en la noche infinita.

La luz que provenía de la entrada de la cueva fue extinguiéndose poco a poco, como Tasya sabía que ocurriría, y cada paso se transformó en un paso hacia lo desconocido.

No, hacia lo desconocido no. Hacia el pasado.

Era una niña, una niña muy pequeña, y estaba furiosa porque la llevaban lejos de su madre. Daba puntapiés a su gobernanta tratando de desasirse, de regresar y ayudar a apagar el fuego, y hacer que esa mujer dejara de gritar. Pero miss Landau la llevaba a rastras, impasible. Y fue esa indeferencia de miss Landau al alboroto que armaba Tasya lo que, en última instancia, despertó su curiosidad. Miss Landau siempre insistía en que los niños debían comportarse con corrección sin importar las circunstancias. Y Tasya no se estaba portando como debía.

Cuando dejó de tener berrinches y empezó a prestar atención, advirtió la oscuridad que todo lo envolvía. También advirtió otras cosas: el olor de la tierra, el lento y errático goteo del agua, la sensación de la piedra bajo los dedos. Y advirtió que la siempre impertérrita miss Landau temblaba de forma imperceptible.

Pero la oscuridad lo había superado todo. Tasya y su gobernanta caminaban sin detenerse: Tasya ponía un pie delante del otro y por eso sabía que se estaban moviendo. Pero parecía falso. Como cualquier niño —como cualquier persona—, la pequeña Tasya medía sus progresos por aquello que podía ver y sentir y oler. Y allá abajo, en la oscuridad de la cueva, nada cambiaba.

Nada cambió durante kilómetros... durante milenios.

Ahora Tasya era más alta. Sus pasos eran más largos. La vida la había transformado de aquella niña frágil y caprichosa en alguien que creía poder resolverlo todo con su cámara y sus crónicas y, si era necesario, con sus puños.

Mientras avanzaba por el túnel, manteniendo un ritmo constante, se preguntaba quién sería ella en el futuro si lograba escapar esa vez.

Caminó durante horas, deteniéndose solo para encender la luz de su reloj de pulsera y mirar la hora.

Dos horas.

Cuatro horas.

Ocho horas.

A veces sentía una ráfaga de aire, cuando otra cueva se abría al túnel principal. La mayor parte del tiempo ese aire era fresco y puro. Pero una vez le pareció maligno y el velo del tiempo se levantó apenas un instante, y Tasya pudo ver, con el ojo de la mente, a un hombre cargado de oro. El hombre cayó bajo su propio peso y murió allí mismo, en un recoveco cercano.

Tasya no corrió —aunque hubiera querido hacerlo— para escapar de las vacías órbitas de la calavera, que la observaba risueña.

¿Se estaría volviendo loca?

Le dolían los pies. Le ardían los ojos. Quería llorar de soledad por los pensamientos que sobrevolaban su cerebro como un halcón... porque ya una vez había perdido a todos los que la amaban, y ahora le había vuelto a ocurrir. Se enfrentaba una eternidad teñida de soledad y tal vez, solo tal vez, una eternidad de oscuridad... porque esa cueva no tenía salida.

La sola idea la hizo detenerse.

Sí. Había más pasadizos en la cueva y si se desviaba erraría, perdida, hasta encontrar la muerte.

Se quitó la mochila y pasó el brazo por una de las correas. Apoyó la espalda contra la pared, se deslizó hasta el suelo y se sentó. Hacía tanto tiempo que iba caminando, a un ritmo tan rápido y tan exigente, sin alimento y sin agua, que estaba comenzando a alucinar. No tenía ninguna razón, ninguna, para imaginar una muerte en esa cueva ni para desesperar de huir cuando todo estaba yendo tan bien. El borde de roca, angosto y tranquilizador, la guiaba. Y además, sabía que ya había estado allí alguna vez.

No importaba cuánto tardara, escaparía de la cueva y de la oscuridad. Y, una vez de regreso al mundo real, nadie mejor que Tasya Hunnicutt para viajar de un país a otro sin que su presencia fuera advertida.

Bueno, quizá Rurik fuera más avezado que ella.

Una lágrima solitaria se deslizó por su helada mejilla.

La secó con la manga.

No tenía tiempo para eso.

Buscó la cantimplora y bebió un buen trago de agua; después buscó las barras energéticas y comió una de esas pobres cosas aplastadas.

La cueva no era más que una cueva y formaba parte del mundo real. Ella no era Luke Skywalker, no la habían enviado a un lugar fuera del tiempo donde las alucinaciones pondrían a prueba su fuerza y sus creencias. Veinticinco años atrás había atravesado esa misma cueva sin sufrir daño alguno, sin tener revelaciones, sin aprender nada excepto que su antigua vida había terminado y que una nueva vida acababa de comenzar.

Ahora era mejor que antes. Veinticinco años atrás, miss Landau la había obligado a correr durante todo el camino y, cuando la pequeña Tasya, de solo cuatro años, ya no pudo andar más, miss Landau la llevó en brazos. Pero cuando por fin se acercaban a la salida, en el otro extremo de la cueva, miss Landau se había puesto rígida. Hasta la pequeña Tasya se había dado cuenta de que miss Landau tenía miedo de lo que podían encontrar.

Ese día, Tasya también tenía miedo.

No obstante, después de más de ocho horas de caminata, sabía que era improbable que la estuvieran persiguiendo y que si los Varinski no habían descubierto la salida de la cueva la primera vez, seguramente no la descubrirían ahora.

Lo único que debía hacer era conservar la lucidez, alimentarse, permanecer hidratada y continuar avanzando.

Sacudió los restos de la barra energética de la mochila y se los metió en la boca, bebió otro trago de agua, se puso en pie y se sacudió el polvo de los pantalones.

¿Cuánto tiempo faltaba?

No lo sabía. ¿Un día? ¿Dos? Cuando era una niña, Tasya no tenía el concepto del tiempo; en su momento le había parecido que aquella penosa experiencia no terminaría jamás. Pero había terminado, y esta vez ocurriría lo mismo.

Tanteó hasta encontrar el borde de piedra, todavía al nivel de la cintura, y empezó a avanzar. Oyó un ligerísimo ruido de agua, luego un murmullo, y se dio cuenta de que estaba caminando junto a un arroyo. El aire era más fresco, como si hubiera una salida cerca. Tasya levantó la cabeza... y, por primera vez, tropezó con una piedra en el camino.

Cayó de bruces, con las manos extendidas para amortiguar la caída. Se raspó las palmas y se golpeó los talones contra el montón de piedras. Cuando gritó de dolor, el sonido produjo un eco prolongado.

Se quedó inmóvil y prestó atención. En algún lugar, cerca, corría el agua. Por encima de su cabeza, lejos, oyó un chillido distante: murciélagos.

Estaba húmedo allí.

De algún modo había llegado a una caverna enorme, y tal vez a un lago o un arroyo.

No recordaba ese lugar, no lo recordaba en absoluto.

Con suma cautela, volvió a ponerse en pie. Buscó a tientas la pared que la había guiado hasta entonces. Encontró el borde de piedra y comenzó a avanzar cuidadosamente, esquivando las rocas que bloqueaban el sendero... Y, sin ninguna clase de advertencia, la pared desapareció.

Presa del pánico, Tasya tuvo que recuperar el aliento.

Su respiración agitada reverberaba en la caverna, volviéndose cada vez más sonora a medida que se expandía e iba llenando el espacio vacío.

Tasya retrocedió, volvió a tantear la pared y el borde de piedra, y comenzó a avanzar nuevamente.

La pared se desmoronó con solo tocarla.

No hacía mucho, en un pasado reciente, una excavación había derribado la pared y, con ella, el borde de piedra que la habría conducido a un lugar seguro.

No podía creerlo. No era posible. Había andado muchos kilómetros bajo tierra —si calculaba cinco kilómetros por hora como promedio, y un mínimo de ocho horas de travesía, había caminado cuarenta kilómetros bajo la maldita montaña en busca de su libertad—, ¿para terminar allí? ¿De pie como una sonámbula, con la mano extendida hacia la nada? ¡No! ¡No era posible!

No podía retroceder. Los Varinski seguramente no la estaban persiguiendo por el interior de la cueva, pero apostaba a que no la dejarían deambular a su antojo por Ruyshvania en busca de su libertad.

No podía avanzar porque... porque no sabía hacia dónde ir. Extendió los brazos hacia delante, agitándolos a ambos lados, en un intento por encontrar la orientación que necesitaba... y la tierra se desmoronó bajos sus pies.

Cayó. Por un instante siguió andando, sin perder el paso, deslizándose como si estuviera esquiando.

Entonces la tierra desapareció por completo y Tasya cayó al vacío y la oscuridad.

Boris estaba sentado ante su escritorio, mirando fijamente el teléfono y esperando que sonara. Esperaba que sus hijos lo llamaran y le anunciaran que habían destruido a Rurik Wilder, que tenían a la mujer... y que se habían apoderado del icono.

Boris había obedecido las órdenes del Otro.

Había averiguado todo acerca de la mujer que Rurik Wilder llevaba consigo, esa tal Tasya Hunnicutt.

Ahora Boris sabía que estaba en problemas.

Porque, en la ciudad de Nueva York, un libro se había abierto paso a través de la industria editorial. Un libro sobre los Varinski.

Cien años atrás, incluso cincuenta, los Varinski dominaban con puño de hierro la industria editorial neoyorquina. Tenían a las editoriales dominadas y, por razones de seguridad, habían comprado las almas de los editores.

Pero en los últimos treinta años las mujeres habían traspasado todos los límites y se habían transformado en poderosas editoras, e incluso en dueñas de casas editoriales, y esas mujeres llevaban pantalones y lucían *piercings* en las cejas. Algunas de ellas, incluso, eran jóvenes y hermosas.

Boris no había pensado que aquello tendría tanta importancia. ¿Qué diferencia haría un libro en el mundo? Nadie creería la verdad acerca de los Varinski.

Pero esta autora había investigado todo, absolutamente todo lo concerniente a ellos. Había escrito una crónica de su historia, su leyenda, su prolongado dominio sobre el negocio del asesinato, la manera en que rastreaban y mataban por dinero, y la clase de gobiernos que los contrataban para perpetrar «crímenes». Esa autora tenía una historia que contar, y el editor había dicho que su libro tenía garra suficiente para encabezar la lista de los más vendidos. La editora, en cambio, había sonreído con sus dientes blanquísimos y llamado «la próxima Dan Brown» a la autora.

Mientras el mundo prestaba atención al juicio de los Varinski, el boca a boca entre los libreros y la prensa alcanzaba proporciones míticas. La publicidad en torno a los mellizos Varinski estaba arruinando la imagen, escrupulosamente cultivada por Boris hasta el menor detalle, de los Varinski como un clan de asesinos invencibles e intocables.

Y la autora en cuestión era Tasya Hunnicutt.

Tasya Hunnicutt, la compañera de Rurik, la hembra que trabajaba para la National Antiquities Society. No era una vieja con papada y pelos duros naciéndole del mentón. Era la misma mujer que había desaparecido con Rurik Wilder tras la explosión en la tumba escocesa.

Había prometido a sus editores que, antes de que publicaran el libro, conseguiría una prueba sensacional de la historia de los Varinski. Y lo que había ocurrido luego —el hallazgo del oro, la explosión en la tumba, su misteriosa desaparición— había creado un furor que iba mucho más allá de lo que la propia Tasya habría imaginado. En ese mismo momento, los programas matutinos de Estados Unidos se estaban peleando por quién sería el primero en tenerla como invitada estelar cuando reapareciera.

Cuando el Otro descubriera la existencia de Tasya Hunnicutt, cuando se enterara de las investigaciones que había hecho sobre los Varinski, llegando incluso al extremo de viajar a Ucrania y tomar fotos de su vivienda... Cuando el Otro descubriera, en fin, que Boris no había sabido vigilar y proteger debidamente su privacidad... Cuando el Otro se diera cuenta de que Boris no había podido impedir que el libro fuera enviado a los editores... Boris sufriría.

Y si el Otro preguntaba qué se había hecho para recuperar a la mujer y el icono, y Boris le decía que el vástago de Konstantine y una simple hembra habían derrotado el poderío de los Varinski... Boris moriría.

Moriría e iría al infierno, y ardería en las llamas en una agonía eterna.

Lo sabía. Ya estaba comenzando a sentir las llamas.

30

Le dolía la cabeza. Su mejilla estaba fría como el hielo. No sabía dónde estaba, y su desorientación aumentó cuando abrió los ojos.

¿Tenía cuatro años?

¿Toda su vida había sido una ilusión?

¿Había muerto y descubierto que la vida después de la muerte era una caverna inmensa?

Se sentó de golpe.

El sendero a través de la oscuridad.

La pared que desaparecía. La caverna. La caída. Ahora recordaba, pero recordar no le hacía bien. La oscuridad del pozo. No sabía cómo había llegado. No sabía adónde debía ir. Estaba prisionera allí, bajo una montaña de su país, y bajo esa montaña moriría.

Tasya desaparecería. Y el icono que destruiría el pacto con el diablo, que vengaría a sus padres y que ayudaría al espíritu de Rurik a descansar en paz... también desaparecería. Y jamás sería encontrado.

El diablo había ganado.

Ella había fracasado.

Por primera vez, desde que tenía cuatro años, Tasya apoyó la cabeza sobre sus rodillas y lloró.

Lloró por sus padres. Lloró por su infancia perdida. Lloró por todas las imágenes de dolor e impiedad que había documentado con su cámara. Lloró por la muerte de las esperanzas de Rurik.

Sobre todo, lloró por Rurik.

Lo habían vencido mientras peleaba por ella.

Rurik podría haber robado el icono y huido. Lo habría llevado a un lugar seguro y luego se lo habría entregado a su familia. Y su familia lo habría guardado, a la espera de la siguiente pieza del rompecabezas del destino.

Pero no. Rurik estaba convencido de que Tasya era parte esencial del plan y se había rehusado a abandonarla.

No obstante, eso no cambiaba el hecho de que Tasya lo amara. Por primera vez desde que tenía cuatro años, se había atrevido a amar.

Y se había comportado como una idiota. ¿Por qué le había escatimado su corazón, sus palabras y su afecto? Rurik estaba muerto y jamás sabría que ella era capaz de hacer cualquier cosa por él —llevar el icono a sus padres, sacrificar la oportunidad de vengarse— porque lo amaba.

Alzando la cabeza hacia el cielo invisible, murmuró:

—Dios, durante años no te he rezado. No he creído en ti. ¿Cómo habría podido? No veía ninguna prueba de tu existencia. Pero ahora he visto sobradas pruebas de que el diablo existe. Entonces tú debes existir también, y por eso te suplico... Rurik Wilder está muerto. Era parte de un pacto con el diablo, pero él no lo había firmado y es... era un buen hombre. Si tú encarnas todo lo que es bueno, entonces, por favor, te suplico que lo lleves a tu lado. Déjalo regresar... a casa.

No pudo continuar. El pesar y la angustia laceraban su corazón. Se acurrucó sobre sí misma. Los sollozos la sacudían, retumbaban en su cabeza y le desgarraban los pulmones. Reverberaban en la caverna, atravesando las grietas de las rocas... hacia el cielo.

No sabía cuánto tiempo había llorado. Una hora o más. Pero cuando por fin levantó la cabeza, se sentía mejor... más liviana, más confiada.

Cuando todos los días de su vida se hubieran agotado y

fuera una sombra errante por las tierras de los muertos, volvería a ver a Rurik. Y entonces, en la oscuridad y la humedad de la caverna, hizo un juramento: lo primero que le diría sería «te amo.»

Pero ahora —por desalentador que pudiera parecer— debía tratar de encontrar una salida de ese laberinto de cuevas. Debía devolverle el icono a la familia de Rurik, o morir en el intento.

Pero —¡qué raro!— parecía haber una luz a lo lejos. No una luz de verdad, no un rayo de sol o el haz de una linterna, sino un extraño resplandor...

Se restregó los ojos para ver mejor, pero el resplandor seguía allí. Eran dos resplandores, en realidad.

Miró a su alrededor, preguntándose si el sol podría entrar de algún modo por alguna hendidura. Pero no, debía de ser de noche. ¿Y si fuera la luna? ¿O un pez fosforescente que nadaba en el lago, o una estalactita que brillaba en la oscuridad?

Se rió un poco.

Quizá se había vuelto loca, porque parecía haber dos personas detenidas en la otra orilla del lago... y había un lago. Y el lago ocupaba toda la caverna, sin márgenes ni orillas.

Pero las personas —un hombre y una mujer— le hacían señas para que trepara de vuelta por donde había llegado.

Tasya dio un respingo. Se levantó y clavó la vista en aquellas personas. ¿Quiénes eran?

¿Eran personas? ¿O eran una invención, un producto de su imaginación?

¿Estaría soñando? ¿Todavía inconsciente?

¿Por qué había un hombre y una mujer bajo la tierra con ella?

Cogió su mochila y avanzó con cuidado hacia la pared por donde había llegado. Ahora podía ver el camino; aquella luz blanca y débil lo inundaba todo.

Era extraño ver lo que antes estaba oculto. El desmoronamiento había sido grande; toda una sección de pared y techo se había derrumbado, destruyendo lo que había sido un camino que atravesaba las montañas, arrasando con el arroyo y formando aquel inmenso lago.

Cuando llegó arriba, pudo ver el camino por donde había llegado, a lo largo del sendero, y un poco más adelante, donde un angosto borde de piedra todavía permanecía adosado a la pared.

Un borde de piedra realmente angosto. Tanto que, si se daba la vuelta siguiendo las indicaciones de aquellos luminosos extraños, tendría grandes probabilidades de resbalar y caer... y esta vez no saldría con vida.

Pero los extraños la estaban esperando y, por alguna razón, Tasya sabía que debía ir con ellos. Por supuesto... Si no lo hacía, se perdería para siempre. Pero si lo hacía... ¿quiénes eran esas personas? ¿Hacia dónde la llevarían?

Su aspecto le resultaba familiar.

¿Cómo era posible? Con la mirada fija en ellos, apoyó la espalda contra la pared y avanzó de lado a lo largo del borde. Con la mirada fija en los extraños, la mirada fija en los extraños, la mirada... Miró hacia abajo.

Y quedó petrificada.

Los dedos de sus pies asomaban sobre el borde... y el acantilado caía en línea recta al lago. El agua estaba varios kilómetros más abajo y las rocas asomaban feroces, como dientes. Si llegaba a caerse...

Un débil susurro le hizo volver la cabeza.

—Vamos, querida. Vamos.

Era la voz de su madre.

La voz de su madre.

Con los ojos muy abiertos y fijos en el resplandor, Tasya siguió avanzando por la angosta franja de piedra que bordeaba el lago. La sentía sólida bajo sus pies.

Su madre. Sus padres. Había rezado, y sus padres habían ido a buscarla. O a ayudarla a escapar de aquel laberinto de cuevas. No lo sabía. Y no le importaba. Por primera vez en veinticinco años había podido ver el rostro de su madre, aquellos ojos azules y brillantes tan parecidos a los suyos. Había podido ver el rostro de su padre, su mentón decidido, el mismo que veía en el espejo todas las mañanas.

Era el mejor momento de su vida.

Era el momento en que se daba cuenta de cuánto había perdido. Y cuánto había ganado.

—Mamá —murmuró, sin dejar de avanzar—. Te echo de menos.

Su madre sonrió. «Lo sé.»

Tasya no podía oírla. No en realidad. Las palabras eran como un aliento en su mente.

—Papá...

«Lo sé.»

El borde se ensanchó. Tasya continuó avanzando con más confianza.

—¿Él está con vosotros?

No le respondieron.

Empezó a avanzar más rápido, quería verlos con mayor claridad.

—Por favor. Rurik. Yo lo amaba. ¿Puedo verlo?

Sus padres se alejaron cuando ella se acercó un poco más. El calor de su amor la envolvía, animándola a avanzar. Sonreían, estaban contentos de verla.

El borde se ensanchó todavía más y se convirtió en un sendero y Tasya apuró el paso hasta correr tras ellos.

Pero ellos no decían nada.

—Oh, por favor. Por favor... —El resplandor era cada vez más brillante, más intenso—. Si solo pudiera verlo una vez más... —Dio la vuelta a una esquina... y el sol de la mañana hirió sus ojos.

Se tapó los ojos con la mano y retrocedió.

—¿Mamá?

Pero se habían ido, se habían esfumado con la luz del día. La habían conducido a... la libertad. A la vida.

Ahora volvía a estar sola.

La sensación de pérdida volvió a golpearla con su puño de hierro.

Pero no podía desfallecer. No podía desmayarse.

La habían enviado a esa caverna para que aprendiera una lección, y la había aprendido. Seguiría adelante y haría lo que había que hacer.

Si sus padres estaban tan cerca, tenía fe en que algún día volvería a ver a Rurik. Algún día volverían a estar juntos.

31

Konstantine empujaba los andadores, apoyando todo el peso de su cuerpo en las barras metálicas, mientras completaba uno de los tres circuitos que rodeaban su casa en el estado de Washington. La ropa le quedaba floja, como si fuera un anciano y no un hombre de sesenta y seis años y un Varinski en la plenitud de su vida. Tenía una estúpida sonda metida en la nariz y estaba débil. Muy débil.

No obstante, cada día caminaba un poco más lejos, se obligaba a llegar un poco más lejos.

Cada día, Zorana lo fastidiaba con tonterías y se irritaba. Salía a caminar con él, llevando a rastras su tubo de oxígeno rodante y su suero intravenoso móvil. Pero aquello no le gustaba nada y, a su manera, dejaba en claro su opinión.

Su pequeña esposa apenas había cambiado en los treinta y cinco años que llevaban juntos. Todavía era de contextura menuda y estatura baja, con el mismo cabello negro reluciente y los mismos ojos negros que lo habían fascinado cuando la conoció. Su piel era suave y bronceada, con una leve papada bajo el mentón, pero ¿qué hombre le miraba el mentón a una mujer?

Sus labios... ah, sus labios seguían siendo igual de perturbadores. Esos labios, que habían cambiado su mundo.

La había visto irritarse de ese modo cientos de veces cuando los niños se portaban mal. Adelantaba la mandíbula y avanzaba con los brazos cruzados sobre el pecho; marchaba con paso majestuoso en vez de andar.

No estaba contenta con él.

Casi siempre, Konstantine se sometía a sus caprichos.

Pero en esa ocasión no pensaba dar el brazo a torcer. No estaba dispuesto a vivir sus últimos días como un inválido encadenado a una silla de ruedas. Recuperaría, por lo menos, una parte de su fuerza.

Tenía que recuperarla. Le gustara o no a Zorana, la batalla vendría a buscarlo.

Por eso, mientras esperaba, salía a caminar e intentaba distraerla con insensateces.

—La casa... me agrada. No es demasiado grande, como las de esos californianos que se mudan y construyen mansiones enormes en la cima de la montaña y se creen reyes. Igual que el dicho: aunque la mona se vista de seda, mona se queda. Nosotros tenemos tres dormitorios... y con eso basta y sobra. Y dos cuartos de baño. —Hizo una pausa, levantó dos dedos y aprovechó la oportunidad para recobrar el aliento—. En el viejo continente tener dos baños es algo inaudito. Todos pensarían que somos ricos.

Zorana no dijo nada.

—Por supuesto que podríamos remodelarla y agregar otro cuarto de baño, solo para nosotros. Será muy útil cuando tengamos nietos. El trayecto hasta el baño se hace largo en invierno y tú estás envejeciendo. Pero veo que no quieres hablar de este proyecto de baño.

A decir verdad, Zorana había insistido durante varios años seguidos en la construcción de un baño principal. Y el hecho de que se las ingeniara para permanecer callada cuando Konstantine daba lugar a su deseo por primera vez era una clara señal de lo furiosa que estaba.

Estaba preocupado por Zorana. Su esposa había tenido que ser valiente día tras día desde que Adrik había escapado, muchos años atrás. Y ahora Rurik había desaparecido. Jasha decía que Rurik había usado su tarjeta de crédito, la del nombre falso. Pero la última vez había sido varios días atrás y la preocupación, jamás puesta en palabras pero absolutamente real, carcomía a sus padres día y noche.

—Es un buen año para las uvas, sobre todo para la pinot. —Las hileras de tupidas viñas de hojas verdes y uvas maduras atravesaban el valle hasta donde se perdía la vista, y en cierto modo aligeraban el peso que oprimía su corazón—. Si continuamos así, haremos pedazos a esos vinicultores de pacotilla de Oregón.

Zorana no lo miró. Tampoco le contestó.

Pero hacía ya muchos años que estaban casados. Konstantine conocía a su esposa, y sabía que le ganaría esa batalla.

—La huerta también está marchando de maravillas este año y no quiero que manejes tú sola el puesto de frutas. Es demasiado trabajo para una mujer de tu edad.

Zorana resopló.

Konstantine fingió que no había oído.

—Contrataremos a una de esas chicas que trabajan con la gente de Szarvas. ¿Cómo se llamaba? —Simuló haberlo olvidado—. ¿La que hace cualquier cosa por un poco de dinero para maquillaje?

—Michele.

Ja. Zorana había tenido que pronunciar una palabra. Si continuaba en esa tesitura, tendría que liberar esa furia enjaulada que Konstantine sabía que escupía espuma bajo la superficie.

—Eso es. Cuando ella trabaje en el puesto, la gente se parará a comprar.

Zorana se detuvo en seco.

—¿Qué quieres decir con eso?

Konstantine siguió andando.

—Quiero decir que la gente se parará a mirar su cara bonita.

La frustración y la furia de Zorana alcanzaron el punto máximo de ebullición.

—¿Ahora tomas decisiones sobre el puesto de frutas? —Apresuró el paso para alcanzar a su esposo—. ¿El puesto de frutas que instalé yo sola, sin ninguna ayuda de tu parte? ¿El puesto de frutas que considerabas una idea estúpida? ¿Y crees que soy demasiado vieja para atenderlo?

La dejó rezongar un rato, disfrutando de sus mejillas enrojecidas, esas mejillas que últimamente casi siempre estaban pálidas y marchitas por la preocupación.

—Creo que eres demasiado hermosa —dijo, cuando la furia de su esposa comenzaba a menguar— y temo que aparezca algún joven de sangre caliente y te rapte.

Zorana respiró hondo.

—Tendremos que llevarte al oculista la próxima vez que vayamos al consultorio médico en Seattle.

—No hay ninguna necesidad. Yo vi cómo te miraba. Le apetecería tener algo contigo. —Konstantine se golpeó levemente el pecho con el puño—. Pero no permitiré que te tenga. Tú eres mía, para siempre.

Los ojos de Zorana se llenaron de lágrimas. Había recordado aquella profecía donde lo había visto encadenado en el infierno por toda la eternidad... sin ella.

—Para siempre —insistió Konstantine—. Y ahora dame un beso.

Lo besó, y fue un beso lleno del amor que sentía por él y de rebelión contra el cruel destino. Konstantine la sostuvo con un brazo debilitado y maldijo la enfermedad que agostaba su corazón y lo volvía incapaz de consolarla como ambos deseaban.

Siempre consciente de su afección, Zorana se apartó de él sin que ninguno de los dos lo deseara, y le hizo apoyar la mano en los andadores.

—Demos otra vuelta a la casa —dijo Konstantine. Zorana empezó a protestar, pero él levantó la mano para hacer que callara. Ambos prestaron mucha atención—. Oigo cómo viene un coche por el camino.

Zorana no cuestionó la afirmación de su esposo. Su oído de lobo nunca le había fallado.

—¿Lo reconoces? —le preguntó.

Konstantine negó con la cabeza. Y Zorana no intentó detenerlo cuando empezó a avanzar lo más rápido que podía hacia la entrada.

Cuando dieron la vuelta a la esquina, el Camry ya estaba aparcando frente al porche. Una mujer iba al volante. La mujer miró la casa y luego dio un respingo y los miró acercarse.

—Es... esa chica, la que estaba con él cuando desapareció. La reconozco de la televisión —murmuró Zorana—. Es Tasya... con el cabello teñido de blanco y negro.

—Ya veo. —Konstantine también veía el desfile de expresiones en el rostro de Tasya: la feroz resolución que la había llevado hasta allí se disolvió, transformándose en una mirada llena de lágrimas y un desesperado anhelo de no conseguir el deber que había ido a cumplir.

—¿Crees que estará herido? ¿Que regresará a casa más tarde? —La voz de Zorana estaba cargada de esperanza.

Con renuencia, Tasya abrió la puerta del coche y bajó.

No. La cara y los movimientos de Tasya dejaban claro que no había lugar para la esperanza.

Su hijo; el bebé que había acunado en sus brazos; el niño al que había enseñado a ser cauto, a cazar, a controlar su fuerza salvaje; el hombre que había llegado a ser piloto de aviones y luego arqueólogo... estaba muerto.

La muchacha avanzaba hacia ellos, intentando sonreír con los labios temblorosos.

Konstantine se detuvo en seco y retuvo a Zorana —cuyo irrefrenable impulso era salir corriendo a recibirla— cogiéndola del brazo.

Buscando algo en su bolsillo, Tasya se detuvo delante de ellos. Sus grandes ojos azules rogaban comprensión, compasión.

Pero en aquel momento Konstantine no tenía compasión para nadie, salvo para sí mismo y para su esposa.

Tasya sacó un cuadrado pequeño, envuelto en papel manteca, y lo desenvolvió. Se lo entregó.

El segundo icono.

Konstantine quería escupir sobre la imagen. El precio había sido demasiado alto.

Los dedos de Zorana temblaron al coger el icono y contemplar fijamente el rostro de la Virgen, el Jesús crucificado, el resplandor del oro y la pátina de más de mil años de antigüedad. Levantó los ojos y miró a Tasya.

—¿Rurik? —musitó.

Tasya hizo un gesto negativo con la cabeza.

Y, como si el icono fuera demasiado pesado para ella, Zorana se desplomó.

Konstantine intentó cogerla y también estuvo a punto de caer, pues apenas podía sostener su propio peso.

Tasya se dejó caer al suelo junto a Zorana y la estrechó en sus brazos.

Y las dos mujeres lloraron abrazadas.

Konstantine las miró y sus ojos se inundaron de lágrimas, que comenzaron a rodar por sus mejillas.

De acuerdo. Esa mujer había amado a su hijo. Y ahora consolaba a su esposa.

Konstantine decidió que la recibiría en el seno de su familia y que la amarían como a una hija.

Tasya estaba sentada ante el viejo escritorio de Rurik en el pequeño dormitorio de este en la casa de sus padres.

Había bajado sus fotografías en el viejo ordenador de Rurik y las estaba examinando una por una, revisitando su registro del yacimiento arqueológico, la excavación, los hallazgos... Deseaba tanto poder enviar sus fotografías a la National Antiquities, a sus editores en la editorial, a los periódicos y revistas de noticias que ya se habían olvidado de su historia y pasado a otra cosa. La venganza contra los Varinski había sido su meta y su ambición durante tanto tiempo que no podía dejarla sencillamente atrás. Con las pruebas que tenía en mano, le asestaría tal golpe a esa familia de asesinos que jamás se recuperarían.

Por mucho que la familia de Rurik hubiera adoptado el apellido Wilder, seguían siendo Varinski, y Rurik también lo era. Konstantine y Zorana no podrían haber sido más amables con ella: la habían acogido en su casa y le dispensaban el respeto debido a la persona que había encontrado el icono... y el amor debido a la mujer de Rurik.

La hermana de Rurik, Firebird, había llorado desesperadamente a su hermano muerto. Después, siempre práctica, le había prestado varios conjuntos de ropa a Tasya hasta que recibiera la que había comprado por internet. Y, como si estuviera contenta de tener a alguien casi de su misma edad en la casa, le hablaba todo el tiempo de su bebé.

La ecografía había mostrado que era un varón. Todavía no había decidido el nombre. Esperaba que no fuera demasiado voluminoso: todos sus hermanos habían pesado más de cuatro kilos y medio.

Pero Firebird jamás mencionaba al padre del niño. Quienquiera que fuese, estaba completamente fuera de su vida. En un principio Tasya había pensado que el padre no era más que un error pasajero, pero cuando Firebird no se daba cuenta de que la estaban observando, miraba por la ventana y se acariciaba el vientre y su rostro expresaba... ira, dolor, soledad... Sí, por diferentes razones, Tasya y Firebird tenían mucho en común.

¿Acaso podría publicar las fotos sin echar a perder para siempre la posibilidad de romper el pacto? Rurik había querido, desesperadamente, darle a su padre una oportunidad de redención.

¿A Tasya le importaba?

Antes de conocerlo, le importaba un bledo.

Pero luego había llegado a esa casa y descubierto que Konstantine era el único Varinski al que observaba con cautela. No importaba que estuviera terriblemente enfermo, que pasara la mayor parte del día en una silla de ruedas y respirara con ayuda de un tubo de oxígeno por la noche.

Lo sentía como a los otros Varinski, los miserables rufianes que tanto se habían esforzado por matar a Rurik... y finalmente lo habían logrado. Sabía por qué tenía escalofríos cuando Konstantine estaba cerca; ese hombre había asesinado, había violado, había saqueado, y, por más que se hubiera arrepentido, aquellos pecados todavía manchaban su alma.

La profecía de Zorana había anunciado que, a menos que Konstantine y sus hijos rompieran el pacto con el diablo, Konstantine ardería eternamente en las llamas del infierno.

Cuando los Varinski habían matado a sus padres, hacía ya mucho tiempo que Konstantine se había separado de esa familia. Pero Tasya no podía olvidar que había cometido actos igualmente horribles.

Tampoco podía olvidar que había engendrado a Rurik y lo había educado para ser el hombre que ella admiraba y amaba.

No sabía si amar a Konstantine u odiarlo... o llorar por él.

Pasó la yema del índice por el borde del icono. Le había dado un lugar de honor a la Madonna. Cada vez que apartaba la vista de la pantalla del ordenador, veía los ojos tristes y sabios de la virgen y recordaba que, en la batalla entre el bien y el mal, se habían sufrido otras pérdidas y hecho otros sacrificios.

La visión de los espectros de sus padres le había revelado algo muy importante: el dolor que habían sufrido ya no existía, pero el amor que sentían por ella no se extinguiría jamás. El amor de sus padres era más fuerte que la muerte, y les había permitido regresar por un instante al mundo de los vivos para salvarla.

Aunque esos asesinos, esos criminales, esos Varinski ucranianos detestarían saber que, de algún modo, habían dado consuelo a la niña que se les había escapado de las manos, era una verdad ineludible que, al haberla obligado a huir bajo tierra, habían curado tanto su miedo a la oscuridad como apaciguado la angustia que había alimentado su resolución.

Lo único que debía hacer ahora era examinar atentamente los cientos de fotografías de la tumba escocesa en la isla de Roi. Necesitaba pruebas fotográficas de lo que habían encontrado allí con Rurik. Las conservaría hasta que el pacto se hubiera roto y retomaría su vida normal... como si la vida pudiera volver a ser normal sin Rurik.

Tasya fue tomando notas de lo que recordaba acerca de cada foto, hasta que llegó al punto en que le había entregado su cámara a Ashley para ayudar a Rurik a abrir la tumba.

La primera foto tomada por Ashley mostraba a Rurik y a Tasya de espaldas, rígidos y reservados, resueltos a no tocarse. Había una docena de fotos similares: el agujero en la tumba se iba agrandando, pero Tasya y Rurik solo parecían concentrados en la tarea.

De pronto, la imagen cambió.

La mano de Tasya estaba apoyada sobre la de Rurik, y se estaban mirando. Se estaban mirando... y Tasya vio entre ellos deseo y furia, enojo y miedo, y una tensión sexual tan alta que la foto se tornó borrosa en la pantalla.

Tasya secó las lágrimas que inundaban sus ojos.

Las emociones que los devoraban parecían querer saltar de la fotografía: un registro de ese momento maravilloso en el tiempo, antes de que la trampa para incautos, el cofre del tesoro, los bajorrelieves en los muros, la explosión y la verdad cambiaran para siempre sus vidas.

¿Habían sido tan obvios? ¿Sus pasiones se habían manifestado así, a flor de piel, y ante la vista de todos?

Desde aquel momento en la cueva, cuando pensó que moriría y que quizá pasaría toda una eternidad sin Rurik, Tasya no había llorado.

El llanto no era un hábito que deseara cultivar.

Pero, una vez más, tuvo que secar las lágrimas de sus ojos y se le escapó un sollozo. Se tapó la boca con la mano, pero llegó otro y otro y otro más... Y las lágrimas rebeldes le quemaban las mejillas.

¿Cómo se atrevía a estar muerto? ¿Cómo se atrevía? ¿Qué falta de compasión lo había impulsado a entregarle el icono y obligarla a llevarlo allí para romper el pacto... y para que ella siguiera con vida? Su vida entera había sido un largo camino de soledad, y por unos pocos días se había sentido viva. No siempre feliz, no siempre segura, pero viva.

Ahora la esperaban más años vacíos de soledad, hasta que se esfumara en la noche y por fin encontrara a sus padres, y a su amor, una vez más.

Oyó rugir a Konstantine en el piso de abajo.

Soltó una carcajada... y se le escapó un sollozo.

Hacía ya diez días que estaba en la casa y había descubierto que Konstantine rugía más de lo que hablaba. Le daba tranquilidad escucharlo. Estaba vivo: enfermo, pero vivo. Luchando, y todavía vivo. Ese hombre era todo un ejemplo... pero claro, aún tenía a Zorana.

La sola idea la hizo llorar.

Dios santo, ¿cuándo se había transformado en semejante niñita llorona?

La respuesta era fácil.

Cuando se había enamorado.

Percibió un movimiento con el rabillo del ojo y, en un acto reflejo, se dio la vuelta con los puños en alto, dispuesta a matar.

Había un fantasma.

Rurik, con la chaqueta colgada del hombro.

Se quedó mirándolo.

¿Lo habrían enviado sus padres?

Rurik arrojó la chaqueta sobre la cama.

Azorada, Tasya la vio aterrizar.

Aterrizó con un sonido sordo. Dejó una arruga sobre el cobertor. Parecía real.

Él parecía real.

Tasya se levantó y la silla cayó hacia atrás. Chocó contra el suelo dando un golpe tan fuerte como para despertarla a ella y asustar al fantasma.

No se despertó.

El fantasma no se movió. En cambio, sonrió; una sonrisa oblicua y burlona que le paralizó el corazón.

—Ningún hombre merece tantas lágrimas —dijo.

—¿Rurik? —murmuró Tasya—. ¡Rurik!

Estaba quemado por el sol y muy delgado, tenía un ojo amoratado, casi amarillento, y una mueca de cansada tristeza en los labios.

Tasya extendió la mano para tocarle el hombro, pensando que atravesaría aquella forma espectral... pero tocó carne caliente.

Rurik le cogió la mano y se la llevó a la boca. La besó, y su aliento rozó la piel de Tasya...

Se arrojó a sus brazos.

Él la recibió, levantándola en vilo.

Vagamente, desde el umbral, Tasya oyó un sollozo. Eran los padres de Rurik. Y su hermana. Los estaban mirando.

A Tasya no le importó.

Rodeó con sus brazos el cuello de Rurik, y atrapó sus caderas con las piernas.

Él la besó, llenando con su aliento sus pulmones y dejando que el aliento de Tasya colmara los suyos. Y Tasya recordó la promesa que había hecho en el túnel.

—Te amo —le dijo. Y le cogió la cabeza entre sus manos. Y lo miró a los ojos—. Te amo. Te amo. Te amo.

Rurik era otro milagro en una vida, la suya, bendita con milagros.

Estaba vivo.

Rurik estaba vivo.

32

Firebird contemplaba el cielo nocturno por la ventana abierta del cuarto que compartía con Tasya.

—Mira esa luna —dijo.

—Es maravillosa. —Tasya estaba sentada, en pijama, con la vista clavada en la pantalla del ordenador, tratando de concentrarse. Tenía que concentrarse para controlar el tumulto que agitaba su cuerpo. Su sangre cantaba de deseo, y le temblaban las piernas.

Pero allí estaba, jugando al solitario.

—Las estrellas también son hermosas. La noche está tan clara y luminosa que puedo ver perfectamente el establo. —Firebird estaba tan entusiasmada que hacía que eso pareciera algo importante—. Cuando yo tenía diez años, quería con desesperación que me regalaran un caballo. Pero papá dijo que no. Dijo que comprar un caballo costaba mucho dinero y que además era muy caro de mantener y que nosotros éramos unos inmigrantes pobres y luchadores sin dinero para gastar en frivolidades. Yo estaba enamorada.

—Sí. Pillina. —Rurik estaba en el dormitorio contiguo. En el dormitorio contiguo... y Tasya no podía correr a sus brazos. Porque las estrictas reglas de la casa no permitían que dos personas que no estaban casadas durmieran juntas. Se habían cogido de la mano durante la cena. Se habían sonreído con los ojos. Luego se habían dado el beso de buenas noches (más de una vez) y se habían ido a acostar, cada cual por su lado.

Tasya no podía creerlo. Tenía veintinueve año y estaba condenada a la castidad por un conjunto de normas morales decimonónicas aplicadas según el leal entender de un ex Varinski.

—Pero la palabra de papá es ley, de modo que no me quejé. Y en mi undécimo cumpleaños, papá compró un caballo. —Los labios de Firebird esbozaron una tenue sonrisa evocadora—. Dijo que había descubierto en qué podíamos emplearlo.

Atrapada contra su voluntad por aquella historia, Tasya preguntó:

—¿Y en qué lo empleasteis?

—En tener algo para montar y cuidar.

—Qué bien.

—Papá tiene sus momentos. De todos modos, mi dulce y vieja yegua todavía está en el establo, y por eso papá sigue almacenando heno en el altillo. —Larga pausa—. ¿Sabes una cosa? Mis hermanos acostumbraban a utilizar el altillo del establo para intimar con sus conquistas.

Tasya levantó la vista. Firebird tenía ahora toda su atención.

—Sí. Porque, ¿sabes?, para ser un hombre que en sus buenos tiempos no tenía ninguna clase de moral, papá es realmente estricto con eso de no tener relaciones sexuales bajo su techo.

—Ya me he dado cuenta.

—Papá es un hombre verdaderamente tradicional. Y, tradicionalmente, los amantes deben escapar de la casa para poder follar a gusto.

Poco a poco, Tasya empujó la silla hacia atrás.

—¿Qué estás insinuando, Firebird?

—Nada. ¿Qué te hace pensar que estoy insinuando algo? —Firebird se asomó por la ventana—. Mira eso. Ese sí que es un pájaro grande. ¡Un halcón!

Tasya corrió hacia la ventana justo a tiempo para ver al enorme halcón cruzando bajo la luna hacia el establo.

—Rurik —murmuró.

—Papá tiene oído de lobo. —Firebird cogió su iPod y se puso los auriculares—. Será mejor que bajes por la ventana.

Zorana escuchaba la música que sonaba sobre su cabeza. Tanteando bajo las cobijas, palmeó a Konstantine en el pecho.

—Tasya acaba de salir por la ventana.

Konstantine gruñó, le cogió la mano y la sostuvo bajo la suya.

—Yo no he oído nada. Cierra la boca, mujer. Estoy tratando de descansar un poco.

Tasya cruzó el césped y siguió corriendo por el sendero entre los árboles, en dirección al establo.

Empujó la puerta con la mano. Con un crujido, se abrió de par en par. El establo olía a heno fresco, a cuero, a un caballo muy querido. La luz de la luna entraba por las ventanas abiertas. Rurik estaba de pie junto al pesebre. La yegua había apoyado la cabeza sobre su hombro, en estado de éxtasis y adoración, para que le acariciara el hocico.

No había una sola hembra en el mundo que pudiera resistírsele.

Rurik le sonrió.

Una vez más, se sintió perpleja: estaba vivo.

—Debo de haber hecho algo realmente bueno en una vida anterior para merecerte. —La voz de Tasya sonaba ronca por las lágrimas aún no derramadas, y tragó saliva para contenerlas.

Qué mujer.

—Has hecho algo realmente bueno en esta vida. —Palmeó a la yegua por última vez, se liberó suavemente y avanzó en dirección a Tasya con pasos largos y lentos—. Yo soy el que jamás se hubiera atrevido a soñar que volvería a verte.

Quería arrojarse a sus brazos como lo había hecho esa tarde, pero, después de esa primera reacción instintiva, recordó... la pelea con los Varinski y cómo la luz de sus ojos se había apagado. Estaba convencida de que lo habían matado. O por lo menos de que lo habían herido terriblemente, y pensaba que ni siquiera sus prodigiosos poderes sanadores podrían arrancar sin consecuencias una flecha atravesada en el pecho.

—¿De verdad estás vivo o todo esto no es más que un sueño? —Extendió la mano, pálida bajo el rayo de luna, para comprobarlo.

Rurik se detuvo frente a ella. Tasya apoyó la palma de la mano sobre su corazón. Latía con fuerza, y quedó convencida.

—¿Cómo has podido sobrevivir a aquello? —musitó.

Rurik cogió sus dedos.

—Ven conmigo y te diré cómo. —La condujo hacia la escala.

Ella empezó a subir.

—Tu hermana me ha contado que vosotros, los varones, usabais el establo como refugio de amor.

—Claro. Los otros varones. Pero yo no. Yo soy virgen.

Tasya paró de subir y lo miró.

—Mentiroso.

—Soy virgen. —Rurik la miró, y su mirada le informó a las claras que el pantalón de pijama de algodón ligero se le pegaba al cuerpo mientras subía... y que él la estaba observando y la deseaba.

Tasya se dejó caer sobre el suelo sembrado de heno. Miró la puerta trampa y lo vio subir.

—Veré si puedo hacer algo para enmendar esa situación —dijo.

—Ojalá puedas.

La luz de la luna entraba por la ventana e iluminaba las pilas de heno, creando sombras audaces sobre las vigas, los fardos y el tridente. Hacía calor allá arriba; el calor del sol de agosto se había acumulado bajo el techo.

No había ido preparada para seducir. Todavía tenía esos

manchas blancas en el cabello, que se rizaba indómito. Sus brazos estaban desnudos y una lluvia de estrellas iluminaba la blusa del pijama, que le cubría el pecho y era larga hasta el muslo. El cinturón de los pantalones estaba anudado y la línea de la cintura era baja.

—Eres la cosa más hermosa que he visto en mi vida. —Fue hacia la manta desplegada como un nido sobre el heno, se desperezó y colocó los brazos debajo de la cabeza. Era una clara invitación al pecado.

Todas las otras veces que habían estado juntos se habían seducido: mintiendo, atacando, deseándose.

Pero esa noche sería diferente. Esa noche lo conocería.

Se arrodilló junto a él, y el heno seco crujió bajo sus rodillas. Le desabotonó la camisa, la abrió y recorrió con las yemas de los dedos los contornos de su pecho. Encontró la piel dañada donde había entrado la flecha, justo debajo del hombro izquierdo. Pero además tenía otra herida en el hombro, más grande y más fea, donde la piel no cubría el músculo y cuyos bordes brillaban enrojecidos.

—Rurik. —Lo miró a los ojos.

Él también la miró.

—Todo ha terminado.

Lo cual significaba que él había sufrido mucho más de lo que un simple mortal podría soportar.

Tasya le desabrochó el cinturón y le quitó los pantalones... y descubrió que faltaba un pedazo de carne de su muslo derecho y un poco de hueso de la cadera. Besó cada herida, demorando los labios en el beso, y aspiró su olor gozando de su vida y angustiada por el dolor inmenso que había sufrido.

Rurik le deslizó una mano por el cuello, la atrajo hacia sí y la besó.

—Todo está bien. Estás viva. Estoy vivo. Eso es lo único que importa.

—No, no es lo único que importa. Esos miserables estuvieron a punto de matarte. Pensé que te habían matado. Y espero que ardan en el infierno.

—Creo que puedes dormir tranquila si ese es tu deseo. —Volvió a besarla.

—¿Los has matado a todos?

—Sí.

Tasya lo miró a los ojos y le apartó el cabello de la frente.

—Rurik —susurró—. Cuéntame cómo fue.

Él suspiró y echó la cabeza hacia atrás.

—Solo si me dejas abrazarte. Necesito abrazarte mientras... mientras recuerdo...

Tasya se tendió junto a él, rodeándole la cintura con los brazos, y apoyó la cabeza sobre su pecho.

—¿Tienes suficiente calor? ¿Te hago daño?

Él la estrechó contra su cuerpo.

—Estoy mejor de lo que nunca he estado en las últimas tres semanas.

Tasya lo escuchaba respirar, pero ni siquiera así podía convencerse de que estaba vivo.

—Eres un milagro.

—Yo no. Hay otros milagros en este mundo... y tantos horrores. He vivido un poco de las dos cosas.

—Te vi. Estabas peleando con Ilya en el aire.

—Lo hice pedazos con mis garras. Estaba a punto de liquidarlo...

—Te vi. Lo tenías contra las cuerdas, y entonces...

—Kassian me disparó una flecha. —Tocó el lugar donde lo había herido la flecha—. Los Varinski son malos perdedores.

Tasya se tragó la ansiedad que la consumía.

—También vi eso. Pensé que te habían matado.

—Estuve cerca. Muy cerca. —Acarició con ternura su brazo desnudo, como si necesitara tocar algo caliente y vivo—. Supe que me habían liquidado. La herida era demasiado grande para la pequeña masa corporal de un halcón...

—Espera un momento. —Tasya se incorporó a medias—. ¿Estás diciendo que la flecha podía matarte como halcón pero no como ser humano?

—No exactamente. —Se esforzó por explicar los detalles—. Tampoco sabía si podría sobrevivir como hombre, (dado que la flecha me había atravesado el pulmón), pero tenía mayores posibilidades de hacerlo si adoptaba mi forma humana. Por desgracia estaba en el aire y no puedo volar como humano. Estaba demasiado herido, y con esa flecha clavada en el cuerpo tampoco tenía demasiado equilibrio para volar, así que empecé a caer demasiado rápido. —Cogió la mano de Tasya entre las suyas y empezó a besarle las yemas de los dedos—. Te vi dar media vuelta y partir.

—Odié salir corriendo. Lo odié con toda mis fuerzas. —Se acurrucó junto a él.

—¿Crees que no lo sé? Pero también sabía que si alguien podía llegar aquí con el icono, esa eras tú. —Le hizo levantar la cabeza y la miró a los ojos—. Solo tú, Tasya. Solamente tú.

—¿Por lo que había dicho la profecía?

—No. Porque, más allá de las dificultades, tú nunca abandonas el campo de batalla.

Tasya sonrió a medias al escuchar cuánta fe tenía en ella.

—Quería darte tiempo para escapar. Supuse que no tenía muchas opciones: o morir por la herida, o jugármela y planear hasta el último momento y luego adoptar la forma humana y tratar de no romperme el cuello. —La mano de Rurik aplastaba la blusa del pijama—. No me rompí el cuello.

Tasya sabía lo que eso significaba.

—¿Pues entonces qué?

—Me rompí algunas costillas y tuve un golpe muy malo en la articulación del hombro. —Se encogió de hombros, más como si estuviera probando la articulación que expresando indiferencia—. Pero, comparado con lo que ocurrió después, eso no tuvo la menor importancia.

Tasya lo acarició. Necesitaba asegurarse de que estaba allí, deseaba ofrecerle consuelo.

Pero empezaba a comprender que Rurik no tenía tiempo para las expresiones de simpatía. Él y su familia estaban metidos en una pelea hasta la muerte... y más allá de ella.

Y Rurik... Rurik solo deseaba ganar. Quería justicia.

—Me arranqué la flecha del cuerpo mientras Kassian y Sergei corrían hasta donde yo estaba —prosiguió Rurik—. Y después se la clavé a Sergei en la garganta.

—Bravo —dijo Tasya.

—Eres una chica sedienta de sangre. —La besó en la frente—. Pero la estratagema de la flecha puso furioso a Kassian. Levantó su bastón (mi padre siempre dice que esos Varinski usan cualquier cosa como arma, y tiene toda la razón del mundo) y me hundió la punta en el hombro. Me dejó literalmente clavado al suelo.

Tasya retrocedió llevándose los puños a los ojos, como queriendo desterrar esa imagen atroz.

—Cuando levanté la vista, Ilya bajaba con las garras abiertas directo a mis ojos... Pero en ese instante explotó, con un estallido de plumas blancas y negras.

Tasya apartó las manos de su cara.

—Le disparé con su propio rifle.

—¡Esta es mi chica! —Rurik sonrió complacido—. Estaba seguro de que eso era exactamente lo que había ocurrido.

—Sabía que no podría matarlo, pero no me importó. Esperaba herirlo de gravedad. Puaj, a esa comadreja de poca monta.

—Es un águila, cariño. —La acarició por encima del pijama hasta encontrar la piel suave de la cintura—. No es una comadreja sino un águila.

—Sé reconocer una comadreja cuando la veo —insistió Tasya.

—Está bien —concedió Rurik—. Es una comadreja entonces.

—Continúa.

Rurik deslizó su mano bajo la cintura de los pantalones. Tasya le cogió la muñeca.

—No dije que continuaras con la mano. Dije que continuaras con el relato.

—Ya hablaremos más tarde —gruñó Rurik.

Tasya miró su cuerpo... y vio por qué había perdido todo

interés en seguir contando su historia. Y, cuando la mano de Rurik recorrió suavemente la curva de sus glúteos, reconoció que su propia curiosidad también empezaba a disminuir.

Pero Rurik había dejado tantas preguntas sin responder... y, además, la pasión podía continuar ardiendo a fuego lento un rato más.

Tasya quería saber, lo necesitaba. Y tenía cosas que decir.

—¿Cayó encima de ti?

Rurik suspiró suavemente, contento... de momento... con solo tocarla.

—Falló por poco, lo cual fue muy bueno, porque para entonces yo estaba medio muerto. Podría haberme ahogado bajo su peso, dado que no tenía fuerzas para quitármelo de encima. El imbécil de Kassian se puso del color del *borscht*. Se inclinó sobre mí, me aferró del cuello y dijo: «Voy a acabar contigo. Y después voy a cazar a esa maldita mujer y la voy a hacer sufrir». —Rurik sonrió, pero no fue una sonrisa placentera. Viendo aquella sonrisa, Tasya sintió alivio de no ser Kassian—. ¿Recuerdas aquel truco que te conté, que puedo cambiar solo una parte de mi cuerpo a voluntad?

—¿Sí? —No estaba segura de querer escuchar aquello.

—Transformé mis manos en garras y le abrí la garganta de un tajo. —Rurik gesticulaba entusiasmado con el brazo libre—. Después le arranqué los ojos. Después... ¿Tasya?

Tasya sintió que le zumbaba la cabeza y se le nublaba la vista. No era que fuese una melindrosa. Era la imagen mental de Rurik clavado al suelo, todavía peleando por su vida... y por la de ella.

—Lo mataste —dijo.

—Sí. Lo maté. —Rurik se incorporó y se inclinó sobre ella. Su cuerpo era una barrera de protección, y su cara estaba ensombrecida por el misterio—. Todo el tiempo, mientras estaba peleando, lo único que deseaba era que tú pudieras escapar. No llores por mí. No te sientas culpable por haber salido corriendo. Hiciste lo que había que hacer. Has traído el icono hasta aquí y yo jamás olvidaré... que confiaste en mí.

—Confié en ti. Confío en ti. Lamento mucho haberte ocultado el icono. —Tasya le pasó las palmas de las manos por las mejillas—. Tendría que haberte dicho que lo tenía.

—Mientras me recuperaba, tuve mucho tiempo para pensar. —Apoyó su frente sobre la de Tasya—. Lo encontraste en la capilla, ¿verdad?

—Cuando tú entraste, yo estaba sosteniendo la mano de la hermana María Helvig. Todavía estaba caliente...

En aquel momento, la sorpresa de Tasya había luchado cuerpo a cuerpo con el dolor. Y, además de todo, estaba contenta por la monja. Contenta de que se hubiera marchado para estar con sus hermanas.

—¿Y qué podías haberme dicho? —Rurik sonaba abruptamente práctico, como si quisiera dejar para siempre los recuerdos en el pasado—. La monja está muerta, pero ¿sabes una cosa? Encontré el icono.

—Es verdad. Pero no pensé decirte que había encontrado el icono. Después enterramos a la monja y después aparecieron los Varinski y después...

—Después ya no quisiste saber nada más de mí. —Acercó la nariz y aspiró el aroma de su cabello.

—No, pero todavía te amaba y eso me volvía loca.

—Me amabas. —Su voz cálida y profunda se recreó repitiendo aquellas palabras—. Dímelo otra vez.

—Te amo.

Rurik la besó. Sus alientos se mezclaron y la exploró con la lengua, apoyando el pene erecto contra su cuerpo. Cada movimiento suyo era sinónimo de calor y vida y corazón palpitante, y cuando deslizó su mano bajo la blusa y recorrió el abdomen hasta llegar al pecho, Tasya habría querido morir de dulzura... y vivir el resto de su vida en sus brazos.

Le puso las manos sobre los hombros.

—¿Vas a contarme el resto de la historia? —preguntó.

Rurik desanudó la cuerda que ajustaba su cintura.

—Mañana. Te la contaré mañana.

33

Zorana depositó con gran ceremonia el robusto lechón asado, bañado en salsa de romero y mostaza, sobre la mesa de la cocina de los Wilder. Luego retrocedió y sonrió, mientras sus hijos y su esposo aplaudían y la elogiaban.

Tasya se unió al festejo; los años que había pasado en hogares de acogida le habían enseñado a observar las tradiciones familiares, aprenderlas deprisa y participar de ellas sin dar la nota.

A veces, solo era cuestión de ser una más en el grupo.

Otras veces, era imprescindible tener un perfil bajo.

Pero era distinto en la casa de los Wilder porque allí, después de todo, estaba su hogar.

La familia la había aceptado en su seno sin reservas; tal como Rurik había prometido, Konstantine y Zorana le habían abierto las puertas de su casa, no solo porque les había llevado el icono sino porque había amado a su hijo. Durante aquellos días oscuros, cuando pensaban que Rurik estaba muerto, sus padres le habían hablado de él, le habían preguntado por sus últimos días, le habían enseñado su álbum de fotos y habían llorado con ella.

Ahora que él había regresado, no habían reclamado su afecto ni su atención. Al contrario: rendían tributo a Tasya dándole un lugar de honor en la mesa de la cocina.

Sentado en un banco junto a ella —y vestido con una camiseta negra ancha y un par de vaqueros y unas viejas zapatillas—, Rurik se aseguró de que Tasya tuviera todo lo que deseaba en su plato antes de zambullirse en su cena de bienvenida.

Firebird se había tomado la noche libre en su trabajo en la escuela de arte de Szarvas. Estaba sentada al lado de Rurik, su piel radiante con ese brillo especial que solo poseen las mujeres embarazadas.

Jasha y su novia Ann habían volado desde Napa para participar de la reunión. Estaban sentados al otro lado de la mesa, frente a Rurik, abriendo constantemente botellas de Vinos Wilder para impedir que las copas se vaciaran.

—Está bien, mamá, la comida ya está en la mesa. ¿Ahora sí Rurik puede contarnos lo que ocurrió? —Jasha parecía tan impaciente y molesto como solo un hijo mayor puede estarlo cuando se ve privado de la información que, a su entender, es su privilegio de primogénito.

Zorana miró a su hijo.

—Rurik tendría que comer un poco más de carne. Todavía está débil.

—¿Débil por qué? ¿Qué penalidades ha sufrido? —Jasha señaló a su hermano—. Todavía no me has contado la historia.

—Estoy muy débil —murmuró Rurik, poniendo cara de circunstancias.

Su madre le palmeó el hombro y le sirvió la mejor porción de lechón.

—Tú sí que eres una maravilla de la naturaleza.

Jasha parecía ofendido pero concentró toda su atención en rebañar el plato, todavía lleno de comida, con el tenedor. Y ya no se detuvo.

—La espera irrita a Jasha —le confió Ann a Tasya—. Si fuera por él, ya se habrían encontrado todos los iconos y se habría roto el pacto y podríamos retomar la actividad de cultivar uvas y producir buenos vinos.

—Y tú y yo tendríamos tiempo para irnos de luna de miel —acotó Jasha.

—Todavía no he aceptado casarme contigo —le precisó Ann.

Jasha le rodeó los hombros con el brazo.

—Pero lo harás.

Ann volvió la cabeza con fingido desdén, como solo lo haría una mujer que se sintiera muy segura de su hombre.

—Tal vez.

—Sabes que moriría sin ti.

Ann miró a Jasha y tocó las cicatrices, cada vez más tenues, de su cuello.

—Estuviste a punto de morir por mí. Con eso tengo bastante.

La mosquitera de la puerta de la cocina dejaba entrar el aire cálido y perfumado de la noche estival. Zorana servía el lechón con patatas rojas asadas y zanahorias aderezadas con aceite de oliva, acompañado por una gran ensalada griega. Todo en la casa de los Wilder parecía tan normal... Pero Tasya no podía olvidar, ni por un segundo, que estaba comiendo en la mesa del enemigo.

No obstante, por alguna razón, aparentemente eso era lo que había que hacer.

Konstantine, en su silla de ruedas, ocupaba la cabecera de la mesa; su botella de suero intravenoso colgaba de un gancho a su lado, y él bebía vodka en suficiente cantidad para llenar el mar Negro.

Jasha tenía un cierto parecido físico con Rurik que denotaba que eran hermanos; pero Tasya había advertido que en realidad eran muy diferentes. Mientras Rurik tenía el cabello castaño y los ojos color centeno, el cabello de Jasha era negro y sus ojos tenían un color extraño, como el de las monedas de oro antiguas.

Ann era muy alta y muy esbelta y con su actitud tímida mantenía a todo el mundo a distancia... hasta que sonreía. Entonces el mundo entero se rendía a sus pies. Jasha la adoraba; la atendía como si ella fuera una reina y él, su súbdito más devoto.

Tasya se inclinó hacia Rurik, que estaba sentado a su derecha.

—Me gusta cómo Jasha trata a Ann.

Rurik se llevó un trozo de patata a la boca, lo masticó y lo tragó.

—Mi hermano es muy coño-dependiente.

Tasya lo miró con el rabillo del ojo.

—No es que tenga nada malo ser dependiente —se apresuró a agregar Rurik.

Tasya cogió una oliva del plato de aperitivos. La mordió hasta que sus dientes chocaron con el hueso, retiró la carne con la lengua y deslizó la pepita desnuda fuera de su boca.

Rurik se puso colorado y sus ojos se encendieron. Se acercó un poco más a ella para decirle:

—Más tarde, te haré pagar por eso.

—Pero estás débil por tus heridas... y por la reunión que tuvimos anoche —murmuró ella—. Tendrías que descansar.

—Estoy bien —susurró él.

Tasya sonrió con picardía.

—Entonces te tomo la palabra.

—Mamá, Rurik dice que se encuentra bien. —Jasha le dedicó una sonrisa burlona a su hermano bocazas—. Así que ya puede contarnos lo que sucedió.

Zorana empezó a sacudir el dedo para reprender a su hijo mayor, pero Konstantine la detuvo.

—Ya casi ha terminado de comer, y a mí también me apetecería saber cómo logró sobrevivir al ataque de los Varinski.

Rurik apoyó el cuchillo y el tenedor sobre la mesa.

Todos guardaron silencio.

—Tasya os dijo que me había visto pelear en el aire con Ilya...

Tal como había ocurrido la noche anterior, aquel relato tenía el poder de horrorizar a Tasya. Rurik había estado tan cerca de la muerte que, mientras él contaba cómo había despedazado a Ilya y recordaba la flecha clavada en su pecho y admitía que se había vuelto humano para llegar a tierra con vida, Tasya se asustaba y aplaudía alternativamente. Todavía no llegaba a comprender quién y qué era Rurik, y mucho menos cómo había escapado a la muerte.

Cuando Rurik llegó a la parte donde Tasya le disparaba a Ilya, Konstantine se sirvió otra medida de vodka y pasó la botella al resto de los comensales.

—¡Todos a beber! ¡Hagamos un brindis! A la salud de Tasya, nuestra nueva hija.

Todos levantaron sus copas y bebieron vodka.

Excepto Firebird, que brindó con agua.

—A la salud de nuestras tres hijas. —Zorana chocó su copa primero con Firebird, luego con Ann y después con Tasya—. Por las dueñas de nuestros corazones.

Todos volvieron a brindar.

—¡Por Rurik! —dijo Jasha.

—¡Por Rurik! —repitieron todos.

—¡Porque termine de contar su historia sin ser interrumpido! —agregó el avispado Jasha.

Todos se rieron, brindaron y se acomodaron para escuchar el final del relato.

—¿Ilya murió debido al impacto? —quiso saber Konstantine.

—No. Se levantó tambaleando y fue a coger la pistola de Kassian. Yo le pateé los pies desde el suelo —Rurik apenas podía contener la risa—, y el muy hijo de puta se disparó un balazo.

Había tal silencio en la mesa que no se oía volar una mosca. Luego...

—Supongo que... dado que era un demonio... ¿el disparo fue fatal? —preguntó Jasha.

—Quedó más muerto que el infierno —confirmó Rurik.

—¿Un Varinski se mató? ¿A sí mismo? —Konstantine entrecerró los ojos y los clavó en el vacío, sin dejar de restregarse las manos—. Es inaudito. Imposible. Me pregunto qué estará pasando.

—El pacto está fallando —dijo Zorana, apelando al sentido común—. Si tenemos suerte, poco a poco se irán matando todos antes de poder encontrarnos.

—Nunca pierdas las esperanzas, mamá.

Apenas un mes atrás, Jasha y Ann habían tenido sus propios entuertos con el clan Varinski; y aunque Jasha se había curado, todavía no se le habían borrado del todo las cicatrices.

—Entonces todos los Varinski estaban muertos. Tú estabas clavado al suelo. ¿Y...? —Firebird hizo un ademán, invitando a Rurik a finalizar la historia.

—Yo estaba acabado. Exhausto. Me habían disparado. Había perdido mucha sangre. Estaba deshidratado y con dolor, y no podía desclavarme del suelo para escapar de allí y pedir ayuda.

—No sigas. —A Tasya se le quebró la voz.

—Oscureció y empezó a hacer frío, y yo deliraba, perdía y recuperaba la conciencia. Al amanecer tuve un momento de lucidez y supe que me estaba muriendo.

Zorana apretó el puño cerrado sobre su blusa, justo encima del corazón.

Ann se secó los ojos con la servilleta y Jasha le rodeó los hombros con el brazo.

Firebird pasó la mano por la curva de su vientre.

—Estaba sufriendo tanto que me alegré de que todo hubiera terminado... —Rurik miró a Tasya a los ojos—. Entonces se me aparecieron dos personas.

—¿Alguien acudió en tu ayuda? —Los ojos azules de Tasya se llenaron de lágrimas. Miró a Rurik con aquella expresión que le destrozaba el corazón... y al mismo tiempo hacía que todo valiera la pena—. Dios los bendiga.

Le gustaba la nueva Tasya, más suave y más tierna por obra del amor. Lo tocaba cada vez que podía, lo miraba arrobada cuando creía que estaba dormido, lo atendía.

Rurik sabía que aquello no duraría para siempre. Bueno, el amor sí duraría, pero no esa atención exclusiva consagrada a él. Una mujer como Tasya necesitaba un trabajo que le interesara y tendrían que encontrarle algo para hacer, y rápido, pero... después de todo, un hombre podía acostumbrarse a esa clase de atención.

—El sol estaba asomando detrás de ellos, de modo que nunca vi sus caras. —Rurik quería saltarse esa parte y al mismo tiempo... quería que alguien le explicara lo que había sucedido—. Parecían brillar.

El mentón de Tasya dejó de temblar. Se enderezó en su silla y lo miró fijamente.

—La dama me dio algo para beber, agua supongo. Realmente fresca, agua limpia. Jamás he probado un agua tan buena como aquella. —El solo recuerdo lo alegraba—. Y el hombre... parecía estar hablando conmigo. Al menos podía escucharlo dentro de mi cabeza. Me dijo que yo jamás podría arrancar ese bastón de la tierra, pero que si lograba afirmar los pies bajo la cintura y cogía el bastón con mi otra mano, podría levantarme.

—¿Y por qué no arrancó él mismo el bastón de la tierra? —Como de costumbre, Jasha no comprendía nada. Pero nadie esperaba que Jasha fuera sutil.

Firebird lo miró con disgusto.

—Porque era un fantasma, tonto.

—Oh, vamos. —Era evidente que Jasha no creía en aparecidos—. Estabas alucinando.

Tasya retorció la servilleta entre sus dedos.

—Lo único que sé es que... sentí un dolor infernal cuando por fin pude levantarme. —Rurik se frotó el hombro al recordar aquel tormento: cuando tenía los tendones agarrotados y los músculos desgarrados, y sabía que debía romperse deliberadamente el omóplato—. Esas personas me guiaron hasta un arroyo que nacía al costado de la montaña. Me sumergí en el agua helada y dejé que lavara mis heridas, y bebí bastante agua fresca. Volví a desmayarme y cuando desperté... el sol estaba naciendo.

—Te lo dije, estabas alucinando —insistió Jasha.

Tasya miró a Jasha y luego a Rurik. Abrió la boca para decir algo, pero la cerró de inmediato.

—Tienes suerte de no haberte ahogado dentro del arroyo —dijo Ann.

—Según cuentan los habitantes de Capraru, ese arroyo se secó cuando la familia Dimitru fue asesinada.

Incluso Jasha dijo «Uau».

Firebird tuvo un escalofrío.

—Es el mejor cuento de fantasmas que he escuchado desde mis épocas de campamento.

—Tal vez estuviera alucinando cuando vi a esas personas y ese arroyo, pero lo cierto es que mis heridas se cerraron, recuperé la conciencia y pude ponerme en pie, y por ninguna parte había huellas u olores de esa pareja. —Rurik le dio tiempo a su familia para absorber todo aquello y añadió—: Miré hacia atrás. El bastón todavía estaba clavado en la tierra.

Tasya tragó saliva y, con una voz apenas audible, musitó:

—Yo sé quiénes son. —Todos la miraron—. Eran mis padres.

Como si ya lo hubiera adivinado, Zorana asintió.

—Ellos me salvaron —Tasya tocó suavemente el brazo de Rurik—, y te salvaron a ti.

Rurik le cogió las manos y las besó, estrechándolas entre las suyas.

—Entonces podemos decir, sin temor a equivocarnos, que nos han dado su bendición.

34

—Nosotros también. Nosotros, Zorana y yo, os damos nuestra bendición. —Konstantine aplastó la palma de la mano contra la mesa—. ¡Otro brindis! ¡Por los padres de Tasya, los Dimitru!

—Antai y Jennica —acotó Tasya.

—¡Antai y Jennica Dimitru! —Konstantine contempló la copa transparente de vodka—. *Pahzhalstah*, amigos míos. Gracias.

Todos volvieron a beber. Konstantine tragó su vodka reverentemente, honrando a los Dimitru por haber salvado a su hijo.

Zorana susurró algo al oído de su esposo y luego se puso en pie y comenzó a quitar las cosas de la mesa.

Tasya y Ann quisieron levantarse para ayudarla, pero Zorana apoyó una mano firme sobre cada hombro.

—La cocina es pequeña. Dejad que yo me encargue.

—Entonces, Rurik. —Konstantine apoyó su copa sobre la mesa con un golpe sonoro—. Tenías una lanza clavada en el hombro. Te habían disparado una flecha. Y tus dedos, hijo mío... ¿estaban rotos?

Tasya frunció el entrecejo, confundida.

—Sus dedos estaban bien.

Rurik negó con la cabeza. Sabía qué se refería exactamente.

—Porque he pasado tres semanas conviviendo bajo el mismo techo con tres mujeres llorosas, y lo único que se necesitaba para calmarlas era una simple llamada telefónica. —Konstantine alzó la voz—. ¡Una llamada telefónica, Rurik! ¡Podrías haber llamado con cobro revertido!

Zorana hizo ruido con los platos para mostrar que estaba de acuerdo.

Jasha se relajó y sonrió.

Rurik le devolvió la sonrisa y dijo:

—No lo sé, papá. Eres muy estricto con eso de no gastar tu dinero en llamadas de larga distancia.

Tasya le dio un puñetazo a Rurik.

—Tu padre tiene razón. ¿Por qué no llamaste?

Bastó una sola mirada a su rostro enfurecido para que Rurik se pusiera serio de golpe.

—Mirad. Tuve que llegar al convento. Eso me llevó todo el día, a medias andando y a veces arrastrándome. En el convento había comida y agua, y me quedé durante ocho o nueve días. O quizá diez. Ya no estaba al borde de la muerte, pero deseaba estarlo. Me sentía horriblemente mal y no podía bajar a Capraru por mis propios medios.

Jasha enarcó las cejas.

—¿Tu estancia en el convento no te redujo a cenizas?

—Nunca entré en la capilla. No toqué ninguno de los objetos sagrados. Pero no fue nada divertido, te lo aseguro. —Un escalofrío le recorrió el espinazo al recordar el frío claustro, el catre duro y estrecho, las pesadillas provocadas por la fiebre y el dolor—. Y no solo porque soy parte de un pacto con el diablo. A cualquiera le daría pavor dormir en la cama de una monja. Por suerte para mí, estaba tan enfermo que apenas podía levantar la cabeza de la almohada.

—Lo siento, hermanito. —Jasha negó con la cabeza.

—Finalmente apareció una mujer de Capraru. Según parece, la señora Gulyás subía una vez al mes para ver cómo se encontraba la hermana María Helvig.

—Apuesto a que tendrías un aspecto horrible. —Firebird

atrapó en el aire el paño caliente y húmedo que le arrojó su madre y comenzó a limpiar la mesa.

—Tenía golpes y cardenales por todas partes, la ropa llena de agujeros y muchas manchas de sangre seca... y, por la manera de gritar de la señora Gulyás, me temo que le di un susto bárbaro. —Rurik se pasó la servilleta por la cara—. Entonces se dio cuenta de que la monja había muerto.

—Oh, no. —Tasya abrió la boca.

—Yo no hablaba el idioma...

—Oh, no —repitió Tasya.

—Jamás habría pensado que una mujer tan voluminosa pudiera moverse tan rápido —hizo un gesto con los brazos para mostrar el tamaño que tenía—, pero corrió de vuelta a su coche y no pude alcanzarla. Sabía que regresaría, cosa que hizo...

—¿Con la policía? —intervino Ann.

—Me llevaron a rastras a la cárcel local. Volvieron al convento, exhumaron a la hermana María Helvig, descubrieron que yo no la había asesinado, encontraron a los Varinski, y se mostraron sumamente complacidos de que yo los hubiera matado... Ya sabéis que los ruyshvanianos no son fanáticos de los Varinski. —Rurik sonrió al recordar la abundante y deliciosa comida de celebración que le habían dado—. Hasta que alguien recordó que me habían visto contigo, Tasya, y quisieron saber dónde estabas. Les dije que habías escapado por el túnel... Tampoco me creyeron, pero volvieron a subir y revisaron la cueva, y encontraron tus huellas entrando y saliendo. Hicieron una gran festejo. Y luego me dejaron ir.

Tasya bebió un buen trago de vodka.

De no haber sentido tanta ternura por ella, Rurik habría soltado una carcajada. Era tan valiente para los desafíos físicos y tan cobarde para los sentimientos... de otros, pero especialmente los suyos. Ya aprendería. En el seno de una familia tan efusiva como la suya, no tendría más remedio que aprender.

—Tasya, ¿no quieres enterarte de por qué estaban tan contentos de saber que habías escapado ilesa? —le preguntó.

—No.

—Tasya —dijo con reproche.

Tasya se rindió.

—¿Por qué?

—Porque te reconocieron como la princesa Dimitru.

—Es imposible. No es verdad. —Tasya hablaba demasiado rápido, juntando las palabras al intentar negarlo—. No dijeron nada de mí. ¿Quién me reconoció?

—La señora Gulyás vino a visitarme cuando me soltaron. Me mostró una miniatura de una pintura medieval. Una reina Dimitru. Tasya, era tu viva imagen. El cabello negro y los ojos azules. Los genes de tu familia son fuertes.

—No. No pueden haberme reconocido. ¿Por qué nadie dijo nada? —Tasya se apartó el cabello de la frente húmeda. Era evidente que no sabía si estar contenta o perpleja.

—Te reconocieron, y reconocieron tu deseo de anonimato y lo respetaron. Luego... cuando aparecieron los Varinski, también los reconocieron. Contaron terribles historias sobre la noche en que tus padres fueron asesinados.

Tasya miró a su alrededor.

Rurik pudo ver en sus ojos lo que estaba pensando. La noche anterior había dormido con un predador de nacimiento. Esa noche había cenado con sus enemigos. La incredulidad peleaba cuerpo a cuerpo con la aceptación.

Le tomó la mano y la sostuvo entre las suyas.

—Los ruyshvanianos son un pueblo amable. Sufrieron bajo Czajkowski. Son cautos, pero no crueles. Tienen buena memoria y están muy contentos de que hayas sobrevivido. Muy contentos. —Inclinándose hacia delante, la cogió por el cuello y la besó—. Y yo también lo estoy.

Tasya bajó los párpados y volvió a levantarlos... y una medio sonrisa se dibujó en sus labios.

—Y por eso debemos estar juntos. —¿Cómo resistir la tentación? Volvió a besarla—. Te amo.

—Yo también te amo —susurró ella.

—Idos al dormitorio —dijo Jasha, con aquel irritante tono de hermano mayor disgustado.

—Shh —lo hizo callar Zorana—. Es muy dulce.

Sin retirar la mano del hombro de Tasya, Rurik continuó hablando:

—De todos modos, papá, cuando por fin me subieron al avión supuse que veinticuatro horas más de espera no supondrían una gran diferencia. Y decidí presentarme por sorpresa en persona.

—Muy bien —Konstantine asintió—. Aceptado. Y ahora... somos familia. Mis dos hijos han encontrado unas mujeres dignas de ellos...

—Y si se esmeran en mejorar —lo interrumpió Zorana—, es probable que dentro de cuarenta años, más o menos, ellos también sean dignos de sus mujeres.

Konstantine miró a su esposa y luego a Tasya, que estaba sentada a la otra punta de la mesa.

—Dice eso porque hace apenas treinta y cinco años que estamos juntos.

—Te estás acercando a la perfección, papá —dijo Rurik alegremente.

—Volveremos a hablar del asunto cuando se cumplan cuarenta años. —Zorana sonreía, pero sus labios temblaban. De acuerdo al pronóstico de los médicos, a Konstantine no le quedaban cinco años más de vida, y luego...

Rurik no soportaba pensar lo que ocurriría si Konstantine fallecía con el peso de todos sus pecados sobre el alma.

—Siéntate, mamá —dijo Firebird—. Yo pondré los platos en el lavavajillas.

—Sí. ¡Pero antes...! —Zorana sacó del refrigerador una fuente colmada de postres que parecían panecillos y la apoyó sobre la mesa. Acto seguido, dejó un cuenco de crema amarga junto a la fuente—. ¡*Varenyky* con cerezas!

Pocos minutos antes, Rurik había pensado que no podría comer un bocado más. Pero ahora, mirando su postre favorito, dijo:

—Madre mía, la más maravillosa de todas las madres, te adoro.

—Y bien que haces. —Zorana le sirvió el postre a Konstantine y luego se sentó, dejando que su esposo cortara la primera porción y se la diera en la boca.

—Mis dos hijos tienen una mujer digna de ellos —repitió Konstantine—, y por eso sé que estas mujeres que han elegido mis hijos se casarán con ellos y darán a luz muchos niños. Muchos niños.

Rurik interrumpió por la mitad su explicación del *varenyky* a Tasya.

—Espera un poco, papá...

Los ojos de Tasya relampagueaban.

—Señor Wilder, no es mi intención discutir...

—Papá, estás armando demasiado alboroto... —dijo Jasha.

Firebird cerró de un portazo el lavaplatos. El sonido reverberó en la pequeña cocina, y la sorpresa los hizo callar a todos. Aprovechando la calma momentánea, Firebird disparó una pregunta.

—Y entonces, Rurik, ¿qué pensáis hacer ahora?

—No lo sé —admitió Rurik—. Yo quiero volver a mi yacimiento arqueológico en Escocia y dirigir las tareas de limpieza. Tasya quiere ser libre para recorrer los lugares más peligrosos del mundo en busca de una buena historia.

—¡Yo nunca dije eso! —protestó Tasya.

—No es necesario que lo digas. —Ahora la comprendía muy bien. Entendía sus debilidades, sus fortaleza, su necesidad de ponerse a prueba y ayudar a los que estaban indefensos a ayudarse a sí mismos.

—El problema radica en que las vocaciones de ambos nos ponen en el camino de los Varinski. Y los Varinski, ahora que saben quién es Tasya y también saben que logró escapar de una de sus campañas de asesinato... no se detendrán hasta que la vean muerta. Además, ahora saben dónde viven Jasha y Ann, de modo que nadie está a salvo. Es un maldito desastre. —Rurik miró a Jasha—. ¿Crees que podremos causarles suficientes problemas a los Varinski para mantenerlos entretenidos y así poder trabajar?

—No tenéis que hacer eso. —Firebird habló de la misma forma que lo haría una adivina.

Rurik dio un respingo y miró a su hermana pequeña. «Carajo, ella no.»

—¿Y qué es lo que sabes, boquita chillona? —preguntó Jasha.

—Boris está muerto, fue asesinado por su propia familia —dijo Firebird con tono misterioso—. El liderazgo de los Varinski está vacante.

—¿Has tenido una visión? —preguntó Jasha con voz enronquecida.

—No. ¡Lo he leído en internet! —Firebird rió con tantas ganas que tuvo que sujetarse el vientre—. ¡Caramba, vosotros sí que sois gilipollas!

Ann también rió, y luego Tasya, y por último Zorana.

Los hombres se unieron en un gesto unánime de reprobación.

—No tiene nada de gracioso —dijo Rurik.

—Pensaba que sí. —Tasya le sonreía como el gato de Cheshire.

—Está bien, hija. —Konstantine miró a Firebird con reproche—. Ya has disfrutado de la broma. Ahora cuéntanos los detalles.

—Encontraron el cadáver de Boris en un vertedero en las afueras de Kiev, aparentemente atacado por —Firebird hizo comillas en el aire con los dedos— «una variedad de animales salvajes». La prensa internacional especula que los Varinski lo asesinaron porque no pudo detener el juicio a los mellizos Varinski y mantener a los periodistas fuera del asunto. Uno de los Varinski hizo una declaración pública donde decía que, si bien lamentaban la muerte de Boris, este había sido el líder más débil en toda su historia y pronto sería reemplazado por alguien con la fuerza suficiente para conducir nuevamente a la familia Varinski a la cima del poder.

Ann se apoyó en su silla.

—¿Quién dijo todo eso? ¿Quién es el nuevo líder?

—No lo dijo.

—Entonces se estarán peleando entre ellos para ver quién queda al mando. —Konstantine se acarició el mentón—. Me pregunto quién podrá ser.

—Los candidatos son pocos, aunque ninguno de los obvios tiene las capacidades organizativas ni la ferocidad imprescindibles para mantener a raya a esos muchachos. —Ann sacudió la cabeza cuando todos los miembros de la familia se dieron la vuelta para mirarla—. Yo tampoco soy psíquica, pero en las últimas semanas he dedicado muchas horas de mi tiempo a investigar.

—Si en algún ordenador, en cualquier lugar del mundo, existe un archivo sobre los Varinski... Ann lo ha encontrado —anunció Jasha con orgullo.

—Los Varinski más jóvenes pasan mucho tiempo online. Juegan a los videojuegos. Consumen pornografía. Algunos de ellos, incluso, tienen páginas de MySpace. —Ann sonreía con el placer jactancioso de quien ha encontrado el eslabón flojo de la cadena.

Konstantine se frotó el cuello.

—Cuánta informalidad. Qué falta de seriedad —murmuró.

—Me pregunto qué clase de información podríamos extraer de ellos si despertáramos su interés. —Tasya entrecerró los ojos. Rurik casi podía ver el funcionamiento de su mente.

Y entonces, por primera vez, Rurik le dio una orden a su mujer.

—No vas a coquetear con un montón de jóvenes Varinski cachondos para que podamos descubrir que está pasando en la organización.

—Jamás se me pasó por la cabeza. —Pero Tasya no le estaba prestando atención.

Rurik la cogió del cuello de la camisa y la obligó a pararse. Entonces sí le prestó atención.

—Prométeme que no te pondrás en su camino. Ahora

ellos saben quién eres. Saben que eres un trabajo inconcluso y tienen que probar un montón de cosas. No te pongas en contacto con ellos. —La zarandeó un poco—. Se lo debes a tus padres, que volvieron de la tumba para salvar tu vida... y la mía.

—Te lo prometo, Rurik. —Tasya le acarició la cara—. No te preocupes tanto.

—¿Que no me preocupe?

Se dejó caer, lentamente, en la silla.

Una mujer como ella, que primero atacaba y luego pensaba, le pedía que no se preocupara.

Tasya le había dado todo. Le había dicho la verdad acerca de sí misma y acerca de él. Lo había hecho abrazar su parte salvaje. Les había llevado el icono a sus padres, demostrando con su actitud que él era, para ella, más importante que sus propias ambiciones y su deseo de venganza.

Ahora tenía que protegerla... de los Varinski y de sí misma.

—En serio, Rurik. No voy a ponerme en contacto con esos chicos online. Tranquilízate. —Tasya le cogió la mano y le puso un tenedor entre los dedos—. Come un poco de *varenyky*.

—¡Holaaa...! —Una dulce y jovial voz femenina los saludó desde la puerta abierta.

Toda la familia dio un respingo y miró en esa dirección.

Y allí estaba la señorita Mabel Joyce, con la cara pegada al alambre de la mosquitera. Era alta y huesuda, con una leve joroba de matrona. Su cabello era gris acero y, hasta donde Rurik recordaba, siempre había sido del mismo color. Alguna vez sus ojos habían sido de color azul verdoso, pero ahora eran de un gris desvaído. Las mejillas le colgaban sobre la línea del mentón, tenía una enorme papada y toda su cara era un monumento a la flacidez natural de la vejez. Pero no tenía manchas en la piel. Rurik jamás la había visto salir sin un sombrero para protegerse del sol.

Ahora sostenía uno en la mano, un sombrero de paja de

ala ancha que habría quedado mucho mejor en una playa en Cozumel.

—¡Adelante! —Konstantine le dio la bienvenida con un ademán generoso.

Zorana corrió a la puerta para quitar el cerrojo.

—¿Quién es? —murmuró Tasya mirando a la anciana.

—Es la maestra retirada de Blythe. Todos la tuvimos en la escuela secundaria. —Rurik percibió la expresión alerta de Tasya—. Es una anciana estupenda. Continuó enseñando después de haberse jubilado y solo en los últimos tiempos ha necesitado usar bastón.

—¿Cómo es posible que no la hayáis oído llegar? —preguntó Tasya.

—Sabe acercarse sin que la oigan. —Rurik recordaba que, más de una vez, la señorita Joyce se había aparecido de la nada cuando los chicos apostaban o peleaban.

Tasya se removió, incómoda, en su silla.

—¿Crees que nos habrá escuchado? ¿Habrá escuchado lo que dijimos?

—No. No podría haber estado ahí tanto tiempo. —Se puso en pie y le ofreció su silla a la anciana.

La señorita Joyce la rechazó con un gesto.

—No puedo quedarme más de un minuto. Los Milburn de la ciudad se ofrecieron a traerme. Querían una bandeja de moras del puesto de frutas. Están haciendo mermelada, benditos sean sus corazones, y quieren compartirla conmigo. Y, como yo tenía algo para ustedes, aproveché el viaje.

Zorana le alcanzó un vaso de té helado —la señorita Joyce no bebía alcohol— y la maestra lo vació de un trago.

—Gracias. ¡Caramba! —Agitó el sombrero frente a su cara—. Este verano sí que está haciendo calor. —Rebuscó en su bolso y extrajo un sobre alargado.

Rurik vio las estampillas extranjeras, el papel manchado, la escritura garrapateada de la dirección postal.

—Me fue entregado por error... ¡ese cartero suplente de Burlington es un idiota consumado! —La señorita Joyce frunció el ceño—. La oficina de correos tendría que seleccionar mejor su personal. Pero cuando vi de dónde venía la carta, pensé que podría ser algo relacionado con... bueno...

—Adrik —suspiró Zorana.

Jasha se levantó despacio.

Rurik lo imitó.

Por supuesto. Adrik.

Rurik estaba furioso con su hermano pequeño por haber abandonado a sus padres sin decir palabra, pero al mismo tiempo... era sangre de su sangre, carne de su carne. Su corazón comenzó a latir con una fuerza sorda.

Zorana le arrebató el sobre a la señorita Joyce. Lo abrió sin dificultad... estaba tan manoseado que la carta parecía a punto de escaparse. Arrojó el sobre al suelo y desplegó la delgada hoja de papel.

La señorita Joyce se agachó, recogió el sobre y lo alisó entre sus manos.

—Léela en voz alta, Zorana. Todos queremos escuchar las noticias. —La voz de Konstantine vibraba de optimismo... y temor.

—El cónsul estadounidense en Nepal lamenta tener que comunicaros una noticia tan dolorosa, pero el cuerpo... el cuerpo, en avanzado estado de descomposición, de Adrik ha sido encontrado e identificado. Sus restos fueron incinerados. —Se le quebró la voz, pero de inmediato recuperó las fuerzas—. Van a enviarnos sus cenizas.

—Oh, no —murmuró Ann.

Firebird ahogó un sollozo.

—Mis pobres queridos, ha ocurrido exactamente lo que todos temíamos. Lo siento mucho. —La señorita Joyce palmeó la espalda de Zorana.

Tasya abrazó a Rurik y Rurik se refugió en ella.

—Es lo que sospechábamos. —Konstantine, que unos pocos minutos atrás estaba exultante y feliz, ahora tenía un aspecto frágil, gris y acabado—. Nuestro hijo y hermano está muerto.

Bajo el dolor de la familia por la muerte de Adrik acechaba otro dolor horripilante: ya no había esperanza.

Sin Adrik, sin la mujer que amaba y sin el icono que estaba destinado a encontrar, el pacto con el diablo jamás podría romperse.

Konstantine estaba condenado al infierno.

Todos ellos estaban condenados... para siempre.